Introductory French Reader

E. E. Milligan University of Wisconsin

The Macmillan Company, New York
Collier-Macmillan Limited, London

ACKNOWLEDGMENTS

Les Plaisirs et les jeux is published with the permission of the Mercure de France, 26, Rue de Condé, Paris 6.

Les Jumeaux de Vallangoujard is published with the permission of the Société des Gens de Lettres, Hôtel de Massa, 38, Rue du Faubourg Saint-Jacques, Paris 14.

Le Monde américain is published with the permission of the author, André Maurois.

Le Petit Prince is from *Le Petit Prince* by Antoine de Saint-Exupéry, copyright, 1943, by Reynal and Hitchcock, Inc. Used by permission of Harcourt, Brace and World, Inc. The illustrations are drawn from the originals by Antoine de Saint-Exupéry.

L'Anglais tel qu'on le parle is published with the permission of Calmann-Lévy, Editeur, 3, Rue Auber, Paris 9.

Un Oubli is published with permission of the Librairie Ernest Flammarion, 26, Rue Racine, Paris 6.

Les Boeufs is published with the permission of Gallimard, 5, Rue Sébastien-Bottin, Paris 7. All rights reserved.

Les Carnets du major Thompson is published with the permission of the Librairie Hachette, 79, Boulevard Saint-Germain, Paris 6.

La Communale by Jean L'Hôte, edited by Robert W. Torrens and James B. Sanders. Copyright © 1959, by Appleton-Century-Crofts, Inc. Reprinted by permission of the publisher.

Le Rire is published with the permission of the Société des Gens de Lettres, Hotel de Massa, 38 Rue du Faubourg Saint-Jacques, Paris 14.

L'Autre Femme is published with the permission of Librarie Ernest Flammarion, 26, Rue Racine, Paris 6.

La Découverte du radium is published with the permission of Librairie Gallimard, 5, Rue Sébastien-Bottin, Paris 7. All rights reserved.

Library of Congress catalog card number: 63–9236

THE MACMILLAN COMPANY, NEW YORK
COLLIER-MACMILLAN CANADA, LTD., TORONTO, ONTARIO

PRINTED IN THE UNITED STATES OF AMERICA

printing number
8   9   10

Introduction

While the values and virtues of verbal communication in a foreign tongue are unquestioned, the ultimate contribution that can be made by the study of another language is some acquaintance with the ideas and feelings of its writers. After a year's study of French at the college level the student is most often prepared to undertake readings of literary value; for this there are many good books. But to compile a reader at the beginning level poses problems of quite a different order—some of them all but insoluble. The student should have the satisfaction of beginning to read soon after he starts his study of the foreign language, perhaps no later than a month after. But where can one find introductory readings by native writers which would be simple enough to be understood by the American student? In truth, they don't exist; even books written for children are much too difficult both from the viewpoints of vocabulary and syntax, not to mention that their content would be insufferable for students with maturing minds.

There appear, then, to be but two paths around this difficulty which plagues the earlier selections of a book such as this. One is to begin with short stories that are largely anecdotal. While these can be cast in simple language, they always run the grave risk of being trivial. Strictly speaking, only the second selection in this book (*Astuce de Rabelais*) is anecdotal in nature; it is hoped that its humor will justify its inclusion. The other method involves recasting writings which in their original form are recognized as having literary merit, with the expectancy that the original qualities will not be too blurred and that some of their spirit and light will continue to shine through. This procedure is called adaptation. There are times when this procedure needs no special comment;

the third selection—*Les Trois Aveugles* [*The Three Blindmen*]— is a modernization of a medieval tale that in its time was told over and over, perhaps never twice the same. As for the adaptations from La Fontaine which begin this book and those from Voltaire which soon follow, these are offered with the hope that their content will compensate for the linguistic change. This procedure is, after all, not without good precedent; for some young readers their introduction to Shakespeare came through Charles Lamb's *Tales From Shakespeare*.

Once past these two types of stories there is, fortunately, the final category of readings which is by far the largest, comprising nineteen of the twenty-five selections. It includes the seventh selection, *Le Malade imaginaire,* and all those beginning with and following Duhamel's *Le Plaisir et les jeux.* Here the language is that of the original, but with some abridgments and deletions.

In compiling this book the aim has been to combine the lighthearted, the serious, the thought-provoking, and true literary merit. The balance is heavy on the side of contemporary writers, and of these almost half are from the twentieth century. The ample footnoting is intended not only to help overcome the linguistic difficulties but to cultivate some appreciation of literary values.

For the adaptations in this book I am indebted to Mrs. Marie-Claire Connes Wrage.

E. E. MILLIGAN

Table of Contents

Five Fables (adapted from La Fontaine)   1

Astuce de Rabelais   10

Les Trois Aveugles de Compiègne   16

Four Critical Selections (adapted from Voltaire)   22

Le Malade imaginaire (Moliere)   42

Note on Verbs   50

Note on Translation   52

Les Plaisirs et les jeux (Duhamel)   54

Les Jumeaux de Vallangoujard (Duhamel)   68

Le Monde américain (Maurois)   78

Le Petit Prince (Saint-Exupéry)   97

L'Anglais tel qu'on le parle (Bernard)   119

Un Oubli (Boutet)   133

Les Boeufs (Aymé)   139

Les Carnets du major Thompson (Daninos)   157

La Communale (L'Hôte)   178

Contents

Two Stories (Colette)   190

De La Terre à la lune (Verne)   202

Two Stories (Maupassant)   227

Poèmes en prose (Baudelaire)   247

Jésus-Christ en Flandre (Balzac)   257

La Découverte du radium (Eve Curie)   270

Vocabulary   290

Jean de la Fontaine

Five Fables

"I use animals to instruct men," wrote Jean de la Fontaine (1621–1695) in the introductory poem of his collection of verse fables. Sometimes he also used plants and trees, as in the first of the fables that follow, and sometimes even people. Whatever his cast of characters his aim was to draw forth a moral lesson meant to give us an insight into the life around us. Although many of La Fontaine's fables are suitable for children, the vast majority are reflections by a sophisticated observer of the very worldly society of the age of Louis XIV.

The fable is one of the oldest of literary forms, with its origins lost in antiquity. Some of La Fontaine's fables originated in his own observations; many were modernizations of themes that already had been treated, particularly by the Greek writer Aesop.

LE CHENE ET LE ROSEAU

Un jour, le chêne dit au roseau:

—Vous n'avez pas de chance,[1] la nature n'est pas généreuse envers vous; un petit oiseau est pour vous un lourd fardeau, et le moindre vent qui trouble la surface de l'eau vous oblige à baisser la tête. Tandis que moi, qui suis haut comme le 5

---

[1] **chance,** *luck.*

1

Caucase, non seulement j'arrête avec ma tête les rayons du soleil, mais même je défie les tempêtes . . . Tous les vents sont pour vous la bise, et pour moi la brise.[2] Et pourquoi la nature ne vous place-t-elle pas à l'abri sous mes branches pour être protégé de l'orage? Mais vous poussez le plus souvent au 5 bord des marais et des rivières, là où le vent souffle le plus fort. La nature me semble bien injuste envers vous.

—Merci de votre compassion, lui répond le roseau, vous êtes très bon; mais ne vous inquiétez pas pour moi:[3] les vents sont moins dangereux pour moi que pour vous; je plie mais 10 je ne me romps pas; c'est parce que je suis faible que je ne suis pas en danger, je cède à ce qui est plus fort que moi. Vous, vous résistez fièrement aux tempêtes et, jusqu'à maintenant, vous triomphez, mais attendons[4] la fin.

A ces mots, éclate un orage plus violent que tous les précé- 15 dents. Le vent attaque le roseau, qui plie, et le chêne, qui résiste, comme toujours. Le vent redouble ses efforts et finit par déraciner l'orgueilleux dont la tête[5] est voisine du ciel et dont le pied descend jusqu'à l'empire des morts.

Expressions for Study

1. Vous n'avez pas de chance.
2. Tous les vents sont pour vous la bise, et pour moi la brise.
3. Ne vous inquiétez pas pour moi.

Questionnaire

1. Quel est l'effet du vent sur le roseau?
2. Les tempêtes obligent-elles le chêne à baisser la tête?
3. Les roseaux poussent-ils généralement à l'abri des chênes?
4. Les vents sont-ils dangereux pour les roseaux? Pourquoi?
5. Quel est le caractère du chêne? Prouvez-le.

---

[2] **la bise . . . la brise,** *the cold north wind . . . the breeze.*
[3] **ne vous inquiétez pas pour moi,** *don't worry about me.*
[4] **attendons,** *let's wait for.*
[5] **dont la tête,** *whose head.*

LA CIGALE ET LA FOURMI

Une cigale et une fourmi sont voisines, mais leurs habitudes sont très différentes: la cigale chante tout l'été sans penser que le beau temps va finir et qu'en hiver, on ne trouve rien[1] à manger. Au contraire, la fourmi est travailleuse, c'est sa plus grande qualité: tout l'été, elle accumule activement 5 des provisions pour l'hiver. Quand le froid arrive, elle reste donc tranquillement chez elle, ne craignant pas la famine. Mais on frappe à la porte: c'est sa voisine, la cigale.

—Voisine, j'ai terriblement faim,[2] je n'ai rien à manger chez moi, pas un seul petit morceau de mouche ni le moindre 10 ver. Il fait si froid[3] qu'on ne trouve rien dehors. Vous qui êtes si riche, s'il vous plaît, prêtez-moi quelques grains pour survivre jusqu'au printemps. Une fois le printemps arrivé, je vous promets, je vous donne ma parole d'animal,[4] qu'avant le mois d'août, votre capital et vos intérêts vous sont payés. 15

La fourmi n'est pas prêteuse, c'est là son moindre défaut.

—Que faites-vous quand il fait beau? dit-elle à cette emprunteuse, pourquoi ne travaillez-vous pas comme moi à faire des provisions pour l'hiver?

—Quand il fait beau? Nuit et jour, sans cesse, je chante 20 pour célébrer le beau temps.

—Vous chantez? c'est admirable, eh bien! dansez maintenant.

Expressions for Study

1. J'ai terriblement faim.
2. Je n'ai rien à manger chez moi.
3. Il fait si froid qu'on ne trouve rien dehors.
4. Je vous donne ma parole d'animal.
5. Que faites-vous quand il fait beau?

---

[1] **on ne trouve rien,** *one can find nothing, nothing can be found.*

[2] **j'ai terriblement faim,** *I am terribly hungry.*

[3] **Il fait si froid,** *It is so cold.*

[4] **je vous donne ma parole d'animal,** *upon my word of honor as an animal.*

Questionnaire

1. Que fait la fourmi l'été? Et la cigale?
2. Qu'est-ce que la cigale demande à la fourmi?
3. Qu'est-ce que la cigale promet?
4. Qu'est-ce que la fourmi reproche à la cigale?
5. La fourmi prête-t-elle des grains à la cigale? Que lui dit-elle finalement?

LE CORBEAU ET LE RENARD

Un corbeau prend un fromage à la fenêtre d'une ferme, l'emporte et se pose, pour le manger tranquillement, sur un arbre. Un renard, attiré par l'odeur, se place au pied de l'arbre et dit ceci:

—Hé! bonjour, monsieur le Corbeau, que vous êtes joli![1] 5 que vous me semblez beau! Vos plumes sont plus brillantes que celles de tous les oiseaux; en vérité, si votre voix est aussi belle que vos plumes, vous êtes le roi de la forêt.

A ces mots, le corbeau est tout fier et tout joyeux; et pour montrer sa belle voix, il ouvre le bec largement . . . et laisse 10 tomber le fromage.

Aussitôt le renard le saisit et dit, avant de l'emporter:

—Mon bon monsieur, apprenez que, si vous aimez les flatteries, vous devez le payer.[2] Cette leçon vaut bien[3] un fromage, il me semble. 15

Le corbeau, honteux et furieux, jure que c'est la dernière fois qu'il est aussi stupide. Mais c'est un peu tard!

Expressions for Study

1. Que vous êtes joli!
2. Vous devez le payer.
3. Cette leçon vaut bien un fromage.

---

[1] **que vous êtes joli!** *how pretty you are!*
[2] **vous devez le payer,** *you must pay for it.*
[3] **vaut bien,** *is well worth.*

Questionnaire

1. Pourquoi le renard dit-il au corbeau qu'il est beau?
2. Le corbeau est-il intelligent et modeste?
3. Le corbeau comprend-il la leçon? Qui va manger le fromage?

LES ANIMAUX MALADES DE LA PESTE

Une maladie terrifiante, une maladie que le Ciel envoie pour punir les crimes de la terre, une maladie qui peut en un jour remplir les cimetières, la peste (enfin, puisqu'il faut l'appeler par son nom) se répand au royaume des animaux. Beaucoup meurent, tous sont malades, la désolation règne: 5 aucun animal ne cherche plus de[1] nourriture, les loups et les renards laissent passer les proies sans les saisir.

Le lion réunit tous les animaux et dit:

—Mes chers amis, je crois que c'est le Ciel qui nous punit de nos péchés en nous envoyant cette maladie. Le plus 10 coupable de nous doit se sacrifier[2] pour obtenir le pardon commun. Dans l'histoire, il y a des exemples de dévouements de cette sorte. Donc, confessons[3] honnêtement l'état de notre conscience. Pour moi, je confesse que je suis un glouton car je mange souvent des moutons. Pourquoi? Je ne sais pas. 15 Que me font ces moutons? Rien.[4] Et même, quelquefois, il m'arrive de manger[5] le berger. Je veux bien me sacrifier, s'il le faut.[6] Mais je pense que tous doivent s'accuser[7] comme je le fais: car la justice exige la mort du plus coupable.

---

[1] **aucun animal ne cherche plus de nourriture,** *no longer does any animal look for food.*

[2] **doit se sacrifier,** *must sacrifice himself.*

[3] **confessons,** *let's confess.*

[4] **Que me font ces moutons? Rien.** *What do these sheep do to me? Nothing.*

[5] **il m'arrive de,** *it happens that I.*

[6] **s'il le faut,** *if need be, if necessary.*

[7] **doivent s'accuser,** *should accuse themselves.*

—Seigneur, dit le renard, vous êtes un trop bon roi; vos scrupules montrent trop de délicatesse. Manger des moutons, cette espèce stupide, est-ce un péché? Non, non. C'est un grand honneur que vous leur faites. Quant au berger, il mérite ses malheurs car il est de cette espèce qui a l'audace 5 de vouloir régner sur les animaux.

A ces mots, les flatteurs applaudissent. Personne n'ose critiquer non plus[8] les crimes énormes du tigre, ni de l'ours, ni des autres animaux puissants. Tous les animaux querelleurs, même les chiens, sont proclamés par tous être des 10 saints.

L'âne vient à son tour et dit:

—Je me souviens[9] qu'un jour, affamé, passant dans un pré d'herbe tendre, un diable me poussant sans doute, j'ai mangé une surface d'herbe[10] grande comme ma langue. C'est un 15 péché, je le confesse.

Aussitôt, tous les autres animaux crient:

—Quel[11] scandale! Punissons[12] cet âne!

Un loup, qui a quelques talents d'avocat, plaide et démontre qu'il faut sacrifier ce maudit animal, car c'est de lui 20 que vient tout le mal.[13] Son petit péché est déclaré mortel. Manger l'herbe de son prochain, quel crime abominable! La mort seule peut punir une action aussi noire: Et on le met à mort.

Car selon que vous êtes puissant ou faible, les jugements 25 de cour vous déclarent blanc ou noir.

Expressions for Study

1. La peste se répand au royaume des animaux.
2. Aucun animal ne cherche plus de nourriture.

---

[8] **Personne n'ose critiquer non plus,** *Neither does one dare criticize.*

[9] **Je me souviens,** *I recall.*

[10] **une surface d'herbe,** *a patch of grass.*

[11] **Quel,** *What a.*

[12] **Punissons,** *Let's punish.*

[13] **c'est de lui que vient tout le mal,** *it's from him that all the harm comes.*

3. Le plus coupable de nous doit se sacrifier.
4. Donc, confessons honnêtement.
5. Que me font ces moutons? Rien.
6. Quelquefois, il m'arrive de manger le berger.
7. Je veux bien me sacrifier, s'il le faut.
8. Tous doivent s'accuser.
9. Personne n'ose critiquer non plus les crimes énormes du tigre.
10. Je me souviens qu'un jour j'ai mangé une surface d'herbe.
11. Quel scandale!
12. Punissons cet âne!
13. C'est de lui que vient tout le mal.
14. Quel crime abominable!

Questionnaire

1. Quelle est la cause de la peste? Quelle est sa puissance?
2. Quelle solution propose le lion? Pourquoi la propose-t-il?
3. Le renard juge-t-il le lion coupable? Pourquoi pas?
4. Pourquoi n'ose-t-on pas critiquer le tigre ou l'ours?
5. Décrivez le crime de l'âne. A-t-il une excuse?
6. Y a-t-il des animaux qui défendent l'âne? Pourquoi?
7. Quelle punition inflige-t-on à l'âne?

LES DEUX PIGEONS

Deux pigeons s'aiment[1] tendrement. Mais l'un des deux s'ennuie à la maison et décide un jour de partir pour un grand voyage dans les pays lointains. L'autre lui dit:

—Que vas-tu faire? Veux-tu quitter ton frère? L'absence est le plus grand des malheurs, mais pas pour toi, apparem- 5 ment, cruel! Voyons, réfléchis, pense aux dangers, aux fatigues du voyage, change de décision. Attends au moins le printemps: quand le temps est beau, les voyages sont agréables, mais maintenant, c'est de la folie. Si tu pars, je vais être continuellement inquiet, je vais imaginer que 10 tu rencontres des faucons, que tu tombes dans des pièges; je vais me dire: hélas! il pleut! mon frère a-t-il tout ce qu'il veut, de la nourriture, un logement et le reste?

---

[1] s'aiment, *love each other.*

Ces mots impressionnent notre imprudent voyageur, il hésïte; mais finalement, sa curiosité et son besoin de changement sont les plus forts. Il répond:

—Ne pleure pas; trois jours au plus[2] sont suffiisants pour mon voyage. Je vais revenir satisfait et te raconter toutes 5 mes aventures et ainsi, toi aussi tu vas profiter de[3] mon voyage: tu vas croire voyager toi-même. Fini l'ennui! Si on ne voyage pas, on ne voit rien de nouveau[4] et on n'a rien à dire.

A ces mots, en pleurant, ils se disent adieu. Aussitôt, voilà 10 un orage qui oblige notre voyageur à chercher un abri. Il n'y a qu'un seul arbre[5] près de là et avec si peu de feuilles qu'il ne protège pas le pigeon. Le soleil revenu, il repart, tout mouillé. En volant, il aperçoit un champ de blé où un autre pigeon semble manger. Il s'y pose mais le blé cache 15 un piège: l'oiseau est pris. L'autre pigeon n'est qu'[6] un faux pigeon. Le malheureux s'agite violemment et, le piège étant usé,[7] heureusement, il réussit à casser la ficelle avec son bec, ses ailes, ses pattes. Il s'échappe mais il y perd quelques plumes.   20

Un faucon aperçoit notre misérable pigeon qui essaye de s'envoler en traînant la ficelle à la patte.[8] Le faucon est sur le point de le prendre quand un oiseau encore plus cruel, un aigle, descend aussi du ciel et attaque à son tour le faucon. Le pigeon profite de[9] leur conflit et s'envole.   25

Puis il se pose près d'une humble petite maison et, très fatigué, commence à se reposer; il suppose que ses malheurs sont enfin finis.

---

[2] **au plus**, *at most.*
[3] **profiter de**, *profit by.*
[4] **on ne voit rien de nouveau**, *you see nothing new.*
[5] **Il n'y a qu'un seul arbre**, *There is but one tree.*
[6] **n'est qu'**, *is only.*
[7] **usé**, *worn out.*
[8] **en traînant la ficelle à la patte**, *dragging the cord with his foot.*
[9] **profite de**, *takes advantage of.*

Mais un méchant enfant (cet âge est sans pitié) prend sa fronde et, d'un seul coup, tue presque le pauvre oiseau. Celui-ci,[10] maudissant sa curiosité, traînant l'aile et la patte, retourne chez lui aussi vite que possible. Il finit par y arriver, à demi-mort mais sans autre mauvaise aventure.   5

Voilà nos deux frères réunis; je vous laisse imaginer la joie qui compense tous leurs malheurs.

Amants, heureux amants, pourquoi voyager? Vous êtes l'un pour l'autre un monde toujours beau, toujours varié, toujours nouveau.   10

Expressions for Study

1. Deux pigeons s'aiment tendrement.
2. Trois jours au plus sont suffisants pour mon voyage.
3. Toi aussi tu vas profiter de mon voyage.
4. On ne voit rien de nouveau.
5. Ils se disent adieu.
6. Il n'y a qu'un seul arbre près de là.
7. L'autre pigeon n'est qu'un faux pigeon.
8. Le piège étant usé, il réussit à casser la ficelle.
9. Le pigeon profite de leur conflit.

Questionnaire

1. Pourquoi un des pigeons veut-il partir en voyage?
2. Pourquoi est-ce de la folie de voyager maintenant?
3. Le voyageur change-t-il de décision?
4. Comment le voyage de l'un peut-il profiter à l'autre?
5. Quel est le premier danger que recontre le voyageur?
6. Comment le pigeon réussit-il à s'échapper du piège?
7. Pourquoi le faucon ne prend-il pas le pigeon?
8. Que fait l'enfant?

---

[10] **Celui-ci,** *The latter.*

Astuce de Rabelais

François Rabelais (1494–1553) is one of the truly great names of French literature, and particularly of its Renaissance period in the sixteenth century. His varied career as monk, doctor and professor of anatomy symbolizes the vast reach of his interests, which found their expression in his work *Gargantua et Pantagruel*. The earlier volumes treat the history of two giants whose excesses, although oftentimes merely a device for popular entertainment, are indicative of the explosive and heady effect which rediscovered knowledge was beginning to have on the lives of men. In a sharp break with doctrinaire belief Rabelais saw man as basically good; hence, his work has an element of optimism and the feeling of great achievement. In spite of its many attacks on established institutions Rabelais's work is best described as an act of faith.

The little story that follows is purely anecdotal; it is not suggested that it has a basis in truth.

Au moment de rentrer à Paris, après un séjour à Rome, Rabelais se trouve presque sans argent. Il ne connaît personne[1] à Rome et il ne peut rien vendre, n'ayant avec lui que[2] le strict minimum de bagages. Comment arriver à Paris? Et, de plus,[3] comment y arriver confortablement? 5 (Car Rabelais n'aime pas se priver.[4])

---

[1] **Il ne connaît personne,** *He knows no one.*
[2] **n'ayant avec lui que,** *having with him only.*
[3] **de plus,** *furthermore.*
[4] **se priver,** *do without anything.*

Rabelais réfléchit et il a tout à coup[5] l'idée d'un stratagème audacieux: il va d'abord dépenser l'argent qui lui reste à atteindre la France. Il arrive ainsi jusqu'à Lyon.[6]

—Voyons,[7] voici une auberge qui a l'air respectable, c'est mon affaire.[8] Holà, aubergiste!   5

—Voilà,[9] monsieur. Vous désirez une chambre?

—Oui, vite. Je voudrais[10] une chambre à l'écart,[11] car je veux être parfaitement tranquille.

—Bien, monsieur. Jean! montrez à monsieur la petite chambre qui donne sur[12] le jardin.   10

Le serviteur commence à monter l'escalier, mais Rabelais fait semblant d'hésiter,[13] puis demande à l'aubergiste à voix basse:

—Est-ce que vous avez ici un petit garçon qui sait lire et écrire?   15

—Oui, il y a mon fils, qui a huit ans, mais . . .

—Envoyez-le dans ma chambre dans dix minutes.

—Bien, monsieur, dit l'aubergiste, intrigué.

Arrivé dans sa chambre, Rabelais renvoie le serviteur et se dépêche dé[14] faire trois petits paquets avec de la cendre 20 qu'il prend dans la cheminée. Au bout de dix minutes, le petit garçon arrive, apportant de l'encre et du papier. Rabelais lui dit:

—Assieds-toi[15] ici et écris ce que je vais te dicter. Sur ce premier billet, tu vas écrire: *poison pour le roi*.   25

—Poison pour le roi! s'écrie l'enfant.

---

[5] **tout à coup,** *suddenly.*
[6] **Lyon,** *Lyons,* a city in south central France.
[7] **Voyons,** *Well.*
[8] **c'est mon affaire,** *it's precisely what I was looking for.*
[9] **Voilà,** *At your service.*
[10] **voudrais,** *would like.*
[11] **à l'écart,** *secluded.*
[12] **donne sur,** *looks onto.*
[13] **fait semblant d'hésiter,** *pretends to.*
[14] **se dépêche de,** *hastens to.*
[15] **Assieds-toi,** *Sit down.*

—Oui, tais-toi et écris ce que je te dis. Est-ce que c'est fait? Bon. Sur ce deuxième billet, écris: *poison pour la reine.* Bon. Enfin, sur ce troisième billet, écris: *poison pour le dauphin.*[16]

Puis Rabelais met les trois billets sur les trois paquets et 5 dit à l'enfant:

—Mon enfant, écoute-moi bien: ne dis rien à personne[17] de ce que tu viens de[18] voir, car si tu parles, tu es mort, et moi aussi. Maintenant, je veux dîner, vas le dire à ton père, veux-tu?   10

Aussitôt, l'enfant descend à la cuisine où le père est en train de[19] préparer le dîner.

—Papa! Cet homme est un assassin, il veut empoisonner le roi! Ecoute ce que je viens de voir . . . Et l'enfant raconte tout ce qu'il vient de voir, de faire et d'entendre.   15

—C'est abominable, dit le père. D'ailleurs, mon instinct ne me trompe jamais:[20] cet homme a vraiment l'air d'un régicide;[21] pourquoi demander une chambre à l'écart si on a la conscience tranquille? Heureusement, nous pouvons encore arrêter son projet criminel. Tu vas lui apporter son 20 dîner, et, pendant ce temps, je vais courir chercher la police. L'aubergiste se précipite chez[22] le prévôt de police et lui dit, tout essoufflé:[23]

—Prévôt, j'ai chez moi un voyageur qui va assassiner le roi. Mon fils vient de voir dans sa chambre plusieurs paquets 25 de poison destinés à toute la famille royale.

---

[16] *Dauphin* was the title of the heir to the French throne.

[17] **ne dis rien à personne,** *say nothing to anybody.*

[18] **viens de,** *have just.* This idiom occurs a number of times.

[19] **est en train de,** *is in the act of, is busy.*

[20] **ne me trompe jamais,** *never deceives me.*

[21] **a vraiment l'air d'un régicide,** *really looks like a regicide* (assassin of royalty).

[22] **se précipite chez,** *hastens to.*

[23] **tout essoufflé,** *all out of breath.*

—Comment? Notre roi est menacé? Vite, dites-nous tous les détails, monsieur. Quelle gloire pour notre ville si notre police réussit à découvrir ce complot criminel!

L'aubergiste raconte toute l'histoire et aussitôt, le prévôt, accompagné de plusieurs officiers de police, va à l'auberge et monte à la chambre où Rabelais dîne tranquillement. 5

—Monsieur, au nom de la loi, je vous arrête!

—Mais, je suis innocent! De quoi m'accuse-t-on?

—Vous voulez empoisonner le roi.

—Comment pouvez-vous m'accuser d'un projet aussi horrible? 10

—Vous vous trahissez,[24] monsieur. Montrez-moi votre valise.

Et les officiers de police, malgré Rabelais qui fait semblant de résister, saisissent sa valise et, naturellement, y trouvent les trois paquets. 15

—Ah! Pouvez-vous encore nier, monsieur?

—Je ne sais pas ce que c'est que ces paquets,[25] ce n'est pas moi qui . . .

—Cela suffit, vous êtes arrêté, monsieur. Officiers, nous allons l'emmener à Paris. Gardez-le bien. 20

Rabelais fait ainsi le voyage gratuitement, bien nourri et sur un bon cheval. Arrivé à Paris, il se nomme.

—Comment! vous êtes Rabelais, le célèbre médecin de Lyon? Et l'auteur de *Gargantua*, qui nous fait tant rire?

—Oui, c'est moi. Je veux parler au roi. Rabelais est donc 25 amené devant le roi.

—Tiens![26] c'est vous, Rabelais! De quoi êtes-vous donc coupable pour venir devant moi amené par des officiers de police? Et vous n'êtes donc plus à Rome?

—Non, c'est justement pour ne plus être à Rome que me 30

---

[24] **Vous vous trahissez,** *You have given yourself away.*
[25] **ce que c'est que ces paquets,** *what these packages are.*
[26] **Tiens!** *Why!*

voilà devenu[27] un dangereux criminel: je veux empoisonner votre Majesté.

—Ah! vraiment? Racontez-moi cela, Rabelais. Je parie que c'est encore un de vos stratagèmes pour trouver de l'argent.   5

Rabelais raconte toute l'histoire. Et le roi, loin de se fâcher, rit beaucoup et la raconte à tout le monde à la cour.

Voilà donc ce stratagème, dangereux pour tout autre, mais qui, pour Rabelais, tourne bien.[28]

Expressions for Study

1. Il ne connaît personne à Rome.
2. De plus, comment y arriver confortablement?
3. Rabelais n'aime pas se priver.
4. Il a tout à coup l'idée d'un stratagème audacieux.
5. Voyons, voici une auberge.
6. C'est mon affaire.
7. Je voudrais une chambre à l'écart.
8. La petite chambre qui donne sur le jardin.
9. Rabelais fait semblant d'hésiter.
10. Rabelais se dépêche de faire trois petits paquets.
11. Assieds-toi ici.
12. Ne dis rien à personne de ce que tu viens de voir.
13. Le père est en train de préparer le dîner.
14. Mon instinct ne me trompe jamais.
15. L'aubergiste se précipite chez le prévôt de police.
16. Vous vous trahissez.
17. Je ne sais pas ce que c'est que ces paquets.
18. Tiens! c'est vous.
19. C'est justement pour ne plus être à Rome que me voilà devenu un dangereux criminel.
20. Voilà ce stratagème qui, pour Rabelais, tourne bien.

Questionnaire

1. Quel est le problème qui se pose à Rabelais?
2. Quelle sorte de chambre Rabelais demande-t-il?

---

[27] **c'est justement pour ne plus être à Rome que me voilà devenu,** *it is precisely because I am no longer in Rome that I have become.*

[28] **tourne bien,** *turns out well.*

3. Rabelais suit-il le serviteur? Pourquoi?
4. Pourquoi l'aubergiste est-il intrigué?
5. Qu'est-ce que Rabelais met dans les paquets?
6. Qu'est-ce que Rabelais recommande à l'enfant?
7. L'enfant obéit-il à Rabelais?
8. Pourquoi le père trouve-t-il que Rabelais a l'air d'un régicide?
9. Pourquoi le prévôt est-il content?
10. Les réponses de Rabelais sont-elles convaincantes?
11. Rabelais est-il triste d'être arrêté?
12. Les officiers de police connaissent-ils *Gargantua*?
13. Pourquoi le roi est-il surpris?
14. Le roi est-il fâché contre Rabelais? Quelle est sa réaction?
15. Ce stratagème peut-il réussir à tout le monde?

Les Trois Aveugles
de Compiègne

From the middle ages have come some one hundred and fifty *fabliaux* (verse fables) of which the following prose version is an example. For the most part these tales are of unknown authorship; many are stories that had been told and retold for centuries and had originated in other lands.

In a period when reading and writing were not commonplace the tale fulfilled a special role; related to an audience, and often accompanied by a crude musical instrument, it was one of the few forms of entertainment. And tales such as *Les Trois Aveugles* were perhaps often used to offset and give comic relief to those more serious which recounted the lofty deeds of Charlemagne or King Arthur.

Trois aveugles partent de Compiègne[1] pour mendier dans les environs. Ils ont tous les trois une tasse et un bâton. Ils marchent très vite. Un jeune étudiant, à cheval, va aussi à Compiègne. Il est accompagné de son serviteur. Il vient de Paris où il finit ses études. Il est surpris de voir des aveugles 5 marcher si vite.

—Voilà des aveugles, se dit-il, qui ont beaucoup d'assurance pour des gens qui ne voient rien. Je veux savoir s'ils sont vraiment aveugles et leur jouer un tour.[2]

---

[1] This city is northeast of Paris.
[2] **leur jouer un tour,** *play a trick on them.*

16

Quand il s'approche des trois amis, ceux-ci entendent le bruit de son cheval et ils s'arrêtent; ils implorent:

—La charité, s'il vous plaît.

L'étudiant fait semblant de leur donner quelque chose:

—Voici une pièce d'argent, elle est pour vous trois. 5

—Merci, Monsieur, répondent les aveugles, c'est Dieu qui vous envoie.

En réalité, l'étudiant ne leur donne rien, mais chacun des trois aveugles croit que les autres reçoivent la pièce. Ils repartent, très joyeux, mais ils marchent moins vite. 10

L'étudiant fait semblant de repartir aussi, mais un peu plus loin, il descend de cheval et ordonne à son serviteur:

—Prenez mon cheval et allez m'attendre à la porte[3] de Compiègne.

Puis, il se rapproche sans bruit des aveugles et les suit 15 pour écouter ce qu'ils décident de faire. Quand ils n'entendent plus le bruit des chevaux, le chef de la petite troupe s'arrête:

—Camarades, dit-il, nous avons beaucoup de chance,[4] aujourd'hui. Mon opinion est de ne plus aller mendier dans 20 les environs, mais de retourner à Compiègne pour manger l'argent[5] de ce bon chrétien. Nous pouvons enfin nous offrir un magnifique dîner. Nous allons nous amuser!

—J'accepte la proposition, dit le deuxième mendiant.

—Et moi aussi, dit le troisième. 25

Et aussitôt, nos trois mendiants, toujours suivis par l'étudiant, retournent à Compiègne.

Arrivés dans la ville, ils passent près d'une auberge où ils entendent crier:

—Excellent vin! Poisson délicieux! Viande appétissante! 30 Dîners à tous les prix! Entrez, Messieurs!

Alors, ils ne veulent pas aller plus loin, ils entrent et de-

---

[3] **porte,** *gate.*
[4] **nous avons beaucoup de chance,** *we are very lucky.*
[5] **manger l'argent,** *spend the money on food.*

mandent un bon dîner. Comme ils sont mal habillés, l'hôtelier
va refuser de leur servir à dîner, parce qu'il pense qu'ils n'ont
pas d'argent. Mais les mendiants expliquent avec assurance:

—Nous pouvons payer.

Et ils sont reçus avec respect. L'hôtelier les conduit dans 5
sa plus belle salle à manger et leur dit:

—Asseyez-vous.[6] Commandez ce que vous voulez; je peux
vous servir le meilleur dîner de Compiègne.

Ils commandent alors le meilleur dîner possible. Aussitôt,
l'hôtelier et tous ses serviteurs commencent à préparer le 10
dîner, et même les voisins viennent pour aider. Enfin, le
dîner est prêt, un dîner de cinq plats;[7] et voilà nos trois
amis qui mangent, qui boivent, qui rient, qui chantent et
qui se moquent beaucoup de[8] l'étudiant qui leur procure
tout cela.   15

Mais celui-ci est là aussi, et il écoute leur joyeuse conversation.

Pour entendre toute la scène, il dit à l'hôtelier:

—Je désire dîner avec vous.

Ils dînent donc tous les deux, dans la salle à manger, 20
mais modestement, à une petite table séparée. Les aveugles
sont servis comme des rois. La fête continue tard dans la
nuit et enfin, pour terminer somptueusement cette bonne
journée, ils disent:

—Donnez-nous trois lits confortables.   25

Ils se couchent et ils dorment merveilleusement, comme
jamais avant ce jour.

Le lendemain matin, l'hôtelier dit à son serviteur:

—Allez réveiller les trois aveugles qui dorment, car je
désire les voir partir aujourd'hui.   30

Quand ils sont réveillés, ceux-ci se préparent à partir;
l'hôtelier compte leur dépense et leur demande de payer.

---

[6] **Asseyez-vous,** *Sit down.*
[7] **un dîner de cinq plats,** *a five-course dinner.*
[8] **se moquent beaucoup de,** *make fun of.*

C'est le moment que l'étudiant facétieux attend pour
s'amuser vraiment. Pour profiter complètement de[9] la scène,
il se place dans un coin où il n'est pas vu, mais d'où il peut
voir.

—Monsieur, disent les aveugles à l'hôtelier, nous n'avons 5
pas de monnaie,[10] nous avons une pièce,[11] rendez-nous la
monnaie.

Celui-ci tend la main pour recevoir l'argent et comme
personne ne lui donne rien, il demande:

—Lequel de vous trois a l'argent?   10
Silence.

—Mais, avez-vous l'argent? Monsieur, est-ce vous qui
avez l'argent?

—Non, ce n'est pas moi. C'est mon camarade.

—Lequel? est-ce vous, Monsieur?   15

—Non, ce n'est pas moi non plus.[12] C'est mon camarade.

—Vous, alors, Monsieur?

—Non! ce n'est pas moi, non!

—Ah! Messieurs les voleurs! est-ce que vous croyez que
vous allez vous moquer de moi? Finissez, s'il vous plaît, 20
payez-moi, ou je vais vous battre!

Ils recommencent alors à se demander l'argent l'un à
l'autre, à se traiter mutuellement de[13] voleurs; finalement
ils se disputent et font beaucoup de bruit. Alors, l'hôte,
furieux, leur distribue quelques coups, puis il crie à son 25
serviteur:

—Apporte-moi un bâton!

L'étudiant, pendant cette dispute, rit de bon coeur[14] dans
son coin; mais, quand il voit que l'affaire devient sérieuse

---

[9] **Pour profiter complètement de,** *To take complete advantage of.*
[10] **monnaie,** *change.*
[11] **pièce,** *large coin.*
[12] **non plus,** *either.*
[13] **à se traiter mutuellement de voleurs,** *to call each other thieves.*
[14] **rit de bon coeur,** *laughs heartily.*

et que l'hôte parle de bâton, il sort de son coin et, d'un air
étonné, vient demander la cause de tout ce bruit.

—Monsieur, ce sont trois voleurs qui sont ici depuis hier
pour manger toute ma fortune; et, aujourd'hui, quand je
leur demande de payer, ils ont l'insolence de se moquer de 5
moi. Mais, par tous les diables, je ne vais pas le supporter
et je vais . . .

—Doucement, Monsieur, répond l'étudiant, ces pauvres
gens n'ont peut-être pas d'argent et, dans ce cas, vous devez
moins les blâmer que les plaindre.   10

—Et qui va me payer?

—Combien vous doivent-ils?

—Ils me doivent le prix de trois dîners et de trois lits.

—Quoi, c'est pour une si petite affaire que vous faites tant
de bruit! Calmez-vous. C'est moi qui vais vous payer leur 15
dépense. Voilà.[15] Laissez partir ces pauvres gens parce que,
vous savez, affliger les pauvres est un grand péché.

Les aveugles, quand ils entendent qu'ils ne vont pas être
battus, partent aussi vite que possible, très joyeux de cette
bonne aventure qui finit bien. L'hôtelier se calme main- 20
tenant, puisqu'il est payé. Il multiplie les éloges de la générosité de l'étudiant:

—Oui, Monsieur, une si grande charité ne va pas rester
sans récompense; je vous l'annonce, Dieu est avec vous,
vous allez prospérer grandement dans vos affaires.   25

L'étudiant, enfin, ne croit pas trop à une récompense
divine, mais il est enchanté tout de même[16] parce qu'il adore
jouer des tours.

Expressions for Study

1. Je veux leur jouer un tour.
2. L'étudiant fait semblant de repartir.

---

[15] **Voilà.** *Here.*

[16] **tout de même,** *just the same.*

3. Nous avons beaucoup de chance.
4. Asseyez-vous.
5. Nos trois amis se moquent beaucoup de l'étudiant.
6. Pour profiter complètement de la scène . . .
7. Nous n'avons pas de monnaie.
8. Ce n'est pas moi non plus.
9. Ils recommencent alors à se demander l'argent l'un à l'autre, à se traiter mutuellement de voleurs.
10. L'étudiant rit de bon coeur.
11. Ce sont trois voleurs qui sont ici depuis hier.
12. Vous devez moins les blâmer que les plaindre.
13. Il est enchanté tout de même.

Questionnaire

1. Qu'est-ce que les aveugles ont l'intention de faire?
2. Pourquoi l'étudiant est-il surpris? Que veut-il savoir?
3. L'etudiant leur donne-t-il beaucoup d'argent? Que croient les aveugles?
4. Pourquoi les aveugles marchent-ils moins vite maintenant?
5. Qu'est-ce que les aveugles décident de faire maintenant?
6. Pourquoi l'hôtelier va-t-il refuser de servir les aveugles?
7. Pourquoi accepte-t-il de les recevoir, finalement?
8. Qui prépare le dîner?
9. L'étudiant dîne-t-il avec les aveugles?
10. Comment les aveugles terminent-ils la journée?
11. L'hôtelier aime-t-il beaucoup les mendiants?
12. Quel moment l'étudiant attend-il particulièrement?
13. Pourquoi aucun des trois aveugles ne donne-t-il la pièce?
14. Les aveugles se moquent-ils de l'hôtelier ou sont-ils sincères?
15. Décrivez la dispute des aveugles.
16. Quand l'étudiant sort-il de son coin?
17. Qu'est-ce que l'hôtelier veut faire aux aveugles?
18. L'étudiant est-il cruel?
19. L'hôtelier admire-t-il l'étudiant?
20. Les mendiants sont-ils vraiment aveugles? Sont-ils mélancoliques?

Voltaire [François-Marie Arouet]

Four Critical Selections

Voltaire is the pen name of François-Marie Arouet (1694–1778). For almost fifty years he dominated the French literary scene, with writings in all the genres.

The eighteenth century came to be known as the Enlightenment, a term which implied that man's reason could be expected to be a competent guide for his conduct and for judging his institutions. Naturally, under the light of reason much was found wanting, and it became Voltaire's particular task to expose the social defects.

Many of the causes Voltaire championed have ceased to be of deep concern to us for the flaws he sought to eliminate have been corrected. His most lasting contribution may well be that revealed in the third and fourth of the adaptations that follow. This is the lesson of tolerance, which always seems contemporary and to need relearning. It should be added, however, that despite Voltaire's constant plea for tolerance, this did not imply for him acceptance of all values—witness the deep and abiding enmities he harbored against some of his contemporaries, notably Jean-Jacques Rousseau.

The *Jeannot et Colin* shows us Voltaire the critic of high society—a very common theme with eighteenth century writers. The *Ignorances de l'homme,* on the other hand, reveals a Voltaire whom we do not often see. Along with many of his contemporaries Voltaire was known as a *philosophe* (philosopher). Strangely, though, Voltaire offers no original philosophy, being content to concentrate on more practical matters. The reason for this may well be explained in the *Ignorances:*

the great problems cannot be solved. Hence a better world can be better achieved by an attempt to correct the evils of immediate import to our daily lives.

JEANNOT ET COLIN

L'histoire suivante est authentique. La ville d'Issoire, en Auvergne,[1] est fameuse dans tout l'univers par ses chaudrons et par son école. Jeannot et Colin vont à cette école pour leurs études. Jeannot est le fils d'un marchand de mulets très renommé et Colin est le fils d'un pauvre laboureur.[2] 5
Les deux garçons sont des amis inséparables.

Mais le temps des études est sur le point de finir. Un jour, un serviteur qui vient de la part du père de Jeannot se présente et demande:

—Monsieur de la Jeannotière,[3] s'il vous plaît? 10

Jeannot est un peu surpris mais il répond:

—C'est moi. Que voulez-vous?

Le serviteur lui donne un paquet et dit:

—Voici un habit de velours que je dois donner à monsieur de la Jeannotière. 15

L'habit est très élégant et Jeannot le met aussitôt. Colin admire l'habit et n'est pas jaloux, mais Jeannot prend un air supérieur qui afflige Colin. Depuis ce jour Colin n'étudie plus, se regarde dans la glace et méprise tout le monde. Quelque temps après, un autre serviteur arrive en carosse et 20 demande:

—Monsieur le marquis de la Jeannotière, s'il vous plaît?

—C'est moi, dit Jeannot sans hésiter.

---

[1] Auvergne is an old province in south central France.

[2] **laboureur,** *farmer, ploughman.*

[3] Plain Jeannot has suddenly taken on the designation of the minor nobility through this fulsome title. A little later it is evident that his family has reached almost the top rung. The habit of buying titles often attracted the satire—rather, the sarcasm—of Voltaire.

—Monsieur le marquis, je suis envoyé par votre père pour vous dire venir à Paris dans ce carosse. Je vais vous accompagner.

Aussitôt, Jeannot monte dans le carosse, en disant au revoir à Colin avec un sourire protecteur.[4] Colin sent son 5 néant et pleure. Jeannot part dans toute la pompe de sa gloire.

Lecteur, aimez-vous vous instruire? Alors apprenez que le père de Jeannot vient de[5] s'enrichir rapidement dans les affaires. 10

Lecteur, vous demandez comment on peut s'enrichir si vite? Apprenez que c'est quand on a de la chance.[6] Monsieur Jeannot le père est beau, sa femme est belle et encore jeune. Ils vont à Paris pour une affaire et, tout à coup, par chance, ils rencontrent le riche directeur d'une entreprise malhon- 15 nête. Jeannot le père plaît à la femme du directeur, madame Jeannot plaît au directeur; Jeannot entre dans l'entreprise, puis dans d'autres entreprises. Lecteur, quand vous êtes dans une rivière, laissez le courant vous emporter, vous faites facilement une fortune immense. Les autres gens, sur les 20 bords de la rivière, vous regardent avec des yeux étonnés naviguer triomphalement; ils vous critiquent mais ils vous envient. C'est ainsi que monsieur Jeannot le père devient monsieur de la Jeannotière, achète un titre de marquis et sort de[7] l'école monsieur le marquis son fils, pour le placer 25 à Paris dans la haute société.

Quelque temps après, Colin, toujours affectueux, écrit une lettre de compliments à son ancien[8] ami. Le petit marquis ne répond pas. Colin est presque malade de tristesse.

Le père et la mère de Jeannot donnent à leur fils un précep- 30 teur. Celui-ci, étant un homme de la haute société et un

---

[4] **protecteur,** *patronizing.*
[5] **vient de,** *has just.*
[6] **chance,** *luck.*
[7] **sort de,** *takes out of.*
[8] **ancien,** *former.*

homme d'esprit,[9] ne sait rien et ne peut donc rien enseigner
à son élève.

—Je crois que notre fils doit apprendre le latin, dit le
père.

—Je crois que notre fils ne doit absolument pas apprendre 5
le latin, dit la mère.

—Monsieur, dit le père au précepteur, comme vous savez
le latin et que vous êtes un homme de la cour . . .

—Moi, monsieur, du latin! Je ne le sais pas du tout, car
il est évident qu'on parle beaucoup mieux sa propre langue 10
quand on ne partage pas son attention entre elle et les
langues étrangères. Regardez les dames de la cour, elles sont
beaucoup plus spirituelles[10] que les hommes; c'est parce
qu'elles ne savent pas le latin.

—Ah! j'ai donc raison,[11] dit la mère. Mon fils doit être un 15
homme d'esprit, il doit réussir dans la haute société, et donc,
il ne doit pas apprendre le latin. D'ailleurs, est-ce qu'on joue
la comédie en latin? est-ce qu'on fait sa cour[12] en latin?

—Je dois avouer que vous avez raison, dit le père ébloui.
Mais qu'est-ce que notre fils doit apprendre? la géographie? 20

—C'est inutile, répond le précepteur. Quand monsieur le
marquis voyage, entre Paris et l'Auvergne, ses serviteurs
savent le chemin, n'est-ce pas?

—C'est vrai, dit le père.

Madame est entièrement de l'avis du précepteur. Le petit 25
marquis est au comble de la joie. Le père est perplexe.

—Apprenez à votre fils à plaire, dit le précepteur. C'est
suffisant et il peut l'apprendre facilement de sa mère.

—Vous me flattez, dit la mère. Cependant, ne faut-il pas
apprendre à notre fils un peu d'histoire? 30

—Pourquoi donc, madame? L'histoire, en général, n'est
pas vraie et elle est terriblement compliquée. On étouffe

---

[9] **homme d'esprit,** *clever fellow, wit.*
[10] **spirituelles,** *witty, clever.*
[11] **j'ai donc raison,** *so I am right.*
[12] **on fait sa cour,** *one does one's courting.*

aujourd'hui l'esprit des enfants sous un tas de sciences
inutiles. Et la plus absurde de toutes les sciences, à mon avis,
est la géométrie; elle a comme objet des points, des lignes et
des surfaces qui n'existent pas dans la nature. En vérité, la
géométrie est une mauvaise plaisanterie.   5

Le père et la mère ne comprennent pas très bien le précepteur, mais ils sont entièrement de son avis.

—Monsieur le marquis, continue le précepteur, ne perdez
pas votre temps à des études inutiles. Un jeune seigneur de
la haute société n'est ni musicien ni architecte, ni géomètre; 10
mais il encourage les artistes par sa générosité. C'est aux[13]
artistes de travailler pour monsieur le marquis. On dit que
les gens de qualité savent tout sans rien apprendre.[14]

Le jeune ignorant commence alors à parler:

—Remarquez, ma mère, que la grande fin de l'homme est 15
de réussir dans la société. Est-ce par les sciences qu'on
réussit? Parle-t-on de géométrie dans la bonne compagnie?
Demande-t-on à un homme de qualité à quelle date est né
Charlemagne?

—Non, certainement, s'écrie madame de la Jeannotière. 20
Mais que faut-il donc enseigner à notre fils? Car il est bon de
pouvoir briller quelquefois. Ah! je me souviens, on dit que la
science la plus agréable commence par un *b*.

—Par un *b*, madame? Est-ce la botanique?

—Non, ce n'est pas la botanique; elle commence par un *b* 25
et finit par *on*.

—Ah! je sais, madame, c'est le blason. Mais c'est une science infinie aujourd'hui, puisque tout le monde a des
blasons.[15]

---

[13] **C'est aux,** *It's up to the.*

[14] This proverbial expression is almost completely as it appeared in
Molière's *Les Précieuses ridicules* (1659).

[15] **tout le monde a des blasons,** *everyone has a coat-of-arms.* The
satire of society and its emptiness becomes a central theme in the work
of Jean-Jaques Rousseau in the same century.

On décide enfin que le marquis va apprendre à danser.

Jeannot a un talent qui se développe bientôt avec un suc-
cés prodigieux: il chante agréablement les chansons sati-
riques. Il est jeune, il est beau, on l'admire; les femmes
l'aiment, il écrit des chansons. Quand ses vers ont quelques 5
pieds de trop, il paye quelqu'un pour les corriger. Il est popu-
laire parmi les poètes médiocres.

Il devient très vaniteux, il apprend à parler sans s'entendre,[16] il se perfectionne dans l'habitude de n'être bon à
rien. Quand son père le voit si éloquent, il regrette le latin 10
(quand on sait le latin, on peut acheter une charge d'avocat).

Le jeune homme fait la cour aux dames. L'amour coûte
cher. Il dépense beaucoup; ses parents aussi, puisqu'ils vivent comme de grands seigneurs.

Une jeune veuve de qualité, qui n'a qu'une fortune médi- 15
ocre, décide de protéger la grande fortune de monsieur et
madame de la Jeannotière en épousant leur fils. Elle l'attire
chez elle, et lui montre qu'il ne lui est pas indifférent; elle
devient l'amie du père et de la mère. Les parents, éblouis de
la splendeur de cette alliance, acceptent la proposition avec 20
joie: ils donnent leur fils unique[17] à leur amie. Le jeune marquis va épouser une femme qu'il adore et qui l'aime; les amis
le félicitent, on prépare le mariage.

Un jour, il est avec sa future femme, la conversation est
tendre et animée, ils font des plans de bonheur. Mais voilà un 25
serviteur de monsieur de la Jeannotière qui entre tout effrayé:

—On déménage la maison[18] de monsieur de la Jeannotière!
tout est saisi par les créanciers!

—Voyons! Je vais aller voir ce que c'est que cette plaisanterie,[19] dit le marquis. 30

---

[16] **sans s'entendre,** *without knowing what he was talking about.*
[17] **unique,** *only.*
[18] **On déménage la maison,** *They are seizing the furniture.*
[19] **ce que c'est que cette plaisanterie,** *what sort of joke this is.*

—Oui, dit la veuve, allez vite punir ces insolents. Il court, il arrive à la maison: le père est déjà en prison; les domestiques partent, emportant tout ce qu'ils peuvent; la mère est seule, noyée dans les larmes; il ne lui reste rien que[20] le souvenir de sa fortune et de ses folles dépenses.   5

Le fils pleure longtemps avec sa mère, puis il dit:

—Ne nous désespérons pas; cette jeune veuve m'aime follement, elle est généreuse, elle va nous aider. Il retourne chez sa fiancée. Il la trouve en tête-à-tête[21] avec un aimable officier.   10

—Quoi! c'est vous, monsieur de la Jeannotière! Que venez-vous faire ici? Abandonne-t-on ainsi sa mère? Allez chez cette pauvre femme et dites-lui que je veux l'aider: il me faut une servante.[22]

Le jeune homme, stupéfait, furieux, va chez son ancien   15 précepteur, lui raconte le malheur et lui demande conseil. Celui-ci lui propose de devenir précepteur, comme lui.

—Hélas! je ne sais rien et vous êtes la première cause de mon malheur, dit-il en sanglotant.

—Faites des romans, c'est une excellente ressource à Paris.   20

Le marquis est traité de la même manière par tous ses amis et il comprend mieux la haute société en une demi-journée que pendant tout le reste de sa vie.

Comme il est plongé dans le désespoir, il voit passer un carrosse très simple, suivi de quatre énormes charrettes. Un   25 jeune homme, grossièrement habillé, conduit; son visage est rond et frais; à côté de lui, sa petite femme, douce et gaie. Le voyageur voit le marquis et le reconnaît:

—Mais, c'est Jeannot! s'écrie-t-il. Le carrosse s'arrête, le petit jeune homme descend et va embrasser son ancien cama-   30 rade. Jeannot reconnaît Colin et pleure de honte.

---

[20] **que,** *except.*
[21] **en tête-à-tête,** *alone.*
[22] **il me faut une servante,** *I need a servant.*

—Tu[23] es un grand seigneur, dit Colin, mais je t'aime toujours. Jeannot raconte une partie de son histoire.

—Viens à l'auberge pour me raconter le reste, lui dit Colin; je te présente ma femme. Allons dîner.

—Qu'est-ce que c'est que toutes ces charrettes?   5

—Tout est à moi. Je suis propriétaire d'une manufacture de chaudrons. Ma femme est la fille d'un riche marchand de cuivre. Nous travaillons beaucoup. Dieu nous bénit. Nous ne sommes pas devenus de grands seigneurs, nous sommes heureux. Nous allons t'aider. Toutes les grandeurs de ce 10 monde ne valent pas un bon ami. Reviens avec nous en Auvergne, mon métier n'est pas difficile à apprendre. Nous allons partager ma fortune.

Jeannot, honteux et joyeux à la fois, se dit:

—Tous mes amis de la haute société m'abandonnent et 15 Colin seul m'aide et ne me méprise pas. Quelle leçon!

La bonté de Colin développe dans le coeur de Jeannot le germe de la bonté qui n'est pas encore étouffé par la société. Colin l'aide. Ils sortent de[24] prison les parents de Jeannot qui reprennent leur ancien métier. Jeannot épouse une soeur de 20 Colin. Et Jeannot le père, et Jeannotte la mère et Jeannot le fils voient que le bonheur n'est pas dans la vanité.[25]

Expressions for Study

1. Colin est le fils d'un pauvre laboureur.
2. Un serviteur vient de la part du père.
3. . . . en disant au revoir avec un sourire protecteur.
4. Le père de Jeannot vient de s'enrichir.
5. Tout à coup, par chance, ils rencontrent le riche directeur.

---

[23] Colin is not impressed by his friend's status; he uses the familiar form of address.

[24] **Ils sortent de,** *They get out of.*

[25] For all his sophistication, Voltaire is a constant, and sometimes too obvious, moralizer.

6. Le père sort de l'école le marquis son fils.
7. Colin écrit à son ancien ami.
8. Celui-ci étant un homme d'esprit . . .
9. Elles sont beaucoup plus spirituelles que les hommes.
10. J'ai donc raison.
11. Est-ce qu'on fait sa cour en latin?
12. C'est aux artistes de travailler.
13. Les gens de qualité savent tout sans rien apprendre.
14. Il apprend à parler sans s'entendre.
15. Il se perfectionne dans l'habitude de n'être bon à rien.
16. Ils donnent leur fils unique à leur amie.
17. On déménage la maison.
18. Je vais aller voir ce que c'est que cette plaisanterie.
19. Il ne lui reste rien que le souvenir de sa fortune.
20. Il la trouve en tête-à-tête avec un aimable officier.
21. Il me faut une servante.

Questionnaire

1. Les deux pères ont-ils une fortune égale?
2. Quel effet produit l'habit élégant sur Jeannot? Et sur Colin?
3. Quel message apporte le deuxième serviteur? Jeannot est-il triste?
4. Quelle est la cause d'un enrichissement rapide?
5. Monsieur Jeannot est-il honnête?
6. Que conseille l'auteur au lecteur?
7. Les autres sont-ils scandalisés si vous faites fortune malhonnête-ment?
8. Comment Jeannot devient-il le marquis de la Jeannotière?
9. Pourquoi le précepteur ne peut-il rien enseigner?
10. Pourquoi ne doit-on pas apprendre le latin? Croyez-vous que c'est vrai?
11. Quel est le raisonnement de la mère à propos du latin?
12. La géographie est-elle utile au marquis?
13. Le petit marquis désire-t-il beaucoup apprendre?
14. Pourquoi la géométrie est-elle absurde?
15. Que doit faire un jeune seigneur pour les artistes?
16. Madame de La Jeannotière est-elle très instruite?
17. Pourquoi tout le monde a-t-il des blasons?
18. Jeannot a-t-il du succès dans la haute société?
19. Jeannot est-il un grand artiste? Sait-il faire des vers?
20. Jeannot est-il vraiment éloquent?
21. Pourquoi les de la Jeannotière dépensent-ils beaucoup?

22. Comment la jeune veuve va-t-elle protéger leur fortune?
23. Est-elle sincère? Pourquoi le fait-elle?
24. Qu'est-ce que le serviteur annonce?
25. Jeannot et la veuve sont-ils inquiets?
26. Décrivez la scène que Jeannot voit à la maison.
27. Qu'est-ce que Jeannot espère?
28. Pourquoi le jeune homme est-il stupéfait?
29. Quels sont les deux conseils du précepteur?
30. Décrivez le contraste des apparences de Jeannot et de Colin?
31. Pourquoi Jeannot pleure-t-il de honte?
32. Colin est-il toujours pauvre? En quoi consiste sa fortune?
33. Que propose Colin à Jeannot?
34. Quel effet a la bonté de Colin sur Jeannot?

IGNORANCES DE L'HOMME

J'ignore[1] comment j'ai été formé, et comment je suis né.
J'ignore absolument pendant le quart de ma vie les raisons
de tout ce que je vois, entends et sens; et je ne suis qu'un
perroquet sifflé par d'autres perroquets.

Quand je regarde autour de moi et dans moi, je conçois que   5
quelque chose existe de toute éternité; puisqu'il y a des êtres
qui sont actuellement,[2] je décide qu'il y a un être nécessaire
et nécessairement éternel. Ainsi, le premier pas que je fais
pour sortir de mon ignorance franchit les bornes de tous les
siècles.[3]   10

Mais quand je veux marcher dans cette carrière infinie
ouverte devant moi, je ne peux ni trouver un seul sentier, ni
découvrir pleinement un seul objet; et du saut que je fais
pour contempler l'éternité, je retombe dans l'abîme de mon
ignorance.   15

Je vois ce qu'on appelle *de la matière* depuis l'étoile Sirius,
et depuis celles de la *voie lactée,* aussi eloignées de Sirius que

---

[1] **J'ignore,** *I do not know, I am unaware.*
[2] **qui sont actuellement,** *who do exist.* Literally, *who now are.*
[3] **franchit les bornes de tous les siècles,** (freely) *carries me into the mysteries of all time.* (Literally, *crosses the limits of all the centuries.*)

cet astre l'est de nous, jusqu'au dernier atome qu'on peut apercevoir avec le microscope, et j'ignore ce que c'est que la matière.

La lumière qui me fait voir tous ces êtres m'est inconnue; je peux, avec le secours du prisme, anatomiser cette lumière, 5 et la diviser en sept faisceaux de rayons: mais je ne peux diviser ces faisceaux; j'ignore de quoi ils sont composés. La lumière tient de la[4] matière, puisqu'elle a un mouvement et qu'elle frappe les objets; mais elle ne tend point vers un centre comme tous les autres corps: au contraire, elle 10 s'échappe invinciblement du centre, tandis que toute matière pèse vers son centre. La lumière paraît pénétrable, et la ma- tière est impénétrable. Cette lumière est-elle matière? ne l'est-elle pas? qu'est-elle? de quelles innombrables propriétés peut-elle être revêtue? je l'ignore. 15

Cette substance si brillante, si rapide et si inconnue, et ces autres substances qui nagent dans l'immensité de l'espace, sont-elles éternelles comme elles sont infinies? je n'en sais rien. Un être nécessaire, souverainement intelligent, les crée- t-il de rien, ou les arrange-t-il? produit-il cet ordre dans le 20 temps ou avant le temps? Hélas! qu'est-ce que ce temps même dont je parle? je ne puis le définir. O Dieu! il faut que tu m'instruises,[5] car je ne suis éclairé ni par les ténèbres[6] des autres hommes, ni par les miennes.

Pourquoi sommes-nous? pourquoi y a-t-il des êtres? 25

Qu'est-ce que le sentiment? comment le reçois-je? quel rapport y a-t-il entre l'air qui frappe mon oreille et le senti- ment du son? entre ce corps et le sentiment des couleurs? Je l'ignore profondément.

Qu'est-ce que la pensée? où réside-t-elle? comment se 30 forme-t-elle? qui me donne des pensées pendant mon som- meil? est-ce en vertu de ma volonté que je pense? Mais tou-

---

[4] **tient de la,** *partakes of the nature of.*

[5] **instruises,** pres. subj. of **instruire,** *enlighten.*

[6] **ténèbres,** *darkness, ignorance.*

jours pendant le sommeil, et souvent pendant la veille, j'ai
des idées malgré moi. Ces idées, longtemps oubliées, longtemps reléguées dans l'arrière-magasin de mon cerveau, en
sortent sans que je m'en mêle,[7] et se présentent d'elles-mêmes
à ma mémoire, qui fait de vains efforts pour les rappeler.   5

Les objets extérieurs n'ont pas la puissance de former en
moi des idées, car on ne donne point ce qu'on n'a pas; je sens
trop que ce n'est pas moi qui me les donne, car elles naissent
sans mes ordres. Qui les produit en moi? d'où viennent-elles?
où vont-elles? Fantômes fugitifs, quelle main invisible vous 10
produit et vous fait disparaître?

Comment la raison est-elle un don si précieux que nous ne
voulons la perdre pour rien au monde? et comment cette
raison ne sert-elle qu'à nous rendre presque toujours les plus
malheureux de tous les êtres?   15

D'où vient qu'aimant passionnément la vérité nous nous
livrons toujours aux plus grossières impostures?

D'où vient le mal, et pourquoi le mal existe-t-il?

O atomes d'un jour! O mes compagnons dans l'infinie petitesse, nés comme moi pour tout souffrir et pour tout ignorer, 20
y en a-t-il parmi vous d'assez fous pour croire savoir tout
cela? Non, il n'y en a point; non, dans le fond de votre coeur
vous sentez votre néant comme je rends justice au[8] mien.

Expressions for Study

1. J'ignore comment j'ai été formé.
2. Je ne suis qu'un perroquet.
3. Le premier pas que je fais franchit les bornes de tous les siècles.
4. La lumière tient de la matière.
5. Ces idées en sortent sans que je m'en mêle.
6. Comment cette raison ne sert-elle qu'à nous rendre presque toujours les plus malheureux de tous les êtres?
7. Vous sentez votre néant comme je rends justice au mien.

---

[7] **sans que je m'en mêle,** *involuntarily, with no effort on my part.*
[8] **rends justice au,** *am aware of.*

Questionnaire

1. Quel est le quart de la vie où on ignore les raisons de tout?
2. Quelle est la caractéristique d'un perroquet?
3. Que prouve à l'auteur l'existence des êtres?
4. Quelles formes de matière voit-il?
5. Que peut-il faire à la lumière? Sait-il ce qu'est la lumière?
6. Comment la lumière ressemble-t-elle à la matière?
7. Quels rapports peut-il y avoir entre l'être souverainement intelligent et les substances?
8. Pourquoi la volonté n'explique-t-elle pas la pensée?
9. Les idées se présentent-elles toujours parce qu'on veut se les rappeler?
10. Pourquoi les objets ne peuvent-ils pas former nos idées?
11. Est-ce l'homme qui se donne ses idées?
12. A quoi sert la raison? Voulons-nous la perdre cependant?
13. Y a-t-il des hommes qui croient savoir tout cela, en réalité?
14. L'auteur pense-t-il qu'il est raisonnable de croire savoir tout cela?
15. Les questions de l'auteur sont-elles matérialistes?

TOLERANCE

Sétoc,[1] qui ne peut se séparer de cet homme en qui habite la sagesse, le mène à la grande foire de Bassora[2] où doivent se rendre les plus grands négociants de la terre habitable. C'est pour Zadig une consolation sensible[3] de voir tant d'hommes de diverses contrées réunis dans la même place. Il 5 lui paraît que l'univers est une grande famille qui se rassemble à Bassora. Il se trouve à table dès le second jour avec un Egyptien, un Indien, un habitant du Cathay,[4] un Grec, un Celte,[5] et plusieurs autres étrangers qui, dans leurs fréquents

---

[1] **Sétoc** is an Arab merchant, master of **cet homme,** who is Zadig. Zadig is a high official in Babylon who falls upon misfortune and is sold as a slave.

[2] **Bassora, Basra,** commercial city on the Euphrates River, in today's Iraq.

[3] **consolation sensible,** *deep consolation.*

[4] **Cathay,** *China.*

[5] **Celte,** *Celt,* a primitive inhabitant of France or Great Britain.

voyages vers le golfe Arabique, ont appris assez d'arabe pour
se faire entendre. L'Egyptien paraît fort en colère. (Quel
abominable pays que Bassora! dit-il; on m'y refuse mille
onces d'or sur le meilleur effet[6] du monde. —Comment donc!
dit Sétoc: sur quel effet vous refuse-t-on cette somme? —Sur 5
le corps de ma tante, répond l'Egyptien. Elle est morte en
chemin; j'en ai fait une des plus belles momies; et je peux
trouver dans mon pays tout ce que je veux en la mettant en
gage. On ne veut pas seulement me donner ici mille onces
d'or sur un effet si solide.) Tout en se courrouçant,[7] il est près 10
de manger une excellente poule bouillie, quand l'Indien, le
prenant par la main, s'écrie avec douleur: «Ah! qu'allez-
vous faire? —Manger de cette poule, dit l'homme à[8] la
momie. —Gardez-vous en bien,[9] dit l'Indien. L'âme de la
défunte a peut-être passé dans le corps de cette poule,[10] et 15
vous ne voulez pas vous exposer à manger votre tante? Faire
cuire les poules, c'est outrager manifestement la nature.
—Que voulez-vous dire avec votre nature et vos poules?
reprend le colérique Egyptien; nous adorons un boeuf, et
nous en mangeons bien.[11] —Vous adorez un boeuf! est-il pos- 20
sible? dit l'homme du Gange. —Il n'y a rien de si possible, dit
l'autre, il y a cent trente-cinq mille ans que nous en usons[12]
ainsi, et personne parmi nous n'y trouve à redire.[13] —Ah! cent
trente-cinq mille ans! dit l'Indien, ce compte est un peu exa-
géré; il n'y en a que quatre-vingt mille que l'Inde est peuplée, 25

_8000_ _13,500_

---

[6] **effet,** *collateral.*

[7] **Tout en se courrouçant,** *While getting angry.*

[8] **à,** *with.*

[9] **Gardez-vous-en bien,** *Be sure you don't.*

[10] The Hindu doctrine of the transmigration of souls, teaching that
the soul of a deceased person returns to earth in another form, higher
or lower, depending upon the kind of life it led.

[11] **et nous en mangeons bien,** *and still we eat it.*

[12] **que nous en usons ainsi,** *that we have acted in this manner.*

[13] **personne parmi nous n'y trouve à redire,** *no one of us finds anything wrong about that.*

et assurément nous sommes vos anciens;[14] et Brama[15] nous dé-
fend de manger des boeufs. —Voilà un plaisant animal que[16]
votre Brama, pour le comparer à un Apis![17] dit l'Egyptien;
que fait donc votre Brama de si beau?» Le bramin[18] répond:
«C'est lui qui apprend aux hommes à lire et à écrire, et à qui 5
toute la terre doit le jeu des échecs. —Vous vous trompez, dit
un Chaldéen[19] qui est auprès de lui; c'est le poisson Oannès
à qui on doit de si grands bienfaits, et il est juste de ne rendre
qu'à lui ses hommages. Tout le monde peut vous dire que
c'est un être divin, qu'il a la queue dorée, avec une belle 10
tête d'homme, et qu'il sort de l'eau pour venir prêcher à
terre trois heures par jour. Il a plusieurs enfants qui sont tous
rois, comme chacun sait. J'ai son portrait chez moi que je
révère comme je le dois. On peut manger du boeuf tant
qu'on veut; mais c'est assurément une très grande impiété 15
de faire cuire du poisson; d'ailleurs vous êtes tous deux d'une
origine trop peu noble et trop récente pour me rien disputer.
La nation égyptienne ne compte que cent trente-cinq mille
ans, et les Indiens ne se vantent que de quatre-vingt mille,
tandis que nous avons des almanachs de quatre mille siècles. 20
Croyez-moi, renoncez à vos folies, et je vous donne a chacun
un beau portrait d'Oannès.»

L'homme du Cathay, prenant la parole, dit: «Je respecte
fort les Egyptiens, les Chaldéens, les Grecs, les Celtes,
Brama, le boeuf Apis, le beau poisson Oannès; mais peut- 25
être que le *Li* ou le *Tien*,[20] comme on veut l'appeler, vaut

---

[14] **vos anciens,** *older than you.*

[15] **Brama, Brahma,** supreme in the Hindu hierarchy of gods.

[16] **plaisant animal que,** *a curious being.* However, considering the
context just preceding and knowing Voltaire's fondness for wit it may
be that the word may be translated literally.

[17] **Apis,** the sacred bull of the Egyptians.

[18] **bramin,** *Brahman,* a high-caste Hindu.

[19] **Chaldéen,** a name applied to the inhabitants of Babylonia. Oannes
was a Babylonian deity, half-fish, half-man.

[20] **le *Li* et le *Tien*,** Chinese words signifying Reason and God. Voltaire had great admiration for the Chinese.

bien les boeufs et les poissons. Je ne dis rien de mon pays; il
est aussi grand que la terre d'Egypte, la Chaldée, et les Indes
ensemble. Je ne dispute pas d'antiquité,[21] parce qu'il suffit
d'être heureux, et que c'est fort peu de chose d'être ancien;
mais s'il faut parler d'almanachs, toute l'Asie prend les 5
nôtres.»

«Vous êtes de grands ignorants tous tant que vous êtes![22]
s'écrie le Grec: est-ce que vous ne savez pas que le Chaos
est le père de tout, et que la forme et la matière ont mis le
monde dans l'état où il est?»[23] Ce Grec parle longtemps; mais 10
il est interrompu par le Celte, qui, ayant beaucoup bu, se
croit alors plus savant que tous les autres, et dit en jurant
qu'il n'y de valeur que Teutath et le gui de chêne;[24] que,
pour lui, il a toujours du gui dans sa poche; que les Scythes,
ses ancêtres, sont les seuls gens de bien; qu'ils ont, à la vé- 15
rité, quelquefois mangé des hommes, mais que cela n'empêche pas d'avoir beaucoup de respect pour sa nation. La
querelle s'échauffe pour lors, et Setoc voit le moment où la
table va être ensanglantée. Zadig, qui garde le silence pendant toute la dispute, se lève enfin: il s'adresse d'abord au 20
Celte, comme au plus furieux; il lui dit qu'il a raison, et lui
demande du gui; il loue le Grec sur son éloquence, et adoucit
tous les esprits échauffés. Il ne dit que très peu de chose à
l'homme du Cathay, parce qu'il a été le plus raisonnable de
tous. Ensuite il leur dit: «Mes amis, vous vous querellez pour 25
rien, car vous êtes tous du même avis.» A ce mot, ils se ré-
crient tous. «N'est-il pas vrai, dit-il au Celte, que vous
n'adorez pas ce gui, mais celui qui fait le gui et le chêne?
—Assurément, répond le Celte. —Et vous, monsieur l'Egyptien, vous révérez apparemment dans un certain boeuf celui 30

---

[21] **Je ne dispute pas d'antiquité,** *I don't quarrel about which is the oldest.*

[22] **tous tant que vous êtes,** *every last one of you.*

[23] The Greek utters a philosophy which is a combination of mythology and metaphysics.

[24] **gui de chêne,** *oak mistletoe.*

qui vous donne les boeufs? —Oui, dit l'Egyptien. —Le poisson Oannès, continue-t-il, doit céder à celui qui fait la mer
et les poissons. —D'accord, dit le Chaldéen. —L'Indien,
ajoute-t-il, et le Cathayen, reconnaissent comme vous un premier principe; je n'ai pas trop bien compris les choses ad-   5
mirables que dit le Grec, mais je suis sûr qu'il admet aussi
un Etre supérieur, de qui la forme et la matière dépendent.»
Le Grec, qu'on admire, dit que Zadig prend très bien sa
pensée. «Vous êtes donc tous du même avis, réplique Zadig,
et il n'y a pas là de quoi[25] se quereller.»   10

Expressions for Study

1. C'est pour Zadig une consolation sensible.
2. Ils ont appris assez d'arabe pour se faire entendre.
3. L'Égyptien paraît fort en colère.
4. Je peux trouver tout ce que je veux en la mettant en gage.
5. Gardez-vous-en bien.
6. Nous adorons un boeuf, et nous en mangeons bien.
7. Il y a cent trente-cinq mille ans que nous en usons ainsi.
8. Personne parmi nous n'y trouve à redire.
9. Il est juste de ne rendre qu'à lui ses hommages.
10. Je ne dispute pas d'antiquité.
11. Vous êtes de grands ignorants tous tant que vous êtes.
12. Les Scythes sont les seuls gens de bien.
13. Il lui dit qu'il a raison.
14. Zadig prend très bien sa pensée.
15. Il n'y a pas là de quoi se quereller.

Questionnaire

1. Quelles sortes de gens se rendent à la foire?
2. Qui est l'homme en qui habite la sagesse?
3. Comment paraît l'univers à Zadig?
4. Pourquoi l'Égyptien est-il en colère?
5. Qu'est-ce qu'il peut faire dans son pays?
6. Pourquoi le Gangaride croit-il qu'il ne faut pas manger de poules?

---

[25] **il n'y a pas là de quoi,** *there is no reason.*

7. Quel est le pays le plus ancien, l'Inde on l'Égypte?
8. Que fait Brama pour les hommes?
9. Qui est Oannès? Que fait-il?
10. Pourquoi est-ce une impiété de faire cuire du poisson?
11. L'homme du Cathay est-il plus modeste que les autres?
12. Est-il plus sage?
13. Qui a les plus anciens almanachs? Est-ce une supériorité?
14. Pour le Grec, qu'est-ce qui est à l'origine du monde?
15. Pourquoi le Celte se croit-il plus savant que tous les autres?
16. Qu'est-ce qui a de la valeur pour le Celte?
17. Qu'est-ce que Sétoc pense qu'il va arriver?
18. Que dit Zadig d'important à tous ces hommes?
19. Pourquoi Zadig s'adresse-t-il d'abord au Celte?
20. Qu'est-ce que le Celte adore en réalite? Et l'Égyptien? Et le Chaldéen?
21. Zadig comprend-il les nuances de la pensée du Grec? En comprend-il l'essentiel?
22. Que représentent le boeuf, le poisson, le gui pour Voltaire? Et Zadig?

PRIERE A DIEU

Ce n'est plus aux hommes que je m'adresse; c'est à toi, Dieu de tous les êtres, de tous les mondes, et de tous les temps: s'il est permis à de faibles créatures perdues dans l'immensité, et imperceptibles au reste de l'univers, d'oser te demander quelque chose, à toi qui donne tout, à toi dont les 5 décrets sont immuables comme éternels, daigne regarder en pitié les erreurs attachées à notre nature. Tu ne nous donnes point un coeur pour nous haïr, et des mains pour nous égorger; fais que nous nous aidions mutuellement à supporter le fardeau d'une vie pénible et passagère; que les pe- 10 tites différences entre les vêtements qui couvrent nos débiles corps, entre tous nos langages insuffisants, entre tous nos usages ridicules, entre toutes nos lois imparfaites, entre toutes nos opinions insensées, entre toutes nos conditions[1] si disproportionnées à nos yeux, et si égales devant toi; que 15

---

[1] **conditions,** *lots in life.*

toutes ces petites nuances qui distinguent les atomes ap-
pelés hommes ne soient[2] pas des signaux de haine et de per-
sécution; que ceux qui allument des cierges en plein midi
pour te célébrer supportent ceux qui se contentent de la
lumière de ton soleil; que ceux qui couvrent leur robe d'une 5
toile blanche pour dire qu'il faut t'aimer ne détestent pas
ceux qui disent la même chose sous un manteau de laine
noire; qu'il soit égal de t'adorer dans un jargon formé d'une
ancienne langue, ou dans un jargon plus nouveau; que ceux
dont l'habit est teint en rouge ou en violet, qui dominent sur 10
une petite parcelle d'un petit tas de la boue de ce monde, et
qui possèdent quelques fragments arrondis d'un certain
métal, jouissent sans orgueil de ce qu'ils appellent grandeur
et richesse, et que les autres les voient sans envie; car tu sais
qu'il n'y a dans ces vanités ni de quoi envier,[3] ni de quoi 15
s'enorgueillir.

Puissent[4] tous les hommes se souvenir qu'ils sont frères!
qu'ils aient[5] en horreur la tyrannie exercée sur les âmes,
comme ils ont en exécration le brigandage qui ravit par la
force le fruit du travail et de l'industrie paisible! Si les 20
guerres sont inévitables, ne nous haïssons pas, ne nous dé-
chirons pas les uns les autres dans le sein de la paix, et em-
ployons l'instant de notre existence à bénir également en
mille langages divers, depuis Siam jusqu'à la Californie, ta
bonté qui nous donne cet instant. 25

Expressions for Study

1. Fais que nous nous aidions mutuellement.
2. Il n'y a ni de quoi envier, ni de quoi s'enorgueillir.
3. Puissent tous les hommes se souvenir qu'ils sont frères!

---

[2] **soient**, *are.*
[3] **ni de quoi envier**, *neither anything to envy.*
[4] **Puissent**, *May.*
[5] **qu'ils aient**, *let them hold.* **aient** is the pres. subjunc. of **avoir.**

Questionnaire

1. Pour Voltaire, l'homme est-il le centre de l'univers? Comment le sait-on?
2. Pour Voltaire, la nature humaine est-elle parfaite? Comment le sait-on?
3. Comment Voltaire décrit-il les institutions humaines? (Par quels adjectifs?)
4. Tous les hommes sont-ils égaux devant Dieu? Et sur terre?
5. Que doivent faire ceux qui portent une robe blanche pour célébrer Dieu?
6. Que représente le "jargon formé d'une ancienne langue"? Et le nouveau?
7. Qui sont ceux dont l'habit est rouge? Et ceux dont l'habit est violet?
8. Que représente une petite parcelle de boue?
9. Que doivent faire ceux qui possèdent la richesse?
10. Qu'est-ce que c'est que "la tyrannie excercée sur les âmes"?
11. A quoi ne doit-on pas employer son existence?

Molière [Jean-Baptiste Poquelin]

Le Malade imaginaire

The greatest name in the French comic theater is that of Molière. This was the stage and pen name of Jean-Baptiste Poquelin who lived from 1622–1673, and whose work, comprising some thirty plays, was produced during the reign of, and often for, Louis XIV. Molière is one of the few examples in literary history of one who performed all the functions necessary for theatrical production, for he was not only author but also producer, manager, and actor. The famous state theater *La Comédie française*, while founded after the death of Molière, is sometimes referred to as "La Maison de Molière."

His works permit classification into a number of categories. There were the great comedies of character such as *Le Misanthrope*, undoubtedly his finest work. The comedies of manners may be represented by *Les Femmes Savantes* [*The Learned Women*], and the pure farces by *Le Médecin malgré lui* [*The Doctor Despite Himself*]. But not infrequently Molière manages to combine all these veins, as he does in *Le Malade imaginaire* [*The Hypochondriac*].

This was the last of his plays, being produced in 1673. It is a study of hypochondria in its most extreme form, and in which Argan, the hypochondriac, believes that he can ward off the eventuality of death if only he can surround himself with enough doctors or, better still, have a doctor for a son-in-law. Thus, once again, Molière had excellent opportunity to carry on the satirical farce against the medical profession, so common in many of his plays. It was well-founded satire. The medical profession in Molière's day appeared hopelessly tied to outmoded concepts and had refused outright to admit the recently discovered system of the circulation of the blood as advanced by the

English doctor Harvey. Molière's own ill-health gives to his antimedical buffoonery a touch of sadness, for during the fourth performance of this play, and in a scene following the one given here, Molière was stricken and died soon afterward. The doctors felt that they had at long last had their revenge. The scene is given with no linguistic changes, but with the omission of a few lines.

BACKGROUND

In the scene that follows, Toinette, the impudent servant girl, disguises herself as a doctor and plays upon the credulity of Argan the hypochondriac. Béralde is Argan's brother.

TOINETTE, *En médecin*[1], ARGAN, BÉRALDE

Toinette. Monsieur, je vous demande pardon de tout mon coeur.

Argan. Cela est admirable.

Toinette. Vous ne trouverez pas[2] mauvais, s'il vous plaît, la curiosité que j'ai eue de voir un illustre malade comme 5
vous êtes; et votre réputation, qui s'étend partout, peut excuser la liberté que j'ai prise.

Argan. Monsieur, je suis votre serviteur.[3]

Toinette. Je vois, Monsieur, que vous me regardez fixement. Quel âge croyez-vous que j'aye?[4]   10

Argan. Je crois que tout au plus vous pouvez avoir vingt-six ou vingt-sept ans.

Toinette. Ah, ah, ah, ah, ah! J'en ai quatre-vingt-dix.

Argan. Quatre-vingt-dix?

Toinette. Oui. Vous voyez un effet des secrets de mon art, 15
de me conserver ainsi frais et vigoureux.

Argan. Par ma foi! voilà un beau jeune vieillard pour quatre-vingt-dix ans.

Toinette. Je suis médecin passager, qui vais de ville en ville,

---

[1] **En médecin,** (*Disguised*) *as a doctor.*

[2] **ne trouverez pas,** *will not consider.* Future of **trouver.**

[3] **je suis votre serviteur,** *at your service.* This was a formula of politeness in the seventeenth century.

[4] **aye,** *have.* Present subjunctive of **avoir,** now spelled *aie.*

de province en province, de royaume en royaume, pour chercher d'illustres matières à ma capacité,[5] pour trouver des malades dignes de m'occuper, capables d'exercer les grands et beaux secrets que j'ai trouvés dans la médecine. Je dédaigne de m'amuser à ce menu fatras de maladies 5 ordinaires, à ces bagatelles de rhumatismes, et à ces migraines. Je veux des maladies d'importance: de bonnes fièvres continues, de bonnes pestes, de bonnes pleurésies avec des inflammations de poitrine:[6] c'est là que je me plais,[7] c'est là que je triomphe; et je voudrais,[8] Monsieur, 10 que vous eussiez[9] toutes les maladies que je viens de dire,[10] que vous fussiez[11] abandonné de tous les médecins, désespéré, à l'agonie,[12] pour vous montrer l'excellence de mes remèdes, et l'envie que j'aurais[13] de vous rendre service. 15

Argan.   Je vous suis obligé, Monsieur, des bontés que vous avez pour moi.

Toinette.   Donnez-moi votre pouls. Allons donc, que l'on batte comme il faut.[14] Ahi, je vous ferai bien aller comme vous devez.[15] Hoy, ce pouls-là fait l'impertinent:[16] je vois 20

---

[5] **d'illustres matières à ma capacité,** *outstanding instances (worthy) of my talents.*

[6] Molière here comes very close to describing his own malady which struck fatally during the performance of this play.

[7] **c'est là que je me plais,** *that's what I like.*

[8] **voudrais,** *would like.* Conditional of **vouloir.**

[9] **eussiez,** *had.* Imperfect subjunctive of **avoir.**

[10] **je viens de dire,** *I have just mentioned.*

[11] **fussiez,** *were.* Imperfect subjunctive of **être.**

[12] **à l'agonie,** *in your death throes.*

[13] **aurais,** *would have.* Conditional tense of **avoir.**

[14] **que l'on batte comme il faut,** *beat properly.* Toinette addresses herself directly to the pulse.

[15] **Ahi, je vous ferai bien aller comme vous devez,** *Well! I'll make you beat as you should.*

[16] **Hoy, ce pouls-là fait l'impertinent,** *Imagine! that pulse is acting up* (and in my presence).

bien que vous ne me connaissez pas encore.[17] Qui est votre médecin?

Argan. Monsieur Purgon.[18]

Toinette. Cet homme-là n'est point écrit sur mes tablettes entre les grands médecins. De quoi dit-il que vous êtes malade? 5

Argan. Il dit que c'est du foie, et d'autres disent que c'est de la rate.

Toinette. Ce sont tous des ignorants: c'est du poumon que vous êtes malade. 10

Argan. Du poumon?

Toinette. Oui. Que sentez-vous?

Argan. Je sens de temps en temps des douleurs de tête.

Toinette. Justement, le poumon.

Argan. Il me semble parfois que j'ai un voile devant les 15 yeux.

Toinette. Le poumon.[19]

Argan. J'ai quelquefois des maux de coeur.[20]

Toinette. Le poumon.

Argan. Je sens parfois des lassitudes dans tous les membres. 20

Toinette. Le poumon.

Argan. Et quelquefois il me prend des douleurs[21] dans le ventre, comme si c'était des coliques.

Toinette. Le poumon. Vous avez appétit à ce que vous mangez? 25

Argan. Oui, Monsieur.

Toinette. Le poumon. Vous aimez à boire un peu de vin?

---

[17] **vous ne me connaissez pas encore,** *you don't know with whom you are dealing.*

[18] Molière's inept doctors usually have burlesque names. Here **Purgon** recalls the seventeenth-century faith in purging as a significant cure.

[19] Molière exploits to the fullest the well-established comic device of repetition.

[20] **maux de coeur,** *heart flutterings.*

[21] **il me prend des douleurs,** *I get pains.*

Argan.   Oui, Monsieur.

Toinette.   Le poumon. Il vous prend un petit sommeil[22] après le repas, et vous êtes bien aise de dormir?

Argan.   Oui, Monsieur.

Toinette.   Le poumon, le poumon, vous dis-je. Que vous 5 ordonne votre médecin[23] pour votre nourriture?

Argan.   Il m'ordonne du potage.

Toinette.   Ignorant.

Argan.   De la volaille.

Toinette.   Ignorant.   10

Argan.   Du veau.

Toinette.   Ignorant.

Argan.   Des bouillons.

Toinette.   Ignorant.

Argan.   Des oeufs frais.   15

Toinette.   Ignorant.

Argan.   Et surtout de boire mon vin fort trempé.[24]

Toinette.   *Ignorantus, ignoranta, ignorantum.*[25] Il faut boire votre vin pur; et pour épaissir votre sang, qui est trop subtil, il faut manger de bon gros boeuf, de bon gros porc, 20 de bon fromage de Hollande, du gruau et du riz, et des marrons, pour coller et conglutiner.[26] Votre médecin est une bête. Je veux vous en envoyer un de ma main,[27] et je viendrai[28] vous voir de temps en temps tandis que je serai en cette ville.   25

Argan.   Vous m'obligez beaucoup.

---

[22] **Il vous prend un petit sommeil,** *You get a little sleepy.*

[23] The subject follows the verb as so often in French.

[24] **fort trempé,** *greatly diluted* (with water).

[25] The use of Latin, good or bad, is another of Molière's satirical procedures. The patient, it seems, is always impressed by what he does not understand. While these three words need not be translated they give the effect of *triply ignorant.*

[26] **pour coller et conglutiner,** *to make it stick together.* The verbs here are virtually synonymous.

[27] **un de ma main,** *one of my choosing.*

[28] **viendrai,** *shall come.* Future of **venir.**

Toinette. Que diantre[29] faites-vous de ce bras-là?

Argan. Comment?

Toinette. Voilà un bras que je me ferais couper tout à l'heure[30] si j'étais que de[31] vous.

Argan. Et pourquoi? 5

Toinette. Ne voyez-vous pas qu'il tire à soi toute la nourriture, et qu'il empêche ce côté-là de profiter?[32]

Argan. Oui; mais j'ai besoin de mon bras.

Toinette. Vous avez là aussi un oeil droit que je me ferais crever,[33] si j'étais en votre place. 10

Argan. Crever un oeil?

Toinette. Ne voyez-vous pas qu'il incommode l'autre, et lui dérobe sa nourriture? Croyez-moi, faites-vous-le crever au plus tôt,[34] vous en verrez[35] plus clair de l'oeil gauche.

Argan. Cela n'est pas pressé. 15

Toinette. Adieu. Je suis fâché de vous quitter si tôt; mais il faut que je me trouve à une grande consultation qui doit se faire[36] pour un homme qui mourut[37] hier.

Argan. Pour un homme qui mourut hier?

Toinette. Oui, pour aviser, et voir ce qu'il aurait fallu lui 20 faire[38] pour le guérir. Jusqu'au revoir.

Argan. Vous savez que les malades ne reconduisent point.[39]

---

[29] **Que diantre,** *What the devil.*

[30] **je me ferais couper tout à l'heure,** *I would have cut off at once.* The expression **tout à l'heure** has a different meaning in contemporary French: *presently, a while ago;* **ferais** is the conditional of **faire.**

[31] **que de,** do not translate.

[32] **profiter,** *keep healthy.*

[33] **je me ferais crever,** *I'd have taken out.*

[34] **faites-vous-le crever au plus tôt,** *have it out as soon as possible.*

[35] **verrez,** *will see.* Future of **voir.**

[36] **qui doit se faire,** *which is to take place.*

[37] **mourut,** *died.* Past definite of **mourir.**

[38] **ce qu'il aurait fallu lui faire,** *what it would have been necessary to do for him.*

[39] **les malades ne reconduisent point,** *patients don't show their visitors to the door.* In Molière's time **point** was not an emphatic negative as it is today and had only the force of **pas.**

Béralde. Voilà un médecin, vraiment, qui paraît fort habile.

Argan. Oui; mais il va un peu bien vite.

Béralde. Tous les grands médecins sont comme cela.

Argan. Me couper un bras, et me crever un oeil, afin que l'autre se porte mieux? J'aime bien mieux qu'il ne se porte 5 pas si bien. La belle opération, de me rendre borgne et manchot!

Expressions for Study

1. Je vais de ville en ville pour chercher d'illustres matières à ma capacité.
2. Je dédaigne de m'amuser à ce menu fatras de maladies ordinaires.
3. C'est là que je me plais.
4. Je voudrais que vous eussiez toutes les maladies que je viens de dire.
5. J'ai quelquefois des maux de coeur.
6. Il me prend des douleurs dans le ventre.
7. Il vous prend un petit sommeil après le repas?
8. Vous êtes bien aise de dormir?
9. Que vous ordonne votre médecin?
10. Votre médecin est une bête.
11. Je veux vous en envoyer un de ma main.
12. Que diantre faites-vous de ce bras-là?
13. Voilà un bras que je me ferais couper tout à l'heure.
14. Il empêche ce côté-là de profiter.
15. Faites-vous-le crever au plus tôt.
16. Vous savez que les malades ne reconduisent point.
17. J'aime mieux qu'il ne se porte pas si bien.

Questionnaire

1. Pourquoi le médecin dit-il qu'il est venu voir Argan?
2. Quel âge Argan croit-il que le médecin a?
3. Qu'est-ce qui a conservé le médecin si vigoureux?
4. Quelles sortes de maladies le médecin dédaigne-t-il? Pourquoi les dédaigne-t-il?
5. Que souhaiterait le médecin? Pourquoi?
6. Est-il fréquent de souhaiter à un malade d'être à l'agonie?
7. Pourquoi le pouls ne bat-il pas comme il faut, selon le médecin?

8. Décrivez quelques symptômes de la maladie d'Argan.
9. Les derniers symptômes sont-ils inquiétants?
10. La nourriture qu'ordonne Toinette est-elle celle d'un malade?
11. Pourquoi l'ordonne-t-elle?
12. Qu'est-ce que Toinette pense de Purgon?
13. Pourquoi Argan devrait-il se faire couper le bras? Et crever l'oeil?
14. Argan est-il content de ces suggestions?
15. Pourquoi le médecin doit-il aller à une consultation?
16. Pourquoi Toinette invente-t-elle cette histoire de consultation?
17. Argan a-t-il l'intention de suivre les premières suggestions de ce médecin?

Note on Verbs

Up to now the verb tense used has been principally the present indicative, with a few past indefinites; when other forms appeared they were translated in the footnotes. But since books of elementary readings are normally used in conjunction with a grammar, which takes up the structure of the language very gradually, it is rarely possible for two such books to synchronize in their offering of verb forms; a reader will always tend to outpace a grammar. So, at this point, there is given a skeleton introduction to the other tenses which will be most frequently encountered. Many forms will still be explained in the notes and, in all instances, irregular verb forms are listed in the vocabulary.

1. The *past indefinite* or **passé composé.** This is formed by adding the past participle of the verb to the present tense of **avoir** or **être.** The past participles are formed as follows:

> First conjugation verbs such as **parler: parlé**
> Second conjugation verbs such as **finir: fini**
> Third conjugation verbs such as **vendre: vendu**

So the *past indefinite* would appear as:

> **J'ai parlé,** *I spoke, have spoken, did speak*
> **Il est parti,** *He left, did leave, has left*
> **Nous avons vendu,** *We sold, did sell, have sold*

2. The *imperfect.* Ordinarily this tense can be formed by taking the first person plural of the present tense, dropping the ending, and adding the following endings: **-ais, -ais, -ait, -ions, -iez, -aient.** The **-ir** verbs, if regular, insert **-iss** before each ending. So,

je parlais, *I spoke, was speaking, used to speak*
il finissait, *he finished, was finishing, used to finish*
nous vendions, *we sold, used to sell, were selling*

3. The *future*. When regular, these endings are added to the full infinitive (except that third conjugation verbs drop their final **e**): **-ai, -as, -a, -ons, -ez, -ont:**

> **je parlerai,** *I shall speak*
> **il finira,** *he will finish*
> **nous vendrons,** *we shall sell*

4. The *conditional*. The stem here is the same as for the future, and the endings are the same as those for the imperfect:

> **je parlerais,** *I would speak*
> **il finirait,** *he would finish*
> **nous vendrions,** *we would sell*

5. The *past definite*. This tense, mostly limited to formal writing or speaking, will be very common in many of the selections that follow. The endings for **-er** verbs are **-ai, -as, -a, -mes, -tes, -èrent.** For most other verbs the endings are **-s, -s, -t, -mes, -tes, -rent.**

> **je parlai,** *I spoke*
> **il finit,** *he finished*
> **nous vendîmes,** *we sold*

6. The *present subjunctive*. Take the stem of the first person plural of the present indicative and add these endings: **-e, -es, -e, -ions, -iez, -ent:**

> **je parle,** *I speak, may speak*
> **il finisse,** *he finishes, may finish*
> **nous vendions,** *we sell, may sell*

This bare outline is meant only to familiarize the student with some of the tenses and their endings until such time as they are studied in detail in the grammar.

Note On Translation

After the beginning student of a foreign language has been introduced to its pronunciation and some of its structural aspects, the time comes when he begins to read. He reads simple passages at first and, eventually, passages written by some of the best authors. He is then involved in the process of transferring the thought, or feeling, of a foreign language into his own—in other words, of translation. Inevitably, it seems, a question arises in the student's mind: "Should I translate literally or into good English:" There is really but one answer to this: good English. Unfortunately this answer is rather lame in that it fails to make the student aware of the vast difficulties to be encountered in the process of transmutation of one tongue into another. What is said further in this *Note* can do little more than make the student cognizant of the problem and give him a sense of its complexities.

Almost always the student is inclined to offer a literal translation which resembles the original language more than his own; the instructor may be inclined to accept this, because it shows that the student has at least understood a basic meaning of the foreign word.

Strictly literal translations are acceptable in certain fields. In many of the pure sciences and in mathematics, words have severely limited meanings; usually there is one meaning and one only. The meaning of the French word *oxygène* can rarely if ever extend beyond the sense of English "oxygen." Because this is so, machines have been developed which handle scientific translation with reasonable accuracy. Conceivably, with sufficient money and inventiveness, whole areas of scientific translation could be entrusted to the field of electronics.

But with creative literature it is another matter. Here the author is freed from elementary meanings of words and may, if he wishes, create new meanings. Language becomes highly subjective. The many entries under a single vocabulary item in any good dictionary may not include what an author has in mind, for frequently he has suggested a new sense for the word. Good authors have always been aware that words are not abstractions, but that they are rather like plants, capable of continuing growth. A word as simple as *terre*, usually translatable as "earth," may have grown in a cultural soil so different from ours as to have overtones entirely lacking in the English word. So, in this book, of the many notes, some are relatively simple explanations, while others abandon any trace of literalness and attempt to achieve good English "feel" and sense.

All this amounts to saying that translation is an art. The beginning student must, of course, approach new words literally. But he should try to go beyond this subsequently and reword a sentence in English idiom, or even the vernacular. There are, however, definite—if not sharp—limits as to what degree of figurativeness ordinary translation should reach, and the alert instructor will be quick to point them out. To persist in literal translation is indeed to make out of translation a dreary task; yet, to transpose from one tongue to another, so that the result betrays no trace of a foreign original, is a fascinating, and most difficult art.

This is not the place to suggest how this can be done (the subject is too extensive). The intention here is merely one of giving a word of warning and possibly creating an awareness of the problem.

Georges Duhamel

Les Plaisirs et les jeux

Georges Duhamel, born in 1884, is one of the most distinguished of contemporary French writers. Trained as a physician he saw service as a doctor in both World Wars, but his true vocation has been that of the man of letters. His battlefield experiences have left a deep impression on his writings, reflected especially in his sensitivity to human suffering.

Les Plaisirs et les jeux was published in 1922, and centers around the young lives of his two oldest sons, Bernard, then aged four, and Jean, aged two. The book shows us Duhamel in his most tender and affectionate moments and underlines his belief that the heart plays a highly significant role in our lives.

The text offered here is unchanged—though abridged—from the original.

I

Je me rappelle: nous allions sur une route, au mois de mai, poursuivant le soleil couchant. C'était en 1918, à la fin de mon congé de convalescence.[1] Blanche[2] poussait la petite voiture où dormait Bernard alors âgé d'un an.

---

[1] I have been unable to ascertain that Duhamel was wounded during his military service and must assume that it is here a question of sick leave.—*Ed.*

[2] Duhamel's wife.

Nous étions heureux, comme[3] on peut l'être à notre époque: furtivement, follement, entre les angoisses de la veille et la séparation du lendemain. Un bonheur replié,[4] sourd, absurde et qui serrait le coeur. Un de ces bonheurs qu'on protège à deux mains, quelques instants, contre les coups de vent, 5 comme la flamme d'une allumette par une nuit d'orage. Mais que dire de plus? Nous étions heureux, pour une heure, envers et contre tout.

Le Cuib[5] avait vécu sa journée avec une passion endiablée, et, le soir venu, vêtu d'un chaud manteau blanc, il dormait, 10 dans sa voiture, de l'air le plus innocent du monde.

Dormir, après une rude journée de plaisir et de fatigue, dormir, allongé sur de doux coussins, dans une voiture qui vous berce, dormir le nez en l'air, en respirant l'air parfumé d'une belle campagne, à l'heure du soleil couchant, au mois 15 de mai; être veillé, protégé, durant ce sommeil, par deux géants familiers et très puissants . . . Hélas, pensez-vous, voilà qui doit être délicieux,[6] mais qui ne nous arrivera jamais! Et c'est pourtant ce qui arrivait à Bernard ce soir-là.

Je n'affirmerai pas qu'il n'en avait nul sentiment. Son 20 visage si uni,[7] si neuf, exprimait une confiance sans bornes, une parfaite béatitude. De temps en temps, ses paupières frémissaient et cela semblait dire: «Je ne dors pas si profondément que je ne me rende pas compte de mon bonheur». 25

Nous étions heureux, je vous l'ai dit; et je songeais: «Il éprouve, en ce moment, une félicité sans mélange et dont, pourtant, il ne gardera pas le souvenir. Ce bonheur-là, qui

---

[3] **comme,** *as much as.*

[4] **replié,** *concerned only with ourselves.*

[5] **Le Cuib** is a pet name for Bernard; it conveys no special meaning. Perhaps **Cuib** is a childish deformation of the language, and was applied to Bernard after his first efforts at pronunciation.

[6] **pensez-vous, voilà qui doit être délicieux,** *just think, that would be something (really) delightful.*

[7] **uni,** *featureless* (as yet).

ne naît que pour mourir, ce bonheur qui n'aura pas d'histoire, sera-ce donc du bonheur totalement perdu pour l'avenir?»[8]

Blanche, moi, nous, les témoins, les comparses, nous disparaîtrons un jour, emportant notre secret. Toi, petit homme, tu n'auras peut-être jamais souci de ce paradis antérieur où ton âme a connu l'extase. Tant pis! A tout hasard je consigne mon témoignage[9] et, comme le navigateur en détresse qui lance une bouteille à la mer,[10] je confie mon petit papier à l'océan des jours.

Il n'est qu'un travail pour les hommes: arracher quelque chose, si peu que ce soit, à la destruction et à l'oubli.

II[11]

Tu n'ouvriras jamais plus une porte à la volée:[12] il peut y avoir un petit homme accroupi de l'autre côté.

Tu mesureras tous tes gestes et tu retiendras beaucoup de tes élans. Moins de fougue et plus de force.

Tu verras moins souvent le ciel: il te faudra sans cesse regarder à tes pieds pour ne pas marcher sur tes petits hommes.

Tu ne fermeras plus jamais les tiroirs d'un coup de genou:[13]

---

[8] The thought expressed here occurs, if only rarely, in a number of French authors. There is wonderment as to whether a state of happiness does not in reality have some lasting effect. The best known expression of a similar feeling is in the line of the fifteenth century poet Villon who asks, concerning beauty, **Où sont les neiges d'antan?** *Where are the snows of yesteryear?*

[9] **A tout hasard je consigne mon témoignage,** *I set down my random testimony.*

[10] The image here is drawn from the well known poem of Alfred de Vigny (1797–1863) **La Bouteille à la mer** [*The Bottle in the Sea*], whose theme is the permanence, not of happiness, but of ideas.

[11] There follow the Ten Commandments for parents.

[12] **Tu n'ouvriras jamais plus une porte à la volée,** *Thou shalt never more throw open a door.*

[13] **d'un coup de genou,** *with a knee.*

les petites mains se glissent partout. Tu feras toutes choses
lentement, soigneusement.

Tu ne dormiras plus jamais sur les deux oreilles;[14] mais tu
seras inquiet du moindre soupir. Tu ne pourras entendre un
cri sans te demander, le coeur battant, si ce n'est pas le cri   5
. . . le cri que tu redouteras toute ta vie.

Tu n'allumeras plus jamais un feu sans penser que le feu
brûle. Tu ne poseras plus ta tasse de thé au bord des tables.
Tu éteindras tes bouts de cigarettes avec un soin particulier.

Tu auras, pour les bibelots fragiles, une affection moins   10
jalouse. Tu renonceras à collectionner autrement qu'en
secret les vases de cristal et les porcelaines délicates. Tu diras
aux pipes de terre[15] un adieu peut-être éternel.

Tu ne mangeras plus jamais d'une friandise sans songer
à certaines petites bouches qui, elles aussi, aiment les   15
friandises.

Tu mettras le silence diurne au nombre des choses acci-
dentelles, presque mythiques.

Tu ne diras plus, avec la superbe assurance d'autrefois:
«Tel jour, je ferai telle chose». Tu piqueras des «peut-être»   20
aux ailes de tous tes projets.

C'est ainsi, et il n'y a plus qu'à en prendre ton parti.[16]

III

S'il est au monde un être insupportable, c'est le cousin réel
ou imaginaire dont on vous dit qu'il a toutes les grâces,
toutes les vertus.   25

Pénétrés de cette vérité, nous apportons une extrême
discrétion au juste éloge des cousins. Vaine prudence! La
susceptibilité du petit homme trouve quand même à s'offenser.[17]

---

[14] **sur les deux oreilles,** *soundly.*

[15] **pipes de terre,** *earthenware pipes.*

[16] **il n'y a plus qu'à en prendre ton parti,** *thou hast only to make up
thy mind to it.*

[17] **à s'offenser,** *reason to be offended.*

Quand on demande à Gérard:[18] «A quoi sert le nez?»
Gérard, qui montre un esprit observateur et précis, répond:
—A mettre de la pommade.[19]
—A quoi sert la langue?
—C'est pour manger.   5
—A quoi servent les oreilles?
—Pour les nettoyer.
—Et les cheveux?
—C'est pour les tirer.
—Et la bouche?   10
—C'est pour que le sucre, il se perde pas.[20]
Afin que le Cuib et le Tioup[21] ne devinent pas la vive
admiration que ces répliques nous inspirent, nous en faisons
le commentaire entre nous, à voix couverte.
Mais je suis un père bien glorieux.[22] Je voudrais que mon 15
petit homme dise aussi de ces choses remarquables qui
circulent dans la famille.
Je surprends le petit homme dans son particulier,[23] pour
laisser à son jeune génie toute aisance, toute pureté. D'un
air indifférent, je pose la première question: 20
—Bernard! A quoi sert le nez?
Un grand silence. Le fils n'a même pas l'air de m'avoir
entendu. Il joue.
J'insiste:
—Dis-moi donc à quoi sert la bouche?   25
Le petit homme fronce les sourcils, lance une bille et
répond d'une voix lointaine, sans même prendre la peine de
me regarder:

---

[18] Gérard is a cousin.

[19] **A mettre de la pommade,** *to rub ointment on.* Probably oil meant
for the hair.

[20] **il se perde pas,** *so it won't get lost.* The **ne** is omitted in careless
speech.

[21] **le Tioup** is the pet name for the other son Jean, also called sometimes **Zazou.**

[22] **glorieux,** *vain.*

[23] **dans son particulier,** *alone in his room.*

—Gérard est à la maison. Tu lui demanderas tout ça, à
Gérard.

IV

Amitié! O belle aventure, plus mystérieuse que l'amour!

On présente au petit homme de nouveaux camarades. Il
baisse la tête d'un air bourru et n'a pas même l'air de les 5
voir. Puis, brusquement, il en saisit un par la main et
l'entraîne. Il le saisit sans presque l'avoir regardé. Qu'importe! C'est celui-là qu'il attendait. C'est l'élu. Il suffit de le
reconnaître. L'élan du petit homme est pur, fatal.

S'il regarde des enfants, ce n'est pas pour apprécier leur 10
mérite, évaluer leurs vêtements; ce n'est pas pour étudier
leurs jeux, leur visage, leur manière d'être. Non, tout cela
l'intéressera plus tard. Aujourd'hui, il a l'air de chercher
quelqu'un. Puis il tend la main et dit: «Viens! Viens avec
moi!» Celui qu'il a choisi, il le conduit toujours à l'écart, 15
comme s'il entendait le garder pour lui, le posséder à son
aise, loin des indiscrets.

Et déjà, il a une vie sentimentale que nous ne soupçon-
nons pas. Il est à peine séparé de notre chair et, déjà, il veut
avoir ses joies, ses souffrances personnelles.   20

Quand il se promène au jardin, il adresse la parole à des
enfants que nous n'avons jamais vus: «Bonjour, Jacques!
Bonjour, Nelly!» Ce sont des amitiés à lui,[24] des amitiés
dont nous sommes exclus. Et pourtant! Pourtant, il est
incapable de faire quoi que ce soit sans notre aide. Mais il 25
peut déjà aimer sans nous, tout à fait en dehors de nous.

Je pense parfois: «Que la passion les épargne!»[25] C'est
mon premier cri, mon premier mouvement. Tout de suite,
j'ajoute: «Non! Non! Sottise! Qu'ils vivent! Qu'ils souffrent!
Qu'ils payent de leurs larmes tout ce qu'un homme doit 30
savoir pour être un homme!»

---

[24] **des amitiés à lui,** *private friendships.*
[25] **Que la passion les épargne!** *May they be spared suffering!*

V

Voici comment, par ma faute, le Cuib apprit la défiance.
L'histoire date de loin: le petit homme avait deux ans.

Il jouait, ce jour-là, dans une allée du Lustembourg,[26]
sous l'oeil vigilant de sa chère Anna.[27] Toutes choses étaient
à leur place dans ce monde régi par des lois bienveillantes. 5
La bonne foi régnait sur le jardin du Lustembourg. L'herbe
poussait où elle doit pousser et pas ailleurs. Le vent criait:
«Où êtes-vous?» et tous les arbres répondaient d'une seule
voix: «Nous voici!» Le ciel faisait défiler tous ses nuages au
soleil et trouvait juste son compte.[28] Confiance! Le petit 10
homme jouait donc et, chaque fois qu'il laissait un caillou
sur une chaise, il était bien sûr de le retrouver, plus tard, à
la même place.

Nous l'aperçûmes de loin, petite boule violette à pompon
rouge.[29] Nous le cherchions depuis longtemps et la vue de 15
cette tache mobile suffit à nous réjouir la coeur. C'est alors
que je fus saisi d'une idée baroque.

—Nous allons, dis-je, passer devant lui et feindre de ne
pas le reconnaître.

Nous approchons donc. Un signe de l'oeil et du doigt à 20
la chère Anna. Elle a compris; elle ne dira rien.

Nous approchons, marchant côte à côte et regardant tranquillement le petit homme comme un des mille petits
hommes qui grouillent dans le jardin du Lustembourg.

Il s'arrête, lève le nez, ouvre la bouche et fait un pas. Mais 25
quoi? Que se passe-t-il? Ce monsieur . . . cette dame. . . .Mais
quoi? C'est bien vous. Qui! Je vous connais. Vous êtes papa
et maman. Que faites-vous? Pourquoi passez-vous sans un
mot, sans un geste, sans un vrai regard?

---

[26] **Lustembourg,** childish pronunciation for the *Luxembourg* (gardens) in Paris.

[27] The nursemaid.

[28] **trouvait juste son compte,** *counted them all present.*

[29] **à pompon rouge,** *with a red pompon,* as on a sailor's hat.

Le petit homme s'est arrêté au milieu de l'allée; il a tendu un bras, qui reste en l'air, immobile. Les yeux expriment la stupeur et, tout à coup, il rougit jusqu'aux oreilles. Vous êtes papa et maman. Vous êtes bien vous! Alors pourquoi faites-vous comme si vous n'étiez pas vous? 5

C'est fini: nous nous sommes précipités; nous le serrons dans nos bras. Il sourit, il parle. Mais il y a quelque chose de changé dans le monde. Le jardin du Lustembourg est plein d'embûches et de secrets.

Je suis bien persuadé que, depuis longtemps, le Cuib ne 10 songe plus à cette histoire. Mais la mémoire a ses abîmes.[30] Il n'est fruit si délicieux dont un souvenir amer ne risque de gâter la saveur et le parfum. Le petit homme fera peut-être, dans cinquante ou soixante ans d'ici, un acte imprévu de tout le monde et de lui-même et qui sera la conclusion 15 de l'aventure que je viens de vous raconter.

VI

Semblable à ces paysages de sable qu'un coup de vent, qu'une heure d'orage transforment totalement, le visage du petit homme change de jour en jour. Des traits apparaissent, s'impriment, s'altèrent, s'effacent. D'autres traits viendront 20 que rien ne fait prévoir.

Son âme n'est pas moins mobile, ni moins malléable. Tantôt elle semble hantée des anges, tantôt des furies.[31] Des milliers d'hommes dont je ne sais rien ont apporté, comme dit Montaigne,[32] quelque pièce de leur substance à l'édifi- 25 cation de cette créature. A quoi bon poursuivre un fantôme

---

[30] **la mémoire a ses abîmes,** *memory is long.* Later in this book, Maupassant's **Garçon, un bock** is an excellent telling of the effect in later life of a childhood experience.

[31] **des furies,** *by the evil spirits.*

[32] This sixteenth-century essayist lived from 1533–1592, and is the first of the truly perceptive psychologists of man.

dans une foule de fantômes?[33] Celui qu'on attend n'est sans
doute pas celui qui viendra. L'univers entier, avec toutes ses
images, ses idées, ses passions, se rue dans cette âme neuve,
comme un torrent débordé dans une fraîche prairie. Qu'y
laissera-t-il?   5

Bernard et Gérard se disputent un morceau de bois. Ils le
tiennent chacun par un bout et tirent. Bernard crie, pleure,
tempête, affirme l'excellence de sa cause, prend l'univers à
témoin. Gérard tire en silence, tranquillement, sans rien demander à personne. En définitive,[34] il emporte le bout de   10
bois.

Est-ce là trait de caractère? Peut-être. Mais que ce trait
engage[35] l'avenir . . . Bélître qui l'affirmerait.

Alors que Zazou était un très petit bébé, il se montrait
si tendre, il avait un regard si constamment pur que nous   15
disions parfois, en riant: «Voilà le petit saint!» Ouais! A
l'heure actuelle, le petit saint apparaît comme une canaille
accomplie:[36] il est taquin, batailleur, violent, indocile et
irrespectueux. Il changera trois cents fois encore avant que
d'être un homme. Et plus tard même . . . Mais ceci sort de   20
mon sujet.

Entre les mille choses qui les composent, les effleurent, les
traversent, les submergent, les roulent, ils n'ont pas fait le
départ[37] de ce qui est pour eux et de ce qui ne doit pas
devenir eux. Ils sont, présentement, toute l'humanité, avec   25
ses vertus, ses vices, sa sottise et son génie.

A part nous, et malgré nos déclarations solennelles, nous
rêvons un peu. C'est bien notre droit. Par la pensée, nous
faisons, avec une générosité sans borne, cette «composition»

---

[33] **A quoi bon poursuivre un fantôme dans une foule de fantômes?**
*Why try to get the meaning of something so elusive in something as
elusive as life?*

[34] **En définitive,** *Finally.*

[35] **engage,** *will influence.*

[36] **une canaille accomplie,** *a perfect devil.*

[37] **départ,** *distinction, separation.*

que la destinée corrigera. De tout ce qui est beau, bon, charmant, nous disons—oh! sans nous l'avouer à voix haute—«Voilà bien un trait de caractère! Voilà qui restera!» De tout ce qui est médiocre, douteux ou inquiétant nous pensons avec bonhomie: «Bah! ce sont petites taches de boue: ça cède à l'ongle[38] et ça ne laisse pas trace.»

Nous avons bien juré de ne tenir aucun compte de[39] ces dispositions brillantes que les enfants manifestent un jour et oublient le lendemain. Nous respectons, en paroles, ce serment raisonnable. Mais que dire des pensées? Si le petit homme fait un beau dessin, nous battons la campagne:[40] «Eh! voilà peut-être le grand indice.» S'il compte correctement jusqu'à treize, nous le voyons déjà bouleversant la mathématique.[41] S'il chante sans fausse note, nous rêvons secrètement à Mozart.[42]

Ne riez pas. Montrez-moi plutôt un homme qui soit maître de ses pensées. A part cela, nous ne parlons pas. C'est presque de la sagesse, et, pour des parents, presque de l'héroïsme.

VII

Bernard avait trois ans lorsque nous l'avons conduit pour la première fois au «Jardin d'enfants».[43] Nous l'avons embrassé, endoctriné, nous avons ouvert la porte de la grande salle pleine de bébés et de jouets mystérieux.

Il nous a quittés tout de suite. Il est parti, la tête bien droite, le visage grave, la bouche fermée. Il nous a quittés sans tourner la tête.

---

[38] **ça cède à l'ongle,** *that will scrape away easily.*
[39] **de ne tenir aucun compte de,** *to pay no attention to.*
[40] **nous battons la campagne,** *we grow delirious.*
[41] **bouleversant la mathématique,** *upsetting the world of mathematics.*
[42] The famous Austrian composer (1756–1791).
[43] **Jardin d' enfants,** *Kindergarten.*

Nous sommes revenus, Blanche et moi, bras dessus, bras dessous, devisant gaiment, un peu émus, malgré tout, de cette petite séparation. Blanche disait: «Un jour, on le met au monde; première séparation. Un autre jour on cesse de lui donner le sein. Ce matin, nous le laissons tout seul dans 5 ce milieu nouveau. Et ce n'est que le début. Plus tard, nous le quitterons peut-être au seuil de quelque sordide caserne. Puis il y aura les quais des gares, les jetées des ports, que sais-je?»[44]

Midi nous a ramené le jeune homme, affamé, l'air satisfait, 10 mais silencieux.

—Eh bien, qu'as-tu fait à l'école?

Il ouvre la bouche, comme s'il allait parler; il se contente de sourire. Il mange. Il nous faudra[45] des mois pour lui arracher, bribe à bribe, de menus renseignements sur cette 15 vie nouvelle, cette vie sans nous. C'est son petit ami Jacques Demesse qui reçoit maintenant toutes ses confidences.

Presque tout ce que je sais de mes petits hommes, je l'ai saisi au vol,[46] je l'ai obtenu par surprise.

Expressions for Study

1. Nous étions heureux, comme on peut l'être, à notre époque!
2. Hélas, pensez-vous, voilà qui doit être délicieux, mais qui ne nous arrivera jamais!
3. Son visage si uni exprimait une confiance sans bornes.
4. Je ne dors pas si profondément que je ne me rende pas compte de mon bonheur.
5. Ce bonheur-là, qui ne naît que pour mourir . . .
6. Il n'est qu'un travail pour les hommes: arracher quelque chose, si peu que ce soit, à la destruction.
7. Tu n'ouvriras plus une porte à la volée.
8. Tu ne fermeras plus jamais les tiroirs d'un coup de genou.
9. Tu ne dormiras plus jamais sur les deux oreilles.

---

[44] **que sais-je?** *and so many other things.*
[45] **Il nous faudra,** *It will take us.*
[46] **je l'ai saisi au vol,** *I picked it up on the wing* (*by chance*).

10. Il n'y a plus qu'en prendre ton parti.
11. La susceptibilité du petit homme trouve quand même à s'offenser.
12. Je suis un père bien glorieux.
13. Je surprends le petit homme dans son particulier.
14. Le fils n'a même pas l'air de m'entendre.
15. Il le conduit toujours à l'écart.
16. Il est à peine séparé de notre chair.
17. Ce sont des amitiés à lui.
18. Il est incapable de faire quoi que ce soit sans notre aide.
19. Il peut déjà aimer sans nous, tout à fait en dehors de nous.
20. Que la passion les épargne!
21. Le ciel trouvait juste son compte.
22. . . . petite boule violette à pompon rouge.
23. Nous le cherchions depuis longtemps.
24. Que se passe-t-il?
25. Tout à coup, il rougit jusqu'aux oreilles.
26. Que ce trait engage l'avenir . . .
27. Ils n'ont pas fait le départ de ce qui est pour eux et de ce qui ne doit pas devenir eux.
28. Ça cède à l'ongle.
29. Nous avons bien juré de ne tenir aucun compte de ces dispositions brillantes.
30. Si le petit homme fait un beau dessin, nous battons la campagne.
31. Nous sommes revenus, bras dessus, bras dessous.
32. Puis il y aura les quais des gares, que sais-je?
33. Il nous faudra des mois pour lui arracher, bribe à bribe, de menus renseignements.
34. Tout ce que je sais de mes petits hommes, je l'ai saisi au vol.

Questionnaire

I

1. Pourquoi l'auteur était-il en congé?
2. Pourquoi le bonheur n'était-il pas stable à cette époque-là?
3. A quoi ressemblait ce bonheur?
4. Qu'avait fait le Cuib pendant la journée?
5. Décrivez l'endroit et le moment de la promenade.
6. Le Cuib se rendait-il compte de son bonheur?
7. Que se demandait le père?
8. Pourquoi l'auteur écrit-il cette histoire?

II

1. Pourquoi ne faudra-t-il plus ouvrir une porte à la volée?
2. Que faudra-t-il faire pour ne pas blesser les petites mains?
3. Peut-on dormir profondément quand on a des enfants?
4. Pourquoi ne faudra-t-il plus poser sa tasse au bord des tables?
5. Pourquoi faudra-t-il dire adieu aux pipes de terre?
6. Que faudra-t-il faire quand on fera des projets?
7. Pour qui sont ces dix commandements?

III

1. Est-il agréable d'entendre des éloges d'un cousin parfait?
2. Les parents expriment-ils leur admiration à voix haute? Pourquoi?
3. Pourquoi le père pose-t-il aussi la question à son fils?
4. La pose-t-il publiquement? Pourquoi?
5. L'enfant est-il offensé? Comment exprime-t-il son mécontentement?

IV

1. Comment le petit homme choisit-il un ami?
2. S'intéresse-t-il à l'apparence des autres enfants?
3. L'enfant est-il capable d'être indépendant?
4. De quoi le père se sent-il exclu?
5. Quelle est la première pensée du père? Et la deuxième?

V

1. Comment était le monde pour l'enfant ce jour-là?
2. Que faisait l'herbe? Le vent? Les arbres? Le ciel?
3. De quelle idée fut saisi Duhamel?
4. Est-ce que la confiance est tout à fait revenue après?
5. Quelle conséquence cette histoire peut-elle avoir pour l'enfant?

VI

1. A quoi Duhamel compare-t-il le visage du petit homme?
2. Qui a contribué à l'édification de l'âme de l'enfant?
3. A quoi ressemble l'âme du petit homme?
4. Qu'est-ce que l'auteur voudrait savoir?
5. Pense-t-il que le présent engage l'avenir?

6. Quelle est la différence d'attitude entre Bernard et Gérard?
7. Décrivez Zazou bébé. Et Zazou à l'heure actuelle?
8. Le caractère des enfants est-il déjà fixé?
9. Que pensent les parents de ce qui est bon? De ce qui est médiocre?
10. Que pensent les parents si l'enfant fait un beau dessin?
11. Est-ce que les parents sont raisonnables?

VII

1. Bernard avait-il des regrets en quittant ses parents?
2. Pourquoi les parents étaient-ils un peu émus?
3. Qu'est-ce que la mère imagine?
4. L'enfant a-t-il raconté ce qu'il a fait à l'école?
5. Bernard fait-il ses confidences à ses parents?

※ ※ ※ ※ ※

Les Jumeaux de Vallangoujard

After a visit to the United States Duhamel wrote, in 1930, *Scènes de la vie future*. The book is fundamentally an indictment of the American way of life with its mass production, hurry, mechanization—all of which, to Duhamel, have resulted in the loss of individual values. Although Duhamel was later to modify his judgments, the book remains a kind of documentation of what many Europeans like to consider that creeping disease called Americanization, which threatens, it is claimed, established cultures everywhere. In the next selection in this text, Maurois will give a more friendly and balanced judgment on the same phenomena which so repelled Duhamel. Thus the pros and cons in this debate are, it seems, inexhaustible.

In 1931 Duhamel wrote *Les Jumeaux*. It is a specific application of the ideas of the *Scènes* to the field of education, but this time the satire is so broad as to constitute caricature, the tone is more genial, and the Americans are not held completely responsible for evolving methods which stifle individualism, since the twins come to the United States only as a climax to their French training.

BACKGROUND

In the village of Vallangoujard, near Paris, are gathered together for dinner: Théotine Kapock, the host; Dr. Barbajoux, physician; Séraphin Pipe, scholar, infatuated with "progressive" education; and Dr. Clément (presumably Duhamel), skeptical about modern education.

At the urging of Pipe, the decision is taken to adopt twins and to educate them by the most modern methods. The four men serve as an advisory council.

The twins, orphans obtained through Dr. Barbajoux are named Zani and Zano.

The selection begins with their adolescent education.

L'institution Bouchonoff-Pépinsky[1] avait été fondée par de savants pédagogues étrangers pour l'application des plus récents systèmes d'éducation.

Avant d'y être admis, les élèves devaient être vaccinés, non seulement contre la variole, mais encore contre le 5 choléra, et contre la maladie du sommeil (parce qu'il ne faut pas[2] dormir en classe). Cette épreuve préparatoire était assez pénible; elle exigea plus de quinze jours,[3] car les deux garçons eurent à subir une énorme quantité de piqûres.

Enfin le professeur les déclara prêts, leur délivra vingt- 10 sept certificats légalisés et timbrés et les conduisit à l'institution pour les présenter à leurs professeurs.

A vrai dire, comme nous allons le voir, la plupart de ces professeurs étaient extraordinaires.

Les élèves de l'institution Bouchonoff-Pépinsky, en ar- 15 rivant le matin dans le vestibule de cet établissement, prononçaient leur nom devant un tableau récepteur.[4] Aussitôt apparaissait un feu[5] rouge, une sonnerie électrique se mettait en mouvement et l'élève recevait, d'un distributeur, une certaine quantité de jetons qu'il plaçait dans sa poche. 20

Les élèves se rendaient alors dans la première salle de classe. Sur le pupitre du maître, trônait un phonographe ultra-moderne. Les élèves glissaient un jeton dans la fente et, tout aussitôt, l'appareil leur donnait une leçon de grammaire française. 25

---

[1] These Slavic sounding names are perhaps only a way of implying that an educational system as dehumanized as that to be described would have to be conceived by a non-Frenchman.

[2] **il ne faut pas,** *one mustn't.*

[3] **quinze jours,** *two weeks.*

[4] **tableau récepteur,** *recording device.*

[5] **feu,** *light.*

—C'est admirable, expliquait volontiers[6] M. Pépinsky. Un professeur en chair et en os,[7] ça se trompe tout le temps, tandis que nos professeurs électro-mécaniques ne peuvent même pas commettre une faute. Et quel entretien facile! Roulement à billes.[8] Une goutte d'huile de temps en temps, 5 et le courant de 110 volts.

Après ce premier cours, il y avait une courte récréation consacrée à la gymnastique rythmico-esthético-mécanique. Elle avait lieu dans le grand salon. Les élèves plaçaient encore un jeton dans une fente. Aussitôt, un orchestrion se 10 mettait en branle, tandis qu'un haut parleur, logé dans le plafond, donnait les ordres: «Levez le genou gauche jusqu'à la hauteur du menton. Projetez le pied gauche en avant. Appliquez le métatarse sur le sol. Levez la jambe droite en tenant les doigts de pied bien joints. Plus lentement. Tous 15 ensemble. Recommencez, une fois encore.»

Ce divertissement hygiénique et artistique durait dix minutes. Après quoi, les élèves allaient prendre leur leçon de géométrie. Elle avait lieu dans une obscurité complète. Les élèves, avant d'entrer, mettaient encore un jeton dans 20 un appareil et la leçon commençait. Imaginez, mes chers garçons,[9] que c'était de la géométrie parlante et sonore 100 pour 100.[10] Oui, mes garçons, une leçon de géométrie cinématographique. On voyait, sur l'écran, une main qui dessinait un triangle et le haut parleur grondait: «Le carré con- 25 struit sur l'hypoténuse est égal à la somme des carrés construits sur les deux autres côtés . . . Et maintenant, répétez.»

---

[6] **volontiers,** *enthusiastically* (**volontiers** is a tricky word with a great many English possibilities).

[7] **en chair et en os,** *in flesh and blood.* Literally, *in flesh and in bone.*

[8] **Roulement à billes,** *Ball-bearing mounting.*

[9] The book is addressed and dedicated to Duhamel's three young sons.

[10] **100 pour 100,** *100 per cent.*

Les élèves répétaient en choeur: «Le carré construit sur l'hypoténuse . . .» Parfois, un élève paresseux essayait de ne pas répéter. Mais un électro-vibreur placé sous la chaise se mettait en mouvement et lui envoyait une espèce de petit coup de pied dans le derrière. On disait tout bas que certains 5 élèves aimaient mieux le coup de pied et même qu'ils trouvaient ça plutôt drôle.

De temps en temps, le phonoprofesseur s'enrayait et il se passait des choses étranges. On entendait: «Le carré construit sur l'hypo . . . sur l'hypo . . . sur l'hypo . . . sur l'hypo . . . 10 sur l'hypo . . .» Toute la classe éclatait de rire. Le mécanicien chef venait et réparait le professeur. Ces accidents étaient assez rares. D'autres fois, l'appareil refusait de marcher, mais alors il rejetait le jeton, car l'institution Bouchonoff-Pépinsky était un établissement honnête. 15

A midi, les élèves prenaient obligatoirement le repas à l'institution. Cette formalité durait exactement douze minutes. Les enfants recevaient un plat chaud et un plat froid. Rien que des conserves.[11] «Comme ça, expliquait M. Bouchonoff, on sait ce que l'on mange. Qualité constante. Quantité dé- 20 finie. 2.225 calories pour les sujets de 14 ans, nous ajoutons 200 calories par année d'âge.» Vous pensez bien que ces explications provoquaient l'enthousiasme du professeur Pipe.

Après le déjeuner, les élèves lisaient le journal, c'est-à-dire que, pour unifier,[12] le journal passait sur l'écran, dans une 25 chambre noire. «Il faut, déclarait M. Bouchonoff, qui s'occupait sourtout des divertissements, il faut mettre ces jeunes intelligences au contact des réalités et leur conformer la cervelle.»

Après la lecture du journal, il y avait une leçon de danse 30 et de maintien. Elle pouvait être remplacée par des répétitions particulières. En ce cas, l'élève mettait des jetons dans

---

[11] **Rien que des conserves,** *Nothing but canned goods.*

[12] **unifier,** *expose them all to the same experience* (a wordy but accurate translation).

le distributeur automatique d'histoire ancienne ou de mathé-
matiques élémentaires.

La leçon de dessin des anciennes méthodes était remplacée par une leçon de photographie. Les élèves, munis d'appareils perfectionnés, photographiaient des moulages de 5
plâtre. «Il faut bien, concédait en souriant M. Pépinsky,
mettre ces jeunes âmes en contact avec la nature.»

La gymnastique, dans cette institution remarquable, portait le nom de mécanothérapie. Les élèves étaient installés
sur des appareils très curieux qui les secouaient de haut en 10
bas, de droite à gauche, qui les faisaient virer, pivoter, sauter,
qui leur allongeaient les bras, leur pliaient les jambes et leur
grattaient la plante des pieds.

Il y avait encore, selon les jours, des leçons de publicité
lumineuse,[13] de rationalisation industrielle, de navigation 15
sous-marine et d'aviation interplanétaire.

—Le vingtième siècle! expliquait avec orgueil M. Pépinsky! Le vingtième siècle, dans toute sa force et toute sa
beauté. Ce que nous préparons, c'est l'homme du vingtième
siècle!   20

—Parfaitement, poursuivait le professeur Pipe. L'homme
de grande série,[14] que nous rendrons mathématiquement
heureux.

Il se mit à rêver et murmura tout bas:

—Une ère nouvelle. Qui sait comment elle s'appellera? 25
Peut-être l'ère du bonheur scientifique et pourquoi pas? tout
simplement l'ère pipique? Peut-être pipienne? C'est à voir.[15]
Mais, chut, on ne comprendrait pas . . .

                    *   *   *

Vers cette époque, se produisit une certaine agitation dans
les bureaux de l'institution Bouchonoff-Pépinsky. Le pro- 30

---

[13] **publicité lumineuse,** *electric signboards.*
[14] **L'homme de grande série,** *Mass-production man.*
[15] **C'est à voir,** *That remains to be seen.*

fesseur Pipe s'y rendait chaque jour. Il avait de longs entretiens avec les savants pédagogues.

—Le moment me semble venu, disait M. Pépinsky, d'organiser le voyage d'épreuve. On pourrait emmener là-bas toute la première division. Il faut aviser les familles et fixer 5 le prix. Vous, professeur Pipe, faites le nécessaire auprès des tuteurs[16] de vos sujets. Il est bien entendu que le voyage s'accomplira sous la direction de M. Bouchonoff-en-personne.

Un soir donc, M. Pipe réunit une fois de plus le conseil de famille. 10

—Messieurs et chers collègues, dit l'orateur, le moment est venu de tenter pour nos deux sujets une épreuve décisive.

—Quoi donc? demanda le docteur Clem, comptez-vous les présenter au baccalauréat?[17]

—Non, du tout,[18] fit[19] le professeur Pipe avec un air de 15 souverain mépris. Je vais les envoyer pour trois mois en Amérique.

—Vous êtes fou! s'écria M. Kapock. Il paraît que c'est un pays plein d'Apaches et de Mohicans[20] qui scalpent les voyageurs et dansent autour des cadavres. 20

—Cher Monsieur et ami, dit le professeur Pipe avec un sourire condescendant, l'Amérique a beaucoup changé depuis vos dernières lectures. C'est aujourd'hui, le premier pays du monde pour la science et pour la civilisation. A côté des Américains, nous ne sommes guère que des enfants chétifs, 25 presque des sauvages. Tout le monde est d'accord là-dessus:

---

[16] **tuteurs,** *guardians.*

[17] **baccalauréat,** *Bachelor's degree,* earned in France upon completing the studies of the **lycée** or **collège.** Its value, in American terms, is approximately two years of university studies.

[18] **du tout = pas du tout**

[19] **fit = dit**

[20] This trite view of the United States was perhaps due, in large degree, to the works of the American novelist James Fenimore Cooper (1789–1851), particularly such works as *The Last of the Mohicans,* which became very popular in France.

pas d'éducation complète sans un voyage en Amérique.
Songez que nous vivons encore dans le vingtième siècle
tandis que les Américains sont déjà dans le vingt et unième.

*　　*　　*

Les lettres ne tardèrent pas à parvenir. Elles étaient in-
croyablement brèves.[21] En voici quelques-unes: 5
«Chers tuteurs. New-York est une ville formidable.[22] Nous
mangeons beaucoup de glace à la vanille. Il y a des métros
express. Vos bien dévoués, Zani-Zano.»[23]
Autre lettre: «Chers tut.[24] Admirons beaucoup Chicago.
Couchons dans un hôtel du poids de 3.776.643.000 kilos, 10
quand toutes les chambres sont vides, ce qui n'arrive jamais.
Avons vu fabriquer 15 kilomètres 317 mètres de saucisse.
Faithfully. Zano-Zani.»
Au bout de quelques semaines, les lettres furent rempla-
cées par des télégrammes que le quatuor des vieux mes- 15
sieurs déchiffrait parfois avec peine: «Chetu. Frisco colossal.
Good bye. Zanoni.»
—Je pense, dit M. Kapock, que Chetu est une ville indi-
enne, qu'il y fait froid, ou, comme ils disent, frisco . . . Pour
le reste, c'est assez mystérieux . . .   20
—Non, dit le professeur Pipe, avec une joie grave. Chetu
est l'intelligente abréviation de chers tuteurs. Frisco, vous
devriez le savoir, veut dire San Francisco. Colossal est un
jugement sur cette ville. Le reste, une formule de politesse
anglo-américaine. Ce que je remarque avec joie, c'est cette 25

---

[21] The tendency toward brevity of expression seems to a man of
Duhamel's literary gifts another deplorable feature of contemporary
life. Whether it is exclusively American, as suggested here, is another
matter.

[22] **ville formidable,** some *city!*

[23] These names had been given the twins, but over the objections of
M. Pipe who, with his impersonal scientific approach, had wanted to
call them merely No. 1 and No. 2.

[24] **tut = tuteurs,** *guardians.*

signature elliptique sur laquelle je fonde les plus grands espoirs.

Les deux docteurs, sentant venir le discours quotidien, allumaient leurs pipes et se disposaient à faire un petit somme. M. Kapock secouait doucement la tête et le profes- 5 seur, saisi d'inspiration, se promenait de long en large, pérorant :

—Je sens, disait-il, que notre expérience va se terminer sur un triomphe, le triomphe de ma méthode. Nos deux sujets vont être enfin parfaitement préparés au bonheur. Alors, 10 nous allons entreprendre une expérience plus considérable. Nous allons inaugurer le monde futur. Cent, deux cents, cinq cents, cinq mille enfants, et plus tard bien davantage, seront, grâce à ma méthode, conformés sur le parfait et unique modèle de l'homme standard. Ah! quel bel avenir 15 et comme la vie sera facile. Plus de questions personnelles, d'ailleurs plus de personnes.[25] Plus de querelles de famille, d'ailleurs plus de famille. Plus de guerres barbares et grossières. Rien que des guerres parfaitement scientifiques et méthodiques. Finies ces divergences de goût et d'opinions 20 qui sont la honte de l'humanité. L'homme, après avoir triomphé de l'univers, va triompher enfin de soi-même. Victoire! Victoire! Victoire! Bonheur parfait! Bonheur parfait!

Expressions for Study

1. Les élèves devaient être vaccinés.
2. Cette épreuve exigea plus de quinze jours.
3. Tout aussitôt, l'appareil leur donnait une leçon de grammaire française.
4. Il se passait des choses étranges.
5. Toute la classe éclatait de rire.
6. Vous pensez bien que ces explications provoquaient l'enthousiasme.

---

[25] **d'ailleurs plus de personnes,** (*since*) *furthermore there will be no more individuals.*

7. Il faut bien mettre ces jeunes âmes en contact avec la nature.
8. Il se mit à rêver.
9. C'est à voir.
10. Faites le nécessaire auprès des tuteurs de vos sujets.
11. M. Pipe réunit une fois de plus le conseil de famille.
12. A côté des Américains, nous ne sommes guère que des enfants chétifs.
13. Tout le monde est d'accord là-dessus.
14. Plus de questions personnelles, d'ailleurs plus de personnes.
15. Rien que des guerres parfaitement scientifiques.

Questionnaire

1. Pourquoi les élèves devaient-ils être vaccinés contre la maladie du sommeil?
2. Combien de temps a exigé l'épreuve préparatoire?
3. Que recevaient les élèves en arrivant? Qui les leur délivrait?
4. Qui était le professeur de grammaire française?
5. Quelle est la supériorité des professeurs électro-mécaniques?
6. Comment les entretient-on?
7. Qui enseignait la gymnastique esthétique?
8. Est-il difficile de tenir les doigts de pied bien joints?
9. Comment faisait-on fonctionner les professeurs?
10. Qu'arrivait-il si un élève essayait de ne pas répéter?
11. Quels accidents arrivait-il quelquefois? Qui réparait les professeurs?
12. Prouvez que l'institution Bouchonoff-Pépinsky était honnête.
13. Duhamel est-il enthousiaste de ce menu? Et vous, croyez-vous aux calories?
14. Pourquoi est-il bon de lire le journal?
15. Les élèves dessinaient-ils?
16. Cette leçon de dessin mettait-elle les jeunes âmes en contact avec la nature?
17. Les élèves étaient-ils très actifs à la leçon de gymnastique?
18. Quel est l'homme idéal pour M. Pépinsky? Est-il idéal pour Duhamel?
19. Le professeur Pipe est-il modeste? Comment le savez-vous?
20. Que faut-il faire pour organiser le voyage?
21. Qu'est-ce que l'Amérique pour M. Kapock? Et pour le professeur Pipe?
22. Qu'est-ce qui complète une bonne education?
23. Qu'est-ce que Zano et Zani ont apprécié à New-York? Et à Chicago?

24. Pourquoi croyez-vous que les élèves écrivaient des lettres brèves?
25. Le professeur Pipe est-il content de ses élèves?
26. Les trois autres sont-ils aussi enthousiastes que le professeur Pipe?
27. Quel sera le triomphe de la méthode?
28. Quel sera le parfait modèle du monde futur?
29. Pourquoi la vie sera-t-elle facile?
30. N'y aura-t-il plus de guerres?
31. Les divergences d'opinion sont-elles la honte de l'humanité?

André Maurois

Le Monde américain

André Maurois, born in 1885, is today one of France's established men of letters whose creativity has produced many outstanding essays, biographies, and novels. He is also one of the better observers of the United States, which he has visited a number of times. While Duhamel, as stated in the introduction to the preceding selection, found much to offend his sensitivities in the United States, the more lucidly intellectual Maurois strives to put the question of national characteristics and values into a more balanced perspective. He is keenly aware that such matters are highly relative and that frequently no comparison is valid. His overall appreciation of the United States is complimentary, for in this country he became aware of forces which he felt outweighed the obvious defects of our society.

It must never be forgotten that the observer of a foreign culture, no matter how talented, is under severe handicaps. His observations are limited by the particular social environment in which he moves, and are forever beset by the commonest of all errors in such things, which is to mistake a superficial phenomenon for a deeply ingrained trait. The student can decide for himself if Maurois has fallen into such error.

What follows are unchanged excerpts from his book *En Amérique*.

I. Idéalisme

«Le monde sera américanisé, dit Huxley.[1] C'est inévitable. Est-ce bien? Que peut-on attendre de ces machines trop

---

[1] Aldous Huxley, the English author. I have been unable to trace the source of this remark.—*Ed.*

parfaites? Des loisirs? Soit.[2] Mais à quoi seront employés ces loisirs? Nous le voyons aux Etats-Unis: à écouter des jazz à la radio et à voir de mauvais films.[3] Plus de loisirs signifie simplement plus de cinéma. La production en série[4] tue la beauté; elle augmente le confort, mais aussi la laideur. Même dans les choses de l'esprit, on cherche à produire pour la masse; or, la masse a mauvais goût. L'homme moyen hait la culture. L'homme moyen veut de la musique facile[5] et des histoires sentimentales. Il est vrai que l'Amérique a encore l'illusion que l'éducation transformera l'homme moyen. Mais c'est faux, l'éducation ne transforme que quelques sujets d'élite.[6] L'éducation de l'avenir sera aristocratique, ou elle ne sera plus.»

Au déjeuner, je soumets ces idées à mon ami américain.

—Propos de cynique, me dit-il. Moi, je me refuse à être un cynique. Si soixante-dix ans de vie m'ont enseigné quelque chose, c'est à croire aux hommes et au progrès. Pourquoi dire que les loisirs seront toujours employés à entendre de la mauvaise musique et à lire de mauvais livres? Est-ce que l'homme moyen n'a pas, jadis, compris Homère et la Bible, qui sont des chefs-d'oeuvre? Est-ce que les meilleures salles de concert ne sont pas toujours pleines? Chez vous, Hugo, en Russie, Tolstoï,[7] sont des auteurs populaires: ce sont de grands

---

[2] **Soit,** *Agreed.*

[3] These lines were written before television. It certainly would have been included.

[4] **La production en série,** *Mass production.* A constantly expressed criticism of the United States by some Europeans focuses on the mass-production capacity of American industry, arts, and other spheres. Implicit always is the idea that this kills individualism and creative effort. It is a question that allows for much debate.

[5] **facile,** *light, easily comprehended.*

[6] **quelques sujets d'élite,** *a few superior individuals.*

[7] Homer is reputed to have lived in the ninth century before Christ. He is traditionally considered as the author of the great epics, the *Iliad* and the *Odyssey.* Victor Hugo (1802–1885) is the greatest name in nineteenth-century French literature. An admired spokesman for romanticism, his writings included works in all literary genres. Leo

écrivains. Quant à dire que la production de masses tuera la beauté, pourquoi? Au contraire, la beauté devient une valeur industrielle. Un jour, je passais dans une rue de New-York avec un architecte de mes amis et je lui montrais d'affreuses maisons. «Ne vous en inquiétez pas, me dit-il, elles 5 disparaîtront d'elles-mêmes parce que les hommes refuseront d'y vivre.» Il avait raison, on les démolit.

—Monsieur, vous êtes un optimiste.

—*Yes, sir,* dit-il avec fierté. Je crois que l'homme est plus heureux dans un univers d'où il a éliminé les bêtes féroces, 10 le froid, la faim, et en partie la souffrance. Je crois que la science permettra de plus en plus de prévoir, et d'organiser la terre pour le bonheur de l'homme.

II. L'HOMME D'AFFAIRES

Pour les hommes, le romanesque réel de l'existence est, aux Etats-Unis, dans leurs affaires. Etre un homme d'affaires 15 est beaucoup plus «excitant» en Amérique qu'en Europe. La jeunesse du pays, l'abondance des richesses à exploiter, l'accroissement de la population, permettent à toute entreprise de grandir. La récompense est royale, offerte à tous. Ici, on ne trouve guère, comme en France, la vieille affaire 20 de famille,[8] transmise de père en fils pendant plusieurs générations. Des hommes nouveaux surgissent, qui prennent la place du fils du millionnaire. L'espérance est sans bornes.

Secret de l'Amérique: la période des pionniers n'est pas encore terminée.[9] Le pionnier ignore le loisir. Quand on dé- 25 friche un territoire neuf, il y a toujours du travail. Dans une communauté de pionniers, il n'y a pas place pour le sceptique qui demande: «Quel est le sens de cette agitation?» Le

---

Tolstoy (1828–1910) is the Russian novelist best known for *War and Peace* and *Anna Karenina.*

[8] **vieille affaire de famille,** *old family business.*

[9] The validity of this remark obviously decreases with each passing decade. Nevertheless, it remains relatively true.

sceptique peut fleurir sur une vieille société qui vit par habitude. Il serait mortel pour un peuple jeune. Le paradoxe de
l'Amérique moderne, c'est qu'au milieu d'une prospérité sans
exemple elle conserve l'esprit du pionnier. Le banquier, l'éditeur,[10] le journaliste, vivent ici comme s'ils défrichaient des 5
forêts. C'est leur faiblesse et c'est leur grandeur.

L'Européen accuse volontiers[11] l'Américain de ne vivre
que pour le dollar. Rien n'est plus faux. L'Américain ne vit
que pour son travail. «Les Americains ne font pas de l'argent
parce qu'ils aiment à en faire, mais parce qu'ils n'ont rien 10
rien d'autre à faire.» Le désir de posséder est plutôt moins
vif en Amérique qu'en France. Seulement, le Français
imagine très bien la fortune limitée qu'il souhaite, le capital
dont les rentes[12] lui permettront de mener dans son âge mûr
une existence oisive. L'Américain, qui ne conçoit pas ce que 15
serait cette vie de loisirs, travaille jusqu'à la mort et devient
riche par désoeuvrement.[13]

Dans une société de pionniers, le travail seul est estimé.
Un homme doit avoir un bureau, une usine, où il passe la
plus grande partie du jour. Celui même qui n'a pas de travail 20
réel vient s'enfermer dans son bureau aux heures saintes.[14] Le
charmant oisif n'existe guère aux Etats-Unis. Un homme
n'oserait pas jouer ce rôle. Les femmes elles-mêmes l'en blâ-
meraient.

A une jeune femme américaine qui a longtemps vécu en 25
France, je demande:

—Qu'est-ce qui vous a le plus étonnée?

—Cela va vous surprendre, me dit-elle, c'est un tout petit
fait, mais qui serait tellement impossible ici. J'habitais, à
Paris, rue de l'Université. Il y avait, au rez-de-chaussée de ma 30

---

[10] **éditeur,** *publisher.*

[11] **volontiers,** *freely.*

[12] **rentes,** *income.*

[13] **devient riche par désoeuvrement,** *grows wealthy even when past
the age of retirement.*

[14] **heures saintes,** *sanctified* (*prescribed*) *hours,* i.e. the usual business hours.

maison, une boutique de mercerie tenue par une jeune
femme. Une après-midi, voulant acheter des gants, j'essaie
d'entrer dans ce magasin et je trouve la porte fermée. Le
lendemain, je demande à la marchande: «Eh bien! vous étiez
malade, hier? —Oh! non, me dit-elle, mais il faisait tellement 5
beau que j'ai fermé le magasin et que j'ai été[15] me promener
au Bois . . .[16]» Cela m'a révélé un monde inconnu.

Un professeur, qui a épousé une Française, me raconte
ceci:

—Le plus joli mot que j'aie entendu de ma vie a était dit 10
par ma femme. C'était un jour, à New-York, nous étions dans
un restaurant et vous savez que, d'habitude, le service est très
bien fait dans les restaurants américains. Ce jour-là, c'était
un peu lent. J'appelai le maître d'hôtel et lui dis: «Nous attendons!» Il s'excusait quand ma femme, s'adressant à moi, dit 15
d'un air étonné: «Mais nous ne sommes pas pressés.» J'ai
trouvé que c'était la phrase à la fois la plus étonnante, la plus
hardie et la plus délicieuse que l'on pût[17] concevoir.

III. Le Football[18]

Yale. —Il faut que vous restiez demain pour voir le match
de football, me dit le professeur . . . , de l'Université de 20
Yale, il faut . . .

J'aime beaucoup le professeur. . . . Il a un goût très sûr,
une tendre ironie. Je resterai pour le match. D'ailleurs, je
veux connaître le football américain.

—Est-ce le rugby, professeur?   25

—Oh! non. C'est beaucoup mieux . . . Ecoutez: le terrain
est divisé en bandes de dix yards. Chaque camp a droit à

---

[15] **j'ai été** = je suis allée.

[16] **Bois,** the Bois de Boulogne, an extensive park in Paris.

[17] **pût,** imperfect subjunctive of **pouvoir,** *could.*

[18] The description in another language of a sport peculiar to one
country somehow manages to be unconsciously humorous.

quatre tentatives pour franchir une de ces bandes avec le ballon. S'il y réussit en quatre fois, il a le droit de passer à la bande suivante. Sinon, c'est le tour de l'autre camp. Porter ainsi le ballon jusqu'à la ligne de but exige un effort long, renouvelé. C'est un jeu plus lent et plus savant[19] que le 5 rugby. . . . Mais ce que je voudrais surtout vous montrer, c'est le spectacle. Des trains spéciaux sont venus de New-York, de Dartmouth, de tous les coins du pays.

Un gosse, sur le trottoir, nous arrête:

—Couleurs, *sir?* Plumes? Drapeaux? 10

On vend des drapeaux, des plumes aux couleurs des deux Universités, vertes pour Dartmouth, bleues pour Yale. Les étudiants, animés, un peu anxieux, pilotent dans les rues des troupes de jeunes filles. Qui gagnera? Dartmouth a battu Harvard la semaine dernière. A deux heures, des milliers de 15 voitures se dirigent vers le Bol. C'est un stade à demi enfoncé dans le sol. Autour de nous sont les partisans de Yale, quarante mille drapeaux bleus; en face de nous, les amis de Dartmouth: trente mille drapeaux verts claquent au soleil. Le tableau d'affichage annonce: *Yale . . . Visiteurs . . .* 20 *Nombre de yards à parcourir . . . Nombre de coups*[20] *restant à jouer . . .*Chaque Université a son orchestre[21] d'étudiants, pourvu de bruyants et gigantesques instruments de métal poli. Chacune a ses cris et ses chefs de cris.

Car en ce pays de l'organisation, le bruit même est bien 25 réglé. Devant nous, trois jeunes gens, en sweater blanc et pantalon gris, ont en main de grands mégaphones bleus. Ce sont eux qui nous commandent. Au moment où l'équipe de Yale paraît, au milieu du fol enthousiasme de notre foule bleue dressée,[22] les mégaphones ordonnent: «Trois fois pour 30 Yale!» Et nous entonnons en choeur le chant de Yale, qui est

---

[19] **savant,** *skillful*
[20] **coups,** *downs.*
[21] **orchestre,** *band.*
[22] **dressée,** *standing.*

emprunté au choeur des grenouilles d'Aristophane:[23] «Bre
ke ke ke ke coax coax . . .» C'est beau, ces hurlements col-
lectifs! Nous avons très bien crié. Les chefs de cris[24] marquent
leur enthousiasme en faisant tourbillonner en l'air leurs mégaphones, qu'ils rattrapent ensuite avec adresse comme des 5
tambours-majors de la garde impériale, en faisant sur place
des sauts périlleux. Cependant, en face de nous, Dartmouth,
commandé par des mégaphones verts, pousse un cri de guerre
indien.

IV. L'Esprit démocratique

On parle souvent de l'esprit démocratique des Américains. 10
Il existe, en effet, non dans la politique (où, comme partout,
une minorité de professionnels gèrent les affaires du pays),
mais dans les moeurs. Dans une Université, un étudiant
pauvre ne risque pas d'être humilié. Il travaille pour gagner
sa vie, soit qu'[25] il serve à table ses camarades avec lesquels 15
il vient ensuite s'asseoir, sans aucune gêne, soit qu'il loue ses
services à des gens du pays.[26] Une femme de professeur, ne
pouvant trouver de domestiques, prend un étudiant pour
laver ses carreaux, un autre pour cirer son parquet. Une
jeune femme chez laquelle je dînais me dit qu'elle pouvait 20
heureusement passer la soirée avec nous, bien qu'elle eût[27]
deux jeunes enfants, parce qu'elle avait trouvé un étudiant
qui les gardait pour la soirée.

Le travail est si peu méprisé que ceux même qui n'en ont
pas besoin s'y livrent par plaisir, par sport. Presque tous les 25
étudiants, pendant leurs vacances, prennent un métier. L'un
d'eux me raconte le plaisir qu'il a trouvé à être, pour un mois,

---

[23] **au choeur des grenouilles d'Aristophane,** *from the frog's chorus
of Aristophanes.* This Greek comic dramatist lived in the fifth century
before Christ. The reference here is to his comedy *The Frogs*—more
or less.

[24] **chefs de cris,** *cheerleaders.*

[25] **soit qu',** *whether* (later in this line the meaning is *or*).

[26] **gens du pays,** *townspeople.*

[27] **bien qu'elle eût,** *although she had.* The verb is the imperfect subjunctive of **avoir.**

vendeur dans un magasin de New-York, un autre à travailler
sur les quais. Ces expériences les enrichissent et leur font
connaître les hommes du peuple.

V. Les Femmes et la famille

L'appartement de Mrs. D—— est au neuvième étage,[28]
dans Park Avenue. Elle a de belles peintures chinoises, des 5
dessins russes modernes, des manuscrits rares. De sa fenêtre,
on voit trembler dans la brume la mer des lumières. J'aime
beaucoup Mrs. D——. Elle est savante sans être pédante et
généreuse sans ostentation.

—Vous avez beaucoup vécu en France, Mistress D——. 10
Est-ce que vous trouvez les Françaises très différentes de vos
amies américaines?

—Et vous? me dit-elle.

—Oh! moi, mon jugement n'a pas de valeur; j'ai passé si
peu de temps ici . . . J'ai trouvé à New York quelques femmes 15
qui feraient d'agréables Françaises . . . Mon seul grief serait
peut-être l'extrême difficulté qu'on trouve à les voir ailleurs
que dans un grand repas ou au théâtre. Une femme a, chez
vous, des jours aussi remplis que ceux d'un homme d'affaires.
Quand elle travaille, je le comprends encore, mais quand 20
elle n'a pas de métier, pourquoi charger ses journées, depuis
le matin, de comités, de clubs, de conférences? Est-ce que
vous croyez vraiment que c'est utile?

Elle sourit.

—Non, bien souvent, c'est tout à fait inutile . . . Seule- 25
ment, il faut toujours que vous pensiez à la jeunesse de notre
civilisation. Vous me disiez, l'autre jour, que le secret de nos
hommes vous semble tenir tout entier dans le mot: pionnier.
Le secret de nos femmes est le même: elles sont des femmes
de pionniers. Pensez que, dans ce pays, l'Assistance Publi- 30
que et l'Instruction Publique ne sont pas des fonctions

---

[28] **neuvième étage,** *tenth floor.* In the French system the count starts
with our second floor.

d'Etat.[29] Pensez qu'il y a cinquante ans, beaucoup de villes, aujourd'hui importantes, n'existaient pas. Chez vous, la petite ville, héritière d'un long passé, a toujours connu son hôpital. Il s'est appelé autrefois l'hôtel-Dieu;[30] il a passé doucement des mains des religieuses à celles des infirmières municipales.   5
Mais enfin il était là; il était l'institution officielle, ancienne, aux[31] pierres grises, aux marches usées. Chez nous, l'hôpital n'existait pas. Il fallait bien que tout fût[32] fait . . .

«C'est ainsi que pendant les cinquante dernières années, les meilleures des femmes, les plus dévouées, ont créé, au 10 prix d'un dur travail, des infirmeries, des écoles, des clubs. Dans les petites villes, mille institutions dépendent des femmes: le musée, l'ouvroir, la crèche.[33] Tout ce «travail social» dont le nom semble vous amuser était, en réalité, indispensable. Ainsi fut prise peu à peu l'habitude de passer 15 la journée de comité en comité.

«Aujourd'hui, dans une ville comme New-York, ces organismes sont devenus tellement grands que l'Etat ou la Ville les ont absorbés. Mais les femmes ont quelque peine à changer de moeurs. Ce travail qui a été le leur et que l'Etat 20 a repris leur manque. Elles fondent par désoeuvrement,[34] par générosité aussi, des comités pour aider les enfants, les réfugiés. Vous auriez, vous Européens, quelque ingratitude à vous en plaindre.[35] Mais je reconnais que beaucoup de ces comités sont devenus de simples thés mondains, prétextes 25 à photographies et à visites de reporters . . .

---

[29] **fonctions d'Etat,** *state obligations.* The remark is certainly less true now than at the time of writing.

[30] **hôtel-Dieu,** a common name for a hospital in France. Originally they were charity hospitals for the treatment of the poor.

[31] **aux,** *with.*

[32] **Il fallait bien que tout fût fait,** *Everything had to be created.* **fût** is the imperfect subjunctive of **être.**

[33] **l'ouvroir, la crèche,** *the social service center, the foundling home.*

[34] **par désoeuvrement,** *because they have nothing else to do.*

[35] **à vous en plaindre,** *to complain about it.*

—Oui, mais, de votre côté, ne croyez-vous pas que des loisirs, un peu de solitude, la lecture, seraient beaucoup meilleurs encore pour la formation de l'esprit?

—Peut-être. Mais, Monsieur Maurois, j'ai vécu dans vos grandes villes d'Europe, j'ai vécu à Paris, à Londres; je n'ai 5 jamais constaté, moi, que les femmes y eussent[36] tant de loisirs . . .

—Elles en ont trop peu; mais, honnêtement, madame, elles en ont plus que vous. On peut les voir seules, on peut parler tranquillement avec elles pendant de longues 10 heures . . .

—Là, me dit-elle, vous touchez à un point très curieux de nos moeurs; mais la femme est-elle responsable? Une femme américaine qui voudrait consacrer une partie de son temps à des conversations avec des amis hommes se heurterait tout 15 de suite à cette difficulté que les hommes ne le souhaitent pas. Les femmes, chez nous, s'agitent beaucoup, justement parce que les hommes les laissent seules. Les sexes mènent des vies beaucoup plus séparées qu'en Europe. L'homme est absent tout le jour; il se tiendrait pour déshonoré s'il rentrait 20 déjeuner chez lui. Alors, que voulez-vous![37] Il a bien fallu organiser une société de femmes. D'où nos clubs; d'où aussi une solidarité plus grande des femmes. Chez nous, les amitiés de femmes sont franches et durables. En Europe, il semble toujours que les femme soient en lutte pour la conquête des 25 mâles, ou même, dans les capitales, pour la conquête de l'influence. On veut avoir un salon,[38] on s'arrache des minis-tres, des académiciens.[39] Nos vies sociales, plus rudimen-taires, moins agréables sans doute, nous affranchissent, du

---

[36] **eussent,** *had.* Imperfect subjunctive of **avoir.**

[37] **que voulez-vous!** *what else was there (for the women) to do!*

[38] Women in France have played a very important role in the intel-lectual history of their country through their salons (receptions).

[39] **académiciens,** *academicians,* or members of one of the five great academies which constitute the *Institut de France.* The best known and the one to which authors aspire is the *Académie Française.*

moins, de tels désirs. Il n'y a pas de salons à New-York; il n'y
a pas de thés; il y a peu de conversation; mais il y a, je crois,
plus de franchise et plus de simplicité dans les rapports entre
les êtres.

—Et les enfants?   5

—Le problème existe, mais il est moins grave que chez
vous, parce que les enfants vivent moins longtemps à la
maison. Les enfants coûtent très cher dès qu'ils grandissent;
leur seule ambition est de s'échapper du foyer. Je connais
une mère de famille qui, il y a quelques jours, attendait avec 10
impatience le retour de sa fille. Elle avait préparé une petite
fête, commandé les plats préférés de l'enfant prodigue,[40] pris
des places de théâtre. La jeune fille arrive; elle avait organisé
depuis longtemps une soirée avec des amis de son âge. La
tristesse de la mère fut muette, mais assez pathétique, je 15
vous assure. Vers dix-huit ou dix-neuf ans, le jeune homme
et la jeune fille ont leur voiture et, à partir de ce moment,
on ne les voit plus jamais à la maison.

«Encore une fois, je vous décris des moeurs moyennes.
Il y a, en Amérique, des foyers du type ancien; il y a beau- 20
coup d'enfants qui adorent leurs parents (et quelquefois
d'autant plus qu'ils[41] les voient moins); mais tout de même,
le *home,* le vrai *home* de jadis, si on en parle encore beaucoup dans les chansons, on ne le voit plus très souvent . . .
Beaucoup de jeunes ménages s'installent dans des hôtels à 25
appartements où ils ont une chambre, un salon.»[42.]

—Et que croyez-vous préférable? Nos moeurs ou les
vôtres?

—Monsieur Maurois, je m'excuse de la brutalité de ma
réponse: je trouve votre question sans intérêt. Des moeurs 30
nationales ne sont pas préférables à d'autres; elles sont. Si le

---

[40] **enfant prodigue,** *prodigal child*—returning home after a long absence.

[41] **d'autant plus qu',** *all the more since.*

[42] **une chambre, un salon,** *a bedroom, a living room.*

foyer tend à disparaître chez nous, c'est pour des raisons économiques très fortes auxquelles il n'est pas en notre pouvoir d'échapper. D'ailleurs, je me demande si le phénomène est limité à l'Amérique. Ne croyez-vous pas que la vérité soit, non pas que les Etats-Unis sont en train de créer 5 une nouvelle morale sexuelle,[43] mais que la morale sexuelle évolue dans le monde entier, sous l'influence de changements économiques? . . .

«L'extrême dépendance, le demi-esclavage de la femme dans le mariage est venu, je crois, de sa faiblesse physique, 10 de son impuissance à se defendre, à exécuter certains travaux. Mais le développement de la machine ruine la valeur de la force physique. Bientôt, les travaux de force[44] les plus pénibles pourront être exécutés par une femme, qui poussera un commutateur. Est-ce qu'il n'est pas naturel que, capables 15 désormais des mêmes activités, elles exigent la mème liberté que l'homme?»

—Ce que vous dites, madame, est profond et vrai. Peut-être est-il permis de se demander si elles en[45] seront, ou non, plus heureuses. 20

—C'est permis, mais c'est encore une question assez vaine. Il est certain qu'en ce moment, nous vivons dans une époque de transition, qui subit les moeurs nouvelles sans avoir encore construit les complexes sentimentaux qui, héréditairement[46] transmis, finiront par rendre ces moeurs, non seulement ac- 25 ceptables, mais évidentes pour les générations suivantes. Dans la génération présente, la femme qui exige son indépendance se heurte à la souffrance d'un homme qui n'a pas encore accepté l'égalité. Mais ne pourra-t-elle pas, dans les générations qui suivront, se refaire un bonheur de forme 30 différente avec des hommes qui n'auront connu que l'égalité?

---

[43] **nouvelle morale sexuelle,** *new role of the sexes.*
[44] **travaux de force,** *manual labor tasks.*
[45] **en,** *because of it.*
[46] **héréditairement,** *traditionally.*

. . . Et puis, posez la question autrement: étaient-elles vraiment si heureuses les femmes d'hier, ces femmes esclaves que vous avez l'air de regretter? Il fallait une réaction contre un type de civilisation qui livrait les femmes, pieds et poings liés.[47] Cette réaction est peut-être allée trop loin . . . Toutes 5 les réactions vont trop loin. Celle-ci continuera encore un peu, puis, comme toujours, viendra une période de régression et de mise au point.[48] Mais nous ne reviendrons jamais aux moeurs anciennes . . . Monsieur Maurois, puis-je vous donner un conseil? 10

—Certes, madame.

—Si vous écrivez sur ce pays, ne pleurez pas sur la destruction du foyer américain, c'est banal, et surtout c'est inutile. Prenez mon cas. Mes enfants sont au collège, mais je les adore et je suis sûre qu'ils m'aiment beaucoup . . . Vous 15 avez dîné, l'autre soir, avec le ménage de mes neveux; vous avez vu là deux êtres jeunes, qui ont les mêmes goûts, et qui s'aiment beaucoup, très simplement, comme le meilleur des ménages européens . . . C'est très grand, l'Amérique, on y trouve de tout . . . Je vais vous dire ce qu'il faut faire: si vous 20 voulez faire comprendre la femme américaine, écrivez, un jour, un roman sur une femme américaine. Ce n'est que par l'individu que l'on peut atteindre l'espèce.[49]

VI. Genéralisations

Désormais, je penserai qu'il y a là-bas, tout près de nous, un immense réservoir de force et d'amitié. Surtout, un im- 25 mense réservoir de jeunesse. Si je m'exerçais, comme l'exigent certains médecins psychiatres, à répondre sans réflexion, par instinct, à un mot par un autre, et si l'on me demandait: «Amérique?», je dirais aussitôt: «Jeunesse.» Le souvenir qui,

---

[47] **pieds et poings liés,** *bound hand and foot.*
[48] **mise au point,** *stabilization.*
[49] **atteindre l'espèce,** *reach (understand) the species.*

pour moi, domine tous les autres, c'est, sur un fond de hauts plans verticaux percés de fenêtres innombrables,[50] des visages jeunes. La jeunesse, ici, n'est pas mêlée, comme parfois chez nous, à la timidité, à l'inquiétude; elle a quelque chose de délibéré qui donne confiance dans la vie. 5

Un visage jeune. Un peuple qui a vingt ans, alors que nous en avons quarante. Les défauts et les vertus de l'adolescence; sa curiosité, sa franchise, sa gaieté, mais aussi sa naïveté, ses erreurs, son absence de sens critique, son exagération . . . *Amérique. Jeunesse*. . . Et, si l'on me forçait à dire un second 10 mot, ce cerait: *Agitation*. Il me reste le souvenir d'une course folle, d'un incroyable défilé d'êtres, d'images, d'actions improvisées, souvent réussies, car il me semblait acquérir dans ce pays une force dont je ne me croyais pas capable. Moi, nerveux, si facilement fatigué, j'ai été pendant deux mois, en 15 dépit d'une vie folle, bien portant, vivant, heureux. J'étais plus jeune en Amérique.

Un autre mot? *Générosité*. Mais oui, générosité. Je sais bien que je vais surprendre beaucoup d'Européens, justement méfiants. Sans aucun doute, on peut trouver là, comme 20 ailleurs, des professionnels de l'ambition qui exploitent pour leur réussite personnelle les passions et l'ignorance. Mais les Américains que j'ai rencontrés m'ont paru sincèrement généreux. L'hospitalité est, là-bas, plus spontanée, plus naturelle qu'ailleurs. 25

Leurs défauts? L'ennui et l'absence de sens critique. Un ennui qu'ils masquent sous leur effroyable activité, mais dont cette activité est le signe. L'Américain est obligé de tuer le temps, d'oublier ses soucis en faisant quantité de choses dont aucune ne le tente et en les faisant très vite. De cette ra- 30 pidité naît aussi l'absence de sens critique. Toute doctrine nouvelle est aussitôt acceptée.

Plus exactement, ce qui leur manque, c'est une longue hérédité de culture et de loisirs qui leur donnerait un instinct

---

[50] The memory is of the skyscraper.

plus sûr des valeurs. L'Américain croit un peu trop facilement. Tout ici devient religion. En littérature, en psycholo-
gie, l'homme moyen cherche un directeur de conscience.
Chaque semaine, il y a le livre qu'il faut avoir lu. En France,
quand un livre a du succès, sa vente continue pendant des 5
années. En Amérique, on m'a cité des romans dont, une
année, on avait vendu cinq cent mille exemplaires, et trois
cents l'année suivante. Pays de modes collectives, qui n'a
pas encore appris le scepticisme et l'art d'ignorer.

Tout cela, d'ailleurs, n'est vrai que des masses, non des 10
élites. Un Américain très cultivé est identique à un Français
très cultivé.

Sont-ils heureux? Mais le problème est artificiel. Pendant
une centaine d'[51] années encore, peut-être pendant deux cents,
trois cents ans, ce pays suivra une marche ascendante. Il peut 15
nourrir trois cents millions d'habitants. Il y aura des crises
temporaires, mais la courbe (vue de haut et de loin) sera
une courbe ascendante.

Et si le perfectionnement même des machines condamnait
l'Américain aux loisirs forcés? Là encore, je crois le problème 20
artificiel. De tels changements apportent presque toujours
avec eux les remèdes qu'ils rendent nécessaires. Optimisme?
L'histoire des hommes n'enseigne-t-elle pas un certain optimisme? L'introduction des machines, au début du XVIIIe
siècle, posait un problème plus difficile que ce que l'on ap- 25
pelle aujourd'hui avec terreur «américanisation». Il me
semble qu'il a été résolu et qu'un Anglais ou un Français
de nos jours sont loin d'être plus malheureux qu'un Anglais
ou un Français d'autrefois. Au contraire, je dirais que
l'homme moyen est probablement plus heureux.   30

Expressions for Study

1. Que peut-on attendre de ces machines? Des loisirs? Soit.
2. La production en série tue la beauté.

---

[51] **une centaine d'**, *some hundred.*

3. L'éducation ne transforme que quelques sujets d'élite.
4. Il avait raison.
5. On ne trouve guère la vieille affaire de famille.
6. Le désir de posséder est plutôt moins vif.
7. Nous ne sommes pas pressés.
8. C'est un jeu plus savant que le rugby.
9. Il travaille pour gagner sa vie, soit qu'il serve à table . . .
10. Ceux même qui n'en ont pas besoin s'y livrent par plaisir.
11. Bien souvent, c'est tout à fait inutile.
12. Il était l'institution aux pierres grises.
13. Vous auriez quelque ingratitude à vous en plaindre.
14. Il se tiendrait pour déshonoré s'il rentrait déjeuner chez lui.
15. Alors, que voulez-vous!
16. A partir de ce moment, on ne les voit plus jamais à la maison.
17. . . . et quelquefois d'autant plus qu'ils les voient moins.
18. Peut-être est-il permis de se demander si elles en seront, ou non, plus heureuses.
19. Ce n'est que par l'individu que l'on peut atteindre l'espèce.
20. J'ai été bien portant.
21. Pendant une centaine d'années encore, ce pays suivra une marche ascendante.

Questionnaire

I. *L'Idéalisme*

1. Quelles sont les conséquences de la production en série?
2. Quelle est la conséquence de l'augmentation des loisirs?
3. Maurois croit-il que l'éducation transformera l'homme moyen?
4. L'ami américain croit-il que la masse a mauvais goût? Comment le prouve-t-il?
5. Comment l'Américain croit-il que les affreuses maisons disparaîtront?
6. Qu'a déjà fait la science pour l'homme?

II. *L'Homme d'affaires*

1. Etre un homme d'affaires est-il «excitant» en Europe?
2. Pourquoi toute entreprise peut-elle grandir en Amérique?
3. En Amérique, les fils ont-ils souvent la même profession que leur père?

4. Pourquoi n'y a-t-il pas place pour le sceptique dans une communauté de pionniers?
5. Quelle est la fortune limitée que souhaite le Français?
6. Pourquoi l'Américain ne vit-il que pour son travail?
7. Un oisif serait-il charmant aux Etats-Unis?
8. Pourquoi la marchande avait-elle fermé son magasin?
9. Pourquoi cela a-t-il révélé un monde inconnu à l'Américaine?
10. Pourquoi la femme du professeur était-elle étonnée?
11. Trouvez-vous aussi que c'était une phrase étonnante?

III. *Le Football*

1. Pourquoi Maurois restera-t-il pour le match de football?
2. Pourquoi le professeur préfère-t-il le football au rugby?
3. Est-ce surtout le football qui intéressera surtout Maurois?
4. Quel est le sentiment des étudiants?
5. Qui règle les cris?
6. Que fait-on quand l'équipe de Yale paraît?
7. L'auteur admire-t-il ces hurlements?
8. Décrivez les actions des chefs de cris.

IV. *L'Esprit démocratique*

1. L'esprit démocratique existe-t-il dans la politique? Pourquoi?
2. Que peut faire un étudiant pour gagner sa vie?
3. Maurois est-il étonné par ces faits?
4. Pourquoi les étudiants travaillent-ils même s'ils n'en ont pas besoin?

V. *Les Femmes et la famille*

1. Quelle sorte d'appartements y a-t-il dans Park Avenue?
2. Quel est le seul grief de Maurois contre les Américaines?
3. Que fait de ses journées une femme qui ne travaille pas?
4. Qu'est-ce qu'une petite ville française a toujours connu? Qui a créé l'hôpital?
5. L'instruction est-elle une fonction d'état en France?
6. Qu'est-ce que les femmes ont créé en Amérique?
7. Est-ce que ce sont toujours les femmes qui font ce travail?
8. En conséquence, que font les femmes? Les Européens en profitent-ils?

9. Ces comités sont-ils toujours très actifs?
10. Qu'est-ce qui serait meilleur que les thés mondains pour la formation de l'esprit?
11. Qu'est-ce que les Françaises peuvent faire de leurs loisirs? Pourquoi est-ce impossible aux Américaines?
12. Pourquoi l'Américain ne rentre-t-il pas déjeuner chez lui?
13. Pourquoi a-t-on organisé les clubs de femmes?
14. Comparez les amitiés entre femmes en Amérique et en France?
15. Quel problème peut résulter pour les enfants de la grande activité de la femme?
16. Les enfants américains sont-ils plus indépendants que les enfants français?
17. Pourquoi la mère était-elle triste?
18. Ce que Maurois dit sur la disparition du foyer est-il reconnu aujourd'hui?
19. Pourquoi est-il sans intérêt de comparer les moeurs nationales?
20. Pourquoi le foyer tend-il à disparaître?
21. Mrs. D—— croit-elle que ce phénomène est limité à l'Amérique?
22. Pourquoi les travaux de force pourront-ils être exécutés par les femmes?
23. Pourquoi est-il vain de se demander si les femmes seront plus heureuses avec la même liberté que les hommes?
24. Pourquoi la femme qui exige son indépendance a-t-elle des difficultés?
25. Contre quoi le féminisme est-il une réaction?
26. Qu'est-ce qui arrive toujours après une réaction?
27. Que faut-il faire pour faire comprendre la femme américaine? Pourquoi? Le croyez-vous aussi?

VI. *Généralisations*

1. Quels sont les trois mots qui caractérisent l'Amérique pour Maurois?
2. Les jeunes sont-ils souvent timides et inquiets en Amérique?
3. Maurois a-t-il le souvenir d'une vie calme aux Etats-Unis?
4. Comment Maurois a-t-il changé en deux mois?
5. Les individus que Maurois a rencontrés étaient-ils des professionnels de l'ambition?
6. Pour Maurois, pourquoi l'Américain est-il effroyablement actif?
7. Pourquoi l'Américain croit-il tout trop facilement?
8. Pourquoi l'homme moyen lit-il le livre du mois?
9. Pourquoi la vente de certains romans change-t-elle si vite?

10. Y a-t-il une grande différence entre les gens cultivés des deux pays?
11. Qu'apportent presque toujours les changements?
12. Pourquoi l'histoire enseigne-t-elle un certain optimisme?
13. Maurois accepte-t-il toutes les idées générales sur l'Amérique?

Antoine de Saint-Exupéry

Le Petit Prince*

Le Petit Prince was published in 1943 in New York, where its author, Antoine de Saint-Exupéry (1900–1944), was living temporarily after the fall of France in World War II. He had been in the French air force, and before that was a professional pilot with various French air lines which had established routes to Africa and in South America, an experience reflected in his celebrated novel *Night Flight*. In 1943 he was able to join a French wing of the United States Air Force. The following year he failed to return from a reconnaissance flight over southern France, preparatory to the Allied invasion. The manner of his death is not known.

His novels hardly fit any ordinary definition of that genre. Based mostly on his personal experiences, they are essentially philosophical speculations upon the meaning of existence. With other writers of his period Saint-Exupéry felt that the old definitions and philosophies were inadequate as an explanation of or a guide to life, and that a new humanism had to be found. Perhaps he was never able to define this humanism very clearly, but it is easy to sense his groping toward the ideal that there is a spiritual unity among men which must be served and to which we must sacrifice.

Le Petit Prince—suggested to Saint-Exupéry in its physical setting by a real crash in the Sahara—takes us into the realm of fantasy, through which the author reveals to us his main themes and the principal lines of his humanism. The text is unchanged. The drawings are an American artist's reproduction of the originals by Saint-Exupéry.

BACKGROUND

After his crash in the Sahara, and while trying to repair his plane, the author is confronted by a mysterious being, the Little Prince. The Prince has come from another planet, and for Saint-Exupéry he symbolizes the spiritual life, the perhaps unattainable ideal. Childlike, he asks questions but rarely answers any. Those that he asks are the really meaningful ones, while those he never answers are not worth the answering, being the formulations of the adult mind with its loss of the power of knowing the essential.

Soon the Little Prince evidences a poignant concern for a rose that he had so carefully tended on his very small planet. There seems sufficient reason to believe that this rose is a very personal symbol drawn from the author's own existence, that it is in reality his wife, and that the Prince's departure from his planet and his rose represents a period of misunderstanding in Saint-Exupéry's marital life. So viewed, all mentions of the rose are but the recounting of the author's tender love in a vein that is both humorous and serious. More interesting is his revelation as to how this love, or any love, comes about.

I

J'appris bien vite à mieux connaître cette fleur. Il y avait toujours eu,[1] sur la planète du petit prince, des fleurs très simples, ornées d'un seul rang de pétales, et qui ne tenaient point de place, et qui ne dérangeaient personne. Elles apparaissaient un matin dans l'herbe, et puis elles s'éteignaient 5 le soir. Mais celle-là avait germé un jour, d'une graine apportée d'on ne sait où, et le petit prince avait surveillé de très près cette brindille qui ne ressemblait pas aux autres brindilles. Ça pouvait être un nouveau genre de baobab.[2]

---

[1] **Il y avait toujours eu,** *There had always been.*

[2] The baobab, a giant tree, was mentioned in a previous chapter. Of tenacious growth, it stands for evil and the difficulty in eradicating it.

Mais l'arbuste cessa vite de croître, et commença de préparer une fleur. Le petit prince, qui assistait à l'installation[3] d'un bouton énorme, sentait bien qu'il en sortirait une apparition miraculeuse, mais la fleur n'en finissait pas de[4] se préparer à être belle, à l'abri de sa chambre verte. Elle choisissait avec soin ses couleurs. Elle s'habillait lentement, elle ajustait un à un ses pétales. Elle ne voulait pas sortir toute fripée comme les coquelicots. Elle ne voulait apparaître que dans le plein rayonnement de sa beauté. Eh! oui. Elle était très coquette! Sa toilette mystérieuse avait donc duré des jours et des jours. Et puis voici qu'un matin, justement à l'heure du lever du soleil, elle s'était montrée.

Et elle, qui avait travaillé avec tant de précision, dit en bâillant:

—Ah! je me réveille à peine[5] . . . Je vous demande pardon . . . Je suis encore toute décoiffée . . .

---

[3] **qui assistait à l'installation**, *who was witnessing the beginning.*

[4] **n'en finissait pas de**, *just* never *finished.*

[5] **je me réveille à peine**, *I'm hardly awake.*

Le petit prince, alors, ne put contenir son admiration:

—Que vous êtes belle!

—N'est-ce pas, répondit doucement la fleur. Et je suis née en même temps que le soleil . . .

Le petit prince devina bien qu'elle n'était pas trop mo- 5 deste, mais elle était si émouvante!

—C'est l'heure, je crois, du petit déjeuner, avait-elle bientôt ajouté, auriez-vous la bonté de penser à moi . . .

Et le petit prince, tout confus, ayant été chercher un arrosoir d'eau fraîche, avait servi la fleur.   10

Ainsi l'avait-elle bien vite tourmenté par sa vanité un peu ombrageuse. Un jour, par exemple, parlant de ses quatre épines, elle avait dit au petit prince:

—Ils peuvent venir, les tigres, avec leurs griffes!

—Il n'y a pas de tigres sur ma planète, avait objecté le 15 petit prince, et puis les tigres ne mangent pas d'herbe.

—Je ne suis pas une herbe, avait doucement répondu la fleur.

—Pardonnez-moi . . .

—Je ne crains rien des tigres, mais j'ai horreur des courants 20 d'air. Vous n'auriez pas un paravent?[6]

«Horreur des courants d'air . . . ce n'est pas de chance, pour une plante,» avait remarqué le petit prince. «Cette fleur est bien compliquée . . .»

—Le soir vous me mettrez sous globe. Il fait très froid chez 25 vous. C'est mal installé.[7] Là d'où je viens . . .

Mais elle s'était interrompue. Elle était venue sous forme de graine. Elle n'avait rien pu connaître des autres mondes. Humiliée de s'être laissée surprendre à préparer un mensonge aussi naïf, elle avait toussé deux ou trois fois, pour mettre le 30 petit prince dans son tort:[8]

---

[6] **Vous n'auriez pas un paravent?** *Would you possibly have a screen?*

[7] **C'est mal installé,** *It isn't properly furnished.*

[8] **pour mettre le petit prince dans son tort,** *as if the Little Prince were to blame* (for her coughs).

—Ce paravent? . . .

—J'allais le chercher mais vous me parliez!

Alors elle avait forcé sa toux pour lui infliger quand même des remords.

Ainsi le petit prince, malgré la bonne volonté de son amour, 5 avait vite douté d'elle. Il avait pris au sérieux des mots sans importance, et était devenu très malheureux.

«J'aurais dû ne pas l'écouter,[9] me confia-t-il un jour, il ne faut jamais écouter les fleurs. Il faut les regarder et les respirer. La mienne embaumait ma planète, mais je ne savais 10 pas m'en réjouir. Cette histoire de griffes, qui m'avait tellement agacé, eût dû[10] m'attendrir . . .»

Il me confia encore:

«Je n'ai alors rien su comprendre! J'aurais dû la juger sur les actes et non les mots. Elle m'embaumait et m'éclairait. 15 Je n'aurais jamais dû m'enfuir! J'aurais dû deviner sa tendresse derrière ses pauvres ruses. Les fleurs sont si contradictoires! Mais j'étais trop jeune pour savoir l'aimer.»

sweep ramoner

II

Je crois qu'il profita, pour son évasion,[11] d'une migration d'oiseaux sauvages. Au matin du départ il mit sa planète bien 20 en ordre. Il ramona soigneusement ses volcans en activité. Il possédait deux volcans en activité. Et c'était bien commode pour faire chauffer le petit déjeuner du matin. Il possédait aussi un volcan éteint. Mais, comme il disait: «On ne sait jamais!» Il ramona donc également le volcan éteint. S'ils sont 25 bien ramonés, les volcans brûlent doucement et régulièrement, sans éruptions. Les éruptions volcaniques sont comme

---

[9] **J'aurais dû ne pas l'écouter,** *I shouldn't have listened to her.*

[10] **eût dû = aurait dû.**

[11] **profita, pour son évasion,** *took advantage, for his departure.* **évasion** is, more accurately, *escape* and, viewing the whole episode of the rose as autobiographical, it may indeed have this sense here.

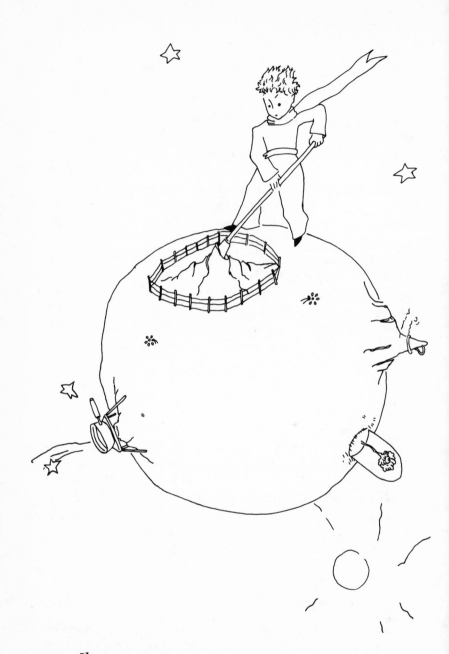

Il ramona soigneusement ses volcans en activité.

des feux de cheminée. Evidemment sur notre terre nous sommes beaucoup trop petits pour ramoner nos volcans. C'est pourquoi ils nous causent des tas d'ennuis.

Le petit prince arracha aussi, avec un peu de mélancolie, les dernières pousses de baobabs. Il croyait ne jamais devoir 5 revenir. Mais tous ces travaux familiers lui parurent, ce matin-là, extrêmement doux. Et, quand il arrosa une dernière fois la fleur, et se prépara à la mettre à l'abri sous son globe, il se découvrit l'envie[12] de pleurer.

—Adieu, dit-il à la fleur. 10

Mais elle ne lui répondit pas.

—Adieu, répéta-t-il.

La fleur toussa. Mais ce n'était pas à cause de son rhume.

—J'ai été sotte, lui dit-elle enfin. Je te demande pardon. Tâche d'être heureux. 15

Il fut surpris par l'absence de reproches. Il restait là tout déconcerté, le globe en l'air. Il ne comprenait pas cette douceur calme.

—Mais oui, je t'aime, lui dit la fleur. Tu n'en as rien su, par ma faute. Cela n'a aucune importance. Mais tu as été aussi 20 sot que moi. Tâche d'être heureux . . . Laisse ce globe tranquille. Je n'en veux plus.[13]

—Mais le vent . . .

—Je ne suis pas si enrhumée que ça. . . . L'air frais de la nuit me fera du bien. Je suis une fleur. 25

—Mais les bêtes . . .

—Il faut bien que je supporte deux ou trois chenilles si je veux connaître les papillons.[14] Il paraît que c'est tellement

---

[12] **envie,** *desire.*

[13] **Laisse ce globe tranquille. Je n'en veux plus,** *Leave that globe alone. I don't need it any more.*

[14] An oft-repeated concept in Saint-Exupéry is that joy and sorrow, happiness and suffering are inextricably joined and that it is impossible to determine one except in terms of the other. It is probable that this is a reflection of his admiration for the great nineteenth-century poet Baudelaire, in whose work good and evil are dramatically enmeshed.

beau. Sinon qui me rendra visite? Tu seras loin, toi. Quant aux grosses bêtes, je ne crains rien. J'ai mes griffes.

Et elle montrait naïvement ses quatre épinès. Puis elle ajouta:

—Ne traîne pas comme ça,[15] c'est agaçant. Tu as décidé 5 de partir. Va-t'en.

Car elle ne voulait pas qu'il la vît[16] pleurer. C'était une fleur tellement orgueilleuse . . .

The Little Prince's descent to Earth is made via a succession of planets, each characteristically with but one inhabitant. This is Saint-Exupéry's way of emphasizing the moral isolation of the individual— a theme he develops in the following pages.

The first planet is inhabited by a fatuous king, the second by a vain person, the next by a drunkard, the fourth by a businessman, the fifth by a lamplighter, and the sixth by a geographer. Each planetary visit constitutes a little parable in which the author illustrates a human vice or weakness.

The story resumes with the seventh planet, the Earth.

III

La septième planète fut donc la Terre.

La Terre n'est pas une planète quelconque![17] On y compte 10 cent onze rois (en n'oubliant pas, bien sûr, les rois nègres), sept mille géographes, neuf-cent-mille businessmen, sept millions et demi d'ivrognes, trois-cent-onze millions de vaniteux, c'est-à-dire environ deux milliards de grandes personnes.[18]   15

Pour vous donner une idée des dimensions de la Terre je vous dirai qu'avant l'invention de l'électricité on y devait entretenir, sur l'ensemble des six continents, une véritable

---

[15] **Ne traîne pas comme ça,** *Don't keep hanging around.*

[16] **vît,** imperfect subjunctive of **voir.**

[17] **une planète quelconque!** *any old planet!*

[18] **grandes personnes,** *grownups, adults.* With Saint-Exupéry the connotation is usually derogatory.

armée de quatre-cent-soixante-deux-mille-cinq-cent-onze allumeurs de réverbères.[19]

Vu d'un peu loin ça faisait un effet splendide. Les mouve-
ments de cette armée étaient réglés comme ceux d'un ballet
d'opéra. D'abord venait le tour des allumeurs de réverbères 5
de Nouvelle-Zélande et d'Australie. Puis ceux-ci, ayant al-
lumé leurs lampions, s'en allaient dormir. Alors entraient à
leur tour dans la danse les allumeurs de réverbères de Chine
et de Sibérie. Puis eux aussi s'escamotaient dans les coulisses.[20]
Alors venait le tour des allumeurs de réverbères de Russie et 10
des Indes. Puis de ceux d'Afrique et d'Europe. Puis de ceux
d'Amérique du Sud. Puis de ceux d'Amérique du Nord. Et
jamais ils ne se trompaient dans leur ordre d'entrée en
scène.[21] C'était grandiose.

Seuls, l'allumeur de l'unique réverbère du pôle Nord, et son 15
confrère de l'unique réverbère du pôle Sud, menaient des
vies d'oisiveté et de nonchalance: ils travaillaient deux fois
par an.

IV

Quand on veut faire de l'esprit,[22] il arrive que l'on mente
un peu. Je n'ai pas été très honnête en vous parlant des al- 20
lumeurs de réverbères. Je risque de donner une fausse idée
de notre planète à ceux qui ne la connaissent pas. Les
hommes occupent très peu de place sur la terre. Si les deux
milliards d'habitants qui peuplent la terre se tenaient debout
et un peu serrés, comme pour un meeting, ils logeraient aisé- 25
ment sur une place publique de vingt milles de long sur vingt
milles de large. On pourrait entasser l'humanité sur le moindre petit îlot du Pacifique.

---

[19] An allusion to the inhabitant of one of the planets where the
Prince stopped en route to the Earth.

[20] **s'escamotaient dans les coulisses,** *faded away into the wings.*

[21] **entrée en scène,** *appearance, stage entrance.*

[22] **faire de l'esprit,** *say something cleverly.*

Les grandes personnes, bien sûr, ne vous croiront pas. Elles s'imaginent tenir beaucoup de place. Elles se voient importantes comme des baobabs. Vous leur conseillerez donc de faire le calcul. Elles adorent les chiffres: ça leur plaira. Mais ne perdez pas votre temps à ce pensum. C'est inutile. Vous 5 avez confiance en moi.

Le petit prince, une fois sur terre, fut donc bien surpris de ne voir personne. Il avait déjà peur de s'être trompé de planète, quand un anneau couleur de lune[23] remua dans le sable. 10

—Bonne nuit, fit[24] le petit prince à tout hasard.[25]

—Bonne nuit, fit le serpent.[26]

—Sur quelle planète suis-je tombé? demanda le petit prince.

—Sur la Terre, en Afrique, répondit le serpent. 15

—Ah . . . Il n'y a donc personne sur la Terre?

—Ici c'est le désert. Il n'y a personne dans les déserts. La Terre est grande, dit le serpent.

Le petit prince s'assit sur une pierre et leva les yeux vers le ciel: 20

—Je me demande, dit-il, si les étoiles sont éclairées afin que chacun puisse un jour retrouver la sienne. Regarde ma planète. Elle est juste au-dessus de nous . . . Mais comme elle est loin!

—Elle est belle, dit le serpent. Que viens-tu faire ici? 25

—J'ai des difficultés avec une fleur, dit le petit prince.

---

[23] **anneau couleur de lune,** *a yellow, coiled object.*

[24] **fit** =dit.

[25] **à tout hasard,** the sense here would seem to be *not too sure of himself.*

[26] The serpent does not have the usual religious symbolism of evil. At the end (omitted in this selection) it is its sting which kills the Prince on Earth so that he may resume his life on his planet. Thus the serpent is more in the nature of a liberator from the stultifying experiences of life, and restores the Prince to life on a more purely spiritual plane.

—Ah! fit le serpent.

Et ils se turent.[27]

—Où sont les hommes? reprit enfin le petit prince. On est un peu seul dans le désert . . .

—On est seul aussi chez les hommes, dit le serpent. 5

Le petit prince le regarda longtemps:

—Tu es une drôle de bête, lui dit-il enfin, mince comme un doigt . . .

—Mais je suis plus puissant que le doigt d'un roi, dit le serpent. 10

Le petit prince eut un sourire:

—Tu n'es pas bien puissant . . . tu n'as même pas de pattes . . . tu ne peux même pas voyager . . .

—Je puis t'emporter plus loin qu'un navire,[28] dit le serpent.

Il s'enroula autour de la cheville du petit prince, comme 15 un bracelet d'or:

—Celui que je touche, je le rends à la terre dont il est sorti, dit-il encore. Mais tu es pur et tu viens d'une étoile . . .

Le petit prince ne répondit rien.

—Tu me fais pitié, toi si faible, sur cette Terre de granit. 20 Je puis t'aider un jour si tu regrettes trop ta planète. Je puis . . .

—Oh! J'ai très bien compris, fit le petit prince, mais pourquoi parles-tu toujours par énigmes?

—Je les résous toutes,[29] dit le serpent. 25

Et ils se turent.

V

Le petit prince fit l'ascension d'une haute montagne. Les seules montagnes qu'il eût jamais connues étaient les trois

---

[27] **se turent,** *were silent, fell silent.*

[28] This line anticipates the eventual mortal sting.

[29] In saying *I solve them all,* the serpent is indulging in harsh irony, since death does indeed end all problems.

volcans qui lui arrivaient au genou.[30] Et il se servait du volcan
éteint comme d'un tabouret. "D'une montagne haute comme
celle-ci, se dit-il donc, j'apercevrai d'un coup[31] toute la planète
et tous les hommes . . ." Mais il n'aperçut rien que[32] des
aiguilles de roc bien aiguisées.   5
    —Bonjour, dit-il à tout hasard.
    —Bonjour . . . Bonjour . . . Bonjour . . . répondit l'écho.
    —Qui êtes-vous? dit le petit prince.
    —Qui êtes-vous . . . qui êtes-vous . . . qui êtes-vous . . .ré-
pondit l'écho.   10
    —Soyez mes amis, je suis seul,[33] dit-il.
    —Je suis seul . . . je suis seul . . . je suis seul . . . répondit
l'écho.
    "Quelle drôle de planète, pensa-t-il alors! Elle est toute
sèche, et toute pointue et toute salée. Et les hommes man-   15
quent d'imagination. Ils répètent ce qu'on leur dit . . . Chez
moi j'avais une fleur: elle parlait toujours la première . . ."

VI

    Mais il arriva que le petit prince, ayant longtemps marché
à travers les sables, les rocs et les neiges, découvrit enfin une
route. Et les routes vont toutes chez les hommes.   20
    —Bonjour, dit-il.
    C'était un jardin fleuri de roses.
    —Bonjour, dirent les roses.
    Le petit prince les regarda. Elles ressemblaient toutes à sa
fleur.   25

---

[30] **lui arrivaient au genou,** *came up to his knee.*
[31] **d'un coup,** *in one glance.*
[32] **n'aperçut rien que,** *saw only.*
[33] The moral isolation of the individual is one of the dominant
themes in Saint-Exupéry. Also, viewed as a source of human suffering,
this isolation calls for alleviation and this is in part the theme of Section VIII.

—Qui êtes-vous? leur demanda-t-il, stupéfait.[34]
—Nous sommes des roses, dirent les roses.
—Ah! fit le petit prince . . .

Et il se sentait très malheureux. Sa fleur lui avait raconté qu'elle était seule de son espèce dans l'univers. Et voici qu'il 5 en était[35] cinq mille, toutes semblables, dans un seul jardin!

"Elle serait bien vexée, se dit-il, si elle voyait ça . . . elle tousserait énormément et ferait semblant de mourir pour échapper au ridicule. Et je serais bien obligé de faire semblant de la soigner, car, sinon, pour m'humilier moi aussi, elle se 10 laisserait vraiment mourir . . ."

Puis il se dit encore "Je me croyais riche d'une fleur unique, et je ne possède qu'une rose ordinaire. Ça et mes trois volcans qui m'arrivent au genou, et dont l'un, peut-être, est éteint pour toujours, ça ne fait pas de moi un bien grand prince 15 . . ." Et, couché dans l'herbe, il pleura.

---

[34] **stupéfait,** *amazed.*
[35] **voici qu'il en était,** *here suddenly there were.*

VII

C'est alors qu'apparut le renard:[36]
—Bonjour, dit le renard.

—Bonjour, répondit poliment le petit prince, qui se retourna mais ne vit rien.

—Je suis là, dit la voix, sous le pommier . . .   5

—Qui es-tu? dit le petit prince. Tu es bien joli . . .

—Je suis un renard, dit le renard.

---

[36] The fox continues the fablelike tone of the narrative but, much
more importantly than that, he stands for the untamed soul whose
taming is the beginning of the "cure" for moral isolation. As frequently
happens in Saint-Exupéry there is a constant shifting (which may be
somewhat disconcerting to the reader) from a realistic traditional concept of the fox to the symbolical idea.

—Viens jouer avec moi, lui proposa le petit prince. Je suis tellement triste . . .

—Je ne puis pas jouer avec toi, dit le renard. Je ne suis pas apprivoisé.[37]

—Ah! pardon, fit le petit prince. 5

Mais, après réflexion, il ajouta:

—Qu'est-ce que signifie "apprivoiser"?

—Tu n'es pas d'ici, dit le renard, que cherches-tu?

—Je cherche les hommes, dit le petit prince. Qu'est-ce que signifie "apprivoiser"? 10

—Les hommes, dit le renard, ils ont des fusils et ils chassent. C'est bien gênant! Ils élèvent aussi des poules. C'est leur seul intérêt. Tu cherches des poules?

—Non, dit le petit prince. Je cherche des amis. Qu'est-ce que signifie "apprivoiser"? 15

—C'est une chose trop oubliée, dit le renard. Ça signifie "créer des liens . . ."

—Créer des liens?

—Bien sûr, dit le renard. Tu n'es encore pour moi qu'un petit garçon tout semblable à cent mille petits garçons. Et je 20 n'ai pas besoin de toi. Et tu n'as pas besoin de moi non plus.[38] Je ne suis pour toi qu'un renard semblable à cent mille renards. Mais, si tu m'apprivoises, nous aurons besoin l'un de l'autre. Tu seras pour moi unique au monde. Je serai pour toi unique au monde . . . 25

—Je commence à comprendre, dit le petit prince. Il y a une fleur . . . je crois qu'elle m'a apprivoisé . . .

—C'est possible, dit le renard. On voit sur la terre toutes sortes de choses . . .

—Oh! ce n'est pas sur la Terre, dit le petit prince. 30

---

[37] **apprivoisé,** *tamed.* This word has a special fascination for the author, to whom it suggests the whole complex search for human relationships which are the basis of love. A few lines later the word is defined as **créer des liens,** *to form bonds.*

[38] **non plus,** *either.*

Le renard parut très intrigué:

—Sur une autre planète?

—Oui.

—Il y a des chasseurs, sur cette planète-là?

—Non. 5

—Ça, c'est intéressant! Et des poules?

—Non.

—Rien n'est parfait, soupira le renard.

Mais le renard revint à son idée:

—Ma vie est monotone. Je chasse les poules, les hommes 10
me chassent. Toutes les poules se ressemblent, et tous les
hommes se ressemblent. Je m'ennuie donc un peu. Mais, si tu
m'apprivoises, ma vie sera comme ensoleillée. Je connaîtrai
un bruit de pas qui sera différent de tous les autres. Les
autres pas me font rentrer sous terre.[39] Le tien m'appellera 15
hors du terrier, comme une musique. Et puis regarde! Tu
vois, là-bas, les champs de blé? Je ne mange pas de pain. Le
blé pour moi est inutile. Les champs de blé ne me rappellent
rien. Et ça, c'est triste! Mais tu as des cheveux couleur d'or.
Alors ce sera merveilleux quand tu m'auras apprivoisé! Le 20
blé, qui est doré, me fera souvenir de toi. Et j'aimerai le bruit
du vent dans le blé . . .

Le renard se tut et regarda longtemps le petit prince:

—S'il te plaît . . . apprivoise-moi, dit-il!

—Je veux bien, répondit le petit prince, mais je n'ai pas 25
beaucoup de temps. J'ai des amis à découvrir et beaucoup de
choses à connaître.

—On ne connaît que les choses que l'on apprivoise, dit le
renard. Les hommes n'ont plus le temps de rien connaître.
Ils achètent des choses toutes faites chez les marchands. 30
Mais comme il n'existe point de marchands d'amis, les
hommes n'ont plus d'amis. Si tu veux un ami, apprivoise-
moi!

—Que faut-il faire? dit le petit prince.

---

[39] **me font rentrer sous terre,** *drive me to my burrow.*

—Il faut être très patient, répondit le renard. Tu t'assoiras d'abord un peu loin de moi, comme ça, dans l'herbe. Je te regarderai du coin de l'œil et tu ne diras rien. Le langage est source de malentendus.[40] Mais chaque jour, tu pourras t'asseoir un peu plus près . . . 5

Le lendemain revint le petit prince.

—Il eût mieux valu[41] revenir à la même heure, dit le renard. Si tu viens, par exemple, à quatre heures de l'après-midi, dès trois heures je commencerai d'être heureux. Plus l'heure avancera, plus je me sentirai heureux. A quatre heures, déjà, je 10 m'agiterai et m'inquiéterai: je découvrirai le prix du bonheur! Mais si tu viens n'importe quand, je ne saurai jamais à quelle heure m'habiller le cœur[42] . . . Il faut des rites.[43]

—Qu'est-ce qu'un rite? dit le petit prince.

—C'est aussi quelque chose de trop oublié, dit le renard. 15 C'est ce qui fait qu'un jour est différent des autres jours, une heure, des autres heures. Il y a un rite, par exemple, chez mes chasseurs. Ils dansent le jeudi avec les filles du village. Alors le jeudi est jour merveilleux! Je vais me promener jusqu'à la vigne. Si les chasseurs dansaient n'importe quand, les jours 20 se ressembleraient tous, et je n'aurais point de vacances.

Ainsi le petit prince apprivoisa le renard. Et quand l'heure du départ fut proche:

—Ah! dit le renard . . . Je pleurerai.

—C'est ta faute, dit le petit prince, je ne te souhaitais point 25 de mal, mais tu as voulu que je t'apprivoise . . .

---

[40] A recurrent notion with this author. He considered language an imperfect and inadequate tool for the expression of our essential natures. While in the United States he virtually refused to learn English, feeling that it was enough to master one language.

[41] **eût mieux valu = aurait mieux valu,** *would have been better.*

[42] **m'habiller le coeur,** *to dress up my heart,* figurative language for *start feeling happy.*

[43] The rites are habits—or constants—upon which we may count, and to which we may attach our beings.

—Bien sûr, dit le renard.

—Mais tu vas pleurer! dit le petit prince.

—Bien sûr, dit le renard.

—Alors tu n'y gagnes rien!

—J'y gagne, dit le renard, à cause de la couleur du blé.[44]   5
Puis il ajouta:

—Va revoir les roses. Tu comprendras que la tienne est unique au monde. Tu reviendras me dire adieu, et je te ferai cadeau d'un secret.

Le petit prince s'en fut[45] revoir les roses: 10

—Vous n'êtes pas du tout semblables à ma rose, vous n'êtes rien encore, leur dit-il. Personne ne vous a apprivoisées et vous n'avez apprivoisé personne. Vous êtes comme était mon renard. Ce n'était qu'un renard semblable à cent mille autres. Mais j'en ai fait mon ami, et il est maintenant unique au 15 monde.

Et les roses étaient bien gênées.

—Vous êtes belles, mais vous êtes vides, leur dit-il encore. On ne peut pas mourir pour vous. Bien sûr, ma rose à moi, un passant ordinaire croirait qu'elle vous ressemble. Mais à elle 20 seule elle est plus importante que vous toutes, puisque c'est elle que j'ai arrosée. Puisque c'est elle que j'ai mise sous globe. Puisque c'est elle que j'ai abritée par le paravent. Puisque c'est elle dont j'ai tué les chenilles (sauf les deux ou trois pour les papillons). Puisque c'est elle que j'ai écouté se 25 plaindre, ou se vanter, ou même quelquefois se taire. Puisque c'est ma rose.

Et il revint vers le renard:

—Adieu, dit-il . . .

—Adieu, dit le renard. Voici mon secret. Il est très simple: 30

---

[44] Since life assumes meanings through the creation of **liens** or bonds, even the golden color of the wheat will recall the golden hair of the Prince and so be such a bond.

[45] **s'en fut = s'en alla.**

on ne voit bien qu'avec le cœur. L'essentiel est invisible pour les yeux.

—L'essentiel est invisible pour les yeux, répéta le petit prince, afin de se souvenir.

—C'est le temps que tu as perdu pour ta rose qui fait ta 5 rose si importante.

—C'est le temps que j'ai perdu pour ma rose . . . fit le petit prince, afin de se souvenir.

—Les hommes ont oublié cette vérité, dit le renard. Mais tu ne dois pas l'oublier. Tu deviens responsable pour toujours 10 de ce que tu as apprivoisé. Tu es responsable de ta rose . . .

—Je suis responsable[46] de ma rose . . . répéta le petit prince, afin de se souvenir.

Expressions for Study

1. Il y avait toujours eu des fleurs très simples.
2. Le petit prince sentait bien qu'il en sortirait une apparition miraculeuse.
3. Il assistait à l'installation d'un bouton énorme.
4. La fleur n'en finissait pas de se préparer à être belle.
5. Je me réveille à peine.
6. Que vous êtes belle!
7. Vous n'auriez pas un paravent?
8. C'est mal installé.
9. Elle avait toussé pour mettre le petit prince dans son tort.
10. Il avait pris au sérieux des mots sans importance.
11. J'aurais dû ne pas l'écouter.
12. Il ne faut jamais écouter les fleurs.
13. Cette histoire de griffes eût dû m'attendrir.

---

[46] Responsibility becomes the capstone of love once the bonds have been created. In the broader context of the entire literary work of Saint-Exupéry the word *responsibility* assumes deep significance. Like many modern writers in France who are unable to accept the established values, and who search for new meanings for life, Saint-Exupéry feels that "to be human is precisely to be responsible for the destiny of mankind, in the measure of his work." (*Terre des hommes*) For Saint-Exupéry this means responsibility toward one's neighbors, a kind of brotherhood of man.

14. Il profita d'une migration d'oiseaux sauvages.
15. C'était bien commode pour faire chauffer le petit déjeuner.
16. Il croyait ne jamais devoir revenir.
17. Il se découvrit l'envie de pleurer.
18. Laisse ce globe tranquille. Je n'en veux plus.
19. Ne traîne pas comme ça.
20. La Terre n'est pas une planète quelconque!
21. Puis ceux-ci s'en allaient dormir.
22. Puis eux aussi s'escamotaient dans les coulisses.
23. Jamais ils ne se trompaient dans leur ordre d'entrée en scène.
24. Quand on veut faire de l'esprit, il arrive que l'on mente un peu.
25. Il avait déjà peur de s'être trompé de planète.
26. Bonne nuit, fit le petit prince à tout hasard.
27. Je me demande si les étoiles sont éclairées afin que chacun puisse un jour retrouver la sienne.
28. Ils se turent.
29. Tu me fais pitié.
30. Les trois volcans qui lui arrivaient au genou.
31. J'apercevrai d'un coup toute la planète.
32. Il n'aperçut rien que des aiguilles de roc.
33. Il arriva que le petit prince découvrit une route.
34. Voici qu'il en était cinq mille dans un seul jardin!
35. Elle ferait semblant de mourir.
36. C'est alors qu'apparut le renard.
37. Le petit prince se retourna.
38. Tu n'as pas besoin de moi non plus.
39. Les autres pas me font rentrer sous terre.
40. Le blé me fera souvenir de toi.
41. On ne connaît que les choses que l'on apprivoise.
42. Les hommes n'ont plus le temps de rien connaître.
43. Il eût mieux valu revenir à la même heure.
44. Je ne saurai jamais à quelle heure m'habiller le coeur.
45. Le petit prince s'en fut voir les roses.
46. C'est elle que j'ai écouté se plaindre.
47. On ne voit bien qu'avec le coeur.

Questionnaire

I

1. Quelles autres fleurs y avait-il sur la planète?
2. D'où était venue la fleur?

3. Pourquoi le petit prince surveillait-il la brindille?
4. Pourquoi la fleur se préparait-elle lentement?
5. Quels ont été les premiers mots de la fleur?
6. Quels sont deux traits du caractère de la fleur?
7. Qu'est-ce que le petit prince a servi à la fleur comme petit déjeuner?
8. Qu'a dit la fleur en parlant de ses épines?
9. Les tigres sont-ils un danger sur la planète?
10. Que peut-on utiliser contre les courants d'air?
11. Est-ce que la fleur a un caractère facile?
12. Qu'est-ce qui est arrivé au petit prince?
13. Faut-il écouter les fleurs?
14. Le petit prince regrette-t-il de s'être enfui? Pourquoi l'a-t-il fait?

II

1. Qu'est-ce que le petit prince a fait avant de partir?
2. A quoi servaient les volcans en activité?
3. Pourquoi faut-il bien ramoner les volcans?
4. La fleur a-t-elle fait des reproches au petit prince? Qu'a-t-elle dit?
5. Pourquoi la fleur accepte-t-elle les chenilles maintenant?
6. Pourquoi la fleur a-t-elle dit au petit prince de partir vite?

III

1. Nommez plusieurs sortes de grandes personnes.
2. Qui éclairait la terre avant l'électricité?
3. La ferre tourne-t-il d'Est en Ouest ou d'Ouest en Est?
4. Pourquoi les allumeurs de réverbères des pôles sont-ils oisifs?

IV

1. Où tous les habitants de la terre pourraient-ils être entassés?
2. Que croient les grandes personnes?
3. A quoi ressemblait le serpent?
4. Qu'est-ce que le petit prince se demande?
5. Qu'a demandé le serpent?
6. Où est-on seul?
7. Comment le serpent est-il puissant?
8. Que peut-il faire?
9. Qu'est-ce que le serpent offre au petit prince?

V

1. Pourquoi le petit prince est-il monté sur la montagne?
2. Quelle est une différence entre l'écho et la fleur?

VI

1. Où vont toutes les routes?
2. Qu'est-ce que sa fleur avait dit au petit prince?
3. Pourquoi le petit prince était-il malheureux?
4. Que ferait la fleur si elle voyait toutes ces roses?
5. Pourquoi le petit prince pleure-t-il?

VII

1. Que propose le petit prince au renard?
2. Pourquoi le renard ne peut-il pas jouer avec le petit prince?
3. Quelles sont les deux occupations des hommes qui intéressent le renard?
4. Que cherche le renard? Que cherche le petit prince?
5. Si le petit prince apprivoise le renard, qu'arrivera-t-il?
6. Que pense le renard de la planète du petit prince?
7. Pourquoi la vie du renard est-elle monotone?
8. Quel effet aura le pas du petit prince sur le renard?
9. De quoi le blé fera-t-il souvenir le renard?
10. Que demande le renard au petit prince?
11. Pourquoi les hommes n'ont-ils plus d'amis?
12. Le langage est-il bon?
13. Que pourra faire le petit prince chaque jour?
14. Pourquoi faut-il revenir à la même heure?
15. Qu'est-ce qu'un rite?
16. Pourquoi le jeudi est-il merveilleux pour le renard?
17. Est-ce que le renard est très malheureux après le depart du petit prince?
18. Pourquoi les 5000 roses sont-elles différentes de la rose du petit prince?
19. Pourquoi le renard est-il maintenant unique au monde?
20. Qu'est-ce que le petit prince a fait pour sa rose?
21. Quel est le secret du renard?
22. De quoi devient-on responsable?

❧ ❧ ❧ ❧ ❧

[Paul] Tristan Bernard

L'Anglais tel qu'on le parle[1]

The farcical side of Molière's talent has had many heirs in French literature. Toward the end of the last century Tristan Bernard produced a number of highly amusing farces of which the following example has become something of a classic.

The tribulations of a Frenchman with absolutely no knowledge of English, but posing as an interpreter of that language, should excite much humor and perhaps some sympathy in those near the beginning of their study of French.

The text is slightly abridged.

BACKGROUND

The situation up to this point is that Betty Hogson, an English girl, and Jean Cicandel, a young French businessman who works in London, have run away to Paris to get married. They have registered in a hotel, where the action takes place. The interpreter, unable to come to work—as explained in the opening lines—has sent a substitute who has plenty of nerve but no knowledge of English.

---

[1] Although the French title is perfectly grammatical, the development of the play seems to justify the English title of *English As She Is Spoke*.

SCENE II

LA CAISSIÈRE, LE GARÇON, PUIS EUGÈNE

La Caissière

Au fait, Charles, comment se fait-il[2] que l'interprète ne soit[3] pas arrivé?

Le Garçon

Monsieur Spork? Vous ne vous rappelez pas qu'il ne vient pas aujourd'hui? C'est le divorce de sa soeur. Toute la famille dîne au restaurant, à Neuilly.[4] Mais monsieur Spork a   5
fait envoyer[5] un remplaçant. Il vient d'arriver. Il est dans le vestibule.

La Caissière

Dites-lui de venir. (*Le garçon va au fond dans le couloir et fait un signe à droite. Eugène entre lentement, et salue.*) C'est vous qui venez remplacer Monsieur Spork?[6] (*Eugène* 10 *fait un signe de tête.*) On vous a dit les conditions? Six francs pour la journée. C'est un bon prix. Le patron tient absolument à ce qu'il y ait[7] un interprète sérieux. Vous n'avez rien d'autre à faire qu'à rester ici et à attendre les étrangers. Vous avez compris?   15

(*Eugène s'incline. La caissière sort à gauche.*)
Eugène (*au garçon, après avoir regardé tout autour de lui*) Est-ce qu'il[8] vient beaucoup d'étrangers ici?

---

[2] **comment se fait-il,** *how does it happen.*

[3] **soit,** pres. subj. of **être,** here meaning *has.*

[4] **Neuilly,** in full, **Neuilly-sur-Seine,** a suburb in the west of Paris, near the Bois de Boulogne.

[5] **a fait envoyer,** *has sent.*

[6] An absurd name, vaguely German and suggesting perhaps one of these interpreters who function in a half-dozen tongues.

[7] **ait,** pres. subj. of **avoir; il y ait,** *there be.*

[8] **il,** *there.*

Le Garçon

Comme ci comme ça.[9] Ça dépend des saisons. Il vient pas mal d'Anglais.[10]

Eugène (*inquiet*)

Ah! . . . Est-ce qu'il en vient beaucoup en ce moment?

Le Garçon

Pas trop en ce moment.

Eugène (*satisfait*)

Ah! . . . Et pensez-vous qu'il en vienne aujourd'hui? 5

Le Garçon

Je ne peux pas dire . . . Je vais vous donner votre casquette.
(*Il lui apporte une casquette avec l'inscription "Interpreter."*)
(*Exit le garçon*)

Eugène (*lisant l'inscription*)

In-ter-pre-terr! . . . (*Il met la casquette sur sa tête.*)
Voilà![11] Je souhaite qu'il n'en vienne pas, d'Anglais! Je ne 10
sais pas un mot d'anglais, pas plus que d'allemand . . .
d'italien, d'espagnol . . . de tous ces dialectes. C'est pourtant
bien utile pour un interprète . . . Ça m'avait un peu fait
hésiter pour accepter cette journée de remplacement. Mais
dame![12] je ne roule pas sur l'or.[13] Je prends ce qui se trouve. 15
Seulement je désire vivement qu'il ne vienne pas d'Anglais,
parce que notre conversation manquerait d'animation.

La Caissière (*entrant*)

Dites donc![14] j'ai oublié de vous demander quelque chose
d'assez important. Il y a des interprètes qui baragouinent

---

[9] **Comme ci comme ça,** *So-so.*
[10] **pas mal d'** = beaucoup d'.
[11] **Voilà!** *Well, I'm ready!*
[12] **dame!** *good lord!*
[13] **ne roule pas sur l'or,** *am not loaded with money.*
[14] **Dites donc !** *Say.*

plusieurs langues et qui savent à peine le français. Vous savez bien le français?

Eugène

Parfaitement!

La Caissière

C'est que, tout à l'heure, vous ne m'aviez pas répondu et, figurez-vous, j'avais peur que vous sachiez mal notre langue. 5

Eugène

Oh! vous pouvez être tranquille.[15] Je parle admirablement le français.

La Caissière

Du reste[16] nous n'avons pas beaucoup d'étrangers en ce moment.
(*Sonnerie.*) Tiens! le téléphone. (*Elle va jusqu'à la table de* 10 *droite. A l'appareil, après un silence.*) On téléphone de Londres. (*Eugène appuyé au comptoir ne bouge pas. Regagnant son comptoir.*)[17] Eh bien! on téléphone de Londres! On téléphone en anglais. Allez à l'appareil!
Eugène (*va lentement à l'appareil et prend les récepteurs*)[18] 15
Allô! . . . (*A lui-même, avec désespoir.*) Ça y est![19] des Anglais! (*Un silence.*) Je n'y comprends rien, rien. (*Dans l'appareil.*) Yes! Yes! (*Un silence; il fait des gestes de détresse. D'un air désespéré, dans le téléphone.*) Yes! Yes!

La Caissière (*de son bureau*)

Qu'est-ce qu'ils disent?   20

---

[15] **vous pouvez être tranquille,** *you don't have to worry.*

[16] **Du reste,** *Furthermore.*

[17] **Regagnant son comptoir,** *Going back to her desk.*

[18] **récepteurs,** *receivers.* This refers to an old-fashioned device, with two receivers. The action takes place in the early days of telephonic communication.

[19] **Ça y est!** *Now I'm in for it!*

Eugène

Qu'est-ce qu'ils disent? Des choses de bien peu d'intérêt.

La Caissière

Enfin, ils ne téléphonent pas de Londres pour ne rien dire.

Eugène (*dans l'appareil*)

Yes! Yes! (*A la caissière, d'un ton embarrassé.*) Ce sont des Anglais . . . ce sont des Anglais qui demandent à retenir des chambres. Je leur réponds: Yes! Yes!   5

La Caissière

Mais enfin, il faut leur demander des renseignements complémentaires. Combien leur en faut-il de chambres?

Eugène (*avec assurance*)

Quatre.

La Caissière

Pour quand?

Eugène

Pour mardi prochain.   10

La Caissière

A quel étage?

Eugène

Au premier.[20]

La Caissière

Dites-leur que nous n'avons que deux chambres au premier pour le moment, que la troisième ne sera libre que le 15. Mais nous leur en donnerons deux belles au second.   15

Eugène

Que je leur dise ça?[21]

---

[20] **premier,** *second floor.*
[21] **Que je leur dise ça?** (*You want*) *me to tell them that?*

La Caissière

Mais oui . . . dépêchez-vous . . . (*Il hésite.*) Qu'est-ce que vous attendez?

Eugène

Ma foi tant pis![22] (*Tout en regardant la caissière à la dérobée.*) Soda water cherry brandy, Manchester, Littletich, Regent Street. (*Silence. A lui-même.*) Ce qu'ils m'engueu- 5 lent![23] (*Il raccroche le récepteur. A lui-même.*) Zut! C'est fini! S'ils croient que je vais me laisser engueuler[24] comme ça pendant une heure!

La Caissière

Il faut que ce soit des gens chic. Il parait que pour téléphoner de Londres, ça coûte dix francs les trois minutes.   10

Eugène

Dix francs les trois minutes, combien que ça fait de[25] l'heure?

La Caissière (*après avoir réfléchi*)

Ça fait deux cents francs l'heure.

(*Elle Sort*) 15

Eugène

Je viens d'être engueulé à deux cent francs l'heure . . . J'avais déjà été engueulé dans ma vie, mais jamais à ce tarif-là . . . Comme c'est utile tout de même de savoir les langues! Voilà qui démontre, plus victorieusement que n'importe quel argument, la nécessité de savoir l'anglais. Je voudrais avoir 20 ici tous mes concitoyens et particulièrement les interprètes, et les adjurer d'apprendre les langues! Au lieu de nous laisser moisir sur les bancs du lycée, à apprendre le latin, une langue

---

[22] **tant pis!** *this is going to be terrible!*
[23] **Ce qu'ils m'engueulent!** *They're giving me the devil!*
[24] **me laisser engueuler,** *let myself be bawled out.*
[25] **combien que ça fait de,** ungrammatical for **combien ça fait-il.**

morte, est-ce que nos parents ne feraient pas mieux . . . Je ne parle pas pour moi, car je n'ai jamais appris le latin . . . Allons, espérons que ça va bien se passer[26] tout de même!

SCENE V

Meanwhile Hogson himself has arrived in Paris, registered at the same hotel, and sent for a police inspector. He thinks the latter will help him locate his daughter, whose marriage he does not approve until Jean has become an associate in the business firm where he is employed.

Eugène, La Caissière, puis Hogson, puis l'Inspecteur

Eugène (*peu après, se glisse sur la scène en entrant du premier plan à gauche; il a toujours sa casquette à l'envers.*)

Plus personne! . . . Et il n'est que dix heures et demie. J'en ai[27] jusqu'à ce soir à minuit. (*Allant au fond consulter une* 5 *affiche en couleur.*) Il n'arrive pas de train de Londres avant sept heures. Je vais être à peu près tranquille jusque-là.

La Caissière (*entrant par le deuxième plan*[28] *a droite.*) Interprète! Où étiez-vous donc tout à l'heure?

Eugène

Tout à l'heure?

La Caissière

Oui, je vous avais dit de ne pas quitter d'ici. 10

Eugène

J'étais parti précipitamment . . . j'avais entendu crier: au secours! . . . en espagnol . . . mais je m'étais trompé, ce n'était pas ici.

---

[26] **ça va bien se passer,** *things will come off all right.*

[27] **J'en ai,** *I'm on duty.*

[28] **le deuxième plan,** *half-way back.* The French stage is divided, for the sake of directions, into levels; from front to back: **le premier, le deuxième, le troisième fond.**

La Caissière

Vous étiez parti si précipitamment que vous aviez mis votre casquette à l'envers.

Eugène (*touchant sa casquette*)

Oui! oui!

La Caissière

Qu'est-ce que vous attendez pour la remettre à l'endroit?
. . . Remettez-la . . . Tâchez de ne plus bouger maintenant! 5
(*Il s'assied devant le comptoir où la caissière regagne sa place.*) Il[29] va venir un Anglais qui ne sait pas un mot de français . . . Il a demandé un inspecteur de police . . . Je ne sais pas ce qu'il lui veut . . .

Eugène (*à lui-même*)

Moi non plus. Il y a des chances pour que je ne le sache 10 jamais.

Voix de Hogson (*à la cantonade*)

Look here, waiter! . . . waiter! . . . Give us a good polish on my patent-leather boots and bring us a bottle of soda water!

Eugène (*à lui-même*)

Oh! quel jargon! Quel jargon! Où est le temps où la langue française était universellement connue à la surface de la 15 terre? Il y a pourtant une société pour la propagation de la langue française. Qu'est-ce qu'elle fait donc?

Hogson (*entre par la droite premier plan, pendant que l'Inspecteur entre par le fond*)

Well, what about that Inspector?

L'Inspecteur

Hein! Qu'est-ce qu'il y a?[30] C'est ce monsieur qui me demande! (*à Hogson.*) Eh bien! vous n'avez pas peur![31] Vous 20

---

[29] Il, *There.*

[30] Qu'est-ce qu'il y a? *What's up?*

[31] vous n'avez pas peur! *you're a bold one* (to call me instead of going to the police station).

ne pourriez pas vous déranger pour venir jusqu'au commissariat?

Hogson

Yes!

L'Inspecteur

Il n'y a pas de yes! C'est l'usage!

Hogson

Yes!   5

L'Inspecteur

Je vois que vous êtes un homme bien élevé.[32] Il faudra voir[33] une autre fois à vous conformer aux habitudes du pays.

Hogson

Yes!

L'Inspecteur

Allons! il est de bonne composition![34]

La Caissière

Il ne sait pas un mot de français.   10

L'Inspecteur

Et moi je ne sais pas un mot d'anglais . . . Nous sommes faits pour nous entendre.[35]

La Caissière (*à Eugène qui a gagné insensiblement le fond*)
Interprète!

Eugène (*après un sursaut*)

Voilà! . . .

L'Inspecteur

Faites-lui raconter son affaire.   15

----

[32] **bien élevé,** *well bred* (because he always politely answers *yes*).

[33] **Il faudra voir,** *Be sure.*

[34] **de bonne composition,** *a consistent fellow.* He keeps giving the same answer.

[35] **Nous sommes faits pour nous entendre,** *We were meant to get along.*

(*Eugène s'approche de Hogson.*)

Hogson (*regardant la casquette d'Eugène; avec satisfaction*)
Oh! Interpreter! . . .

Eugène

Yes! Yes!

Hogson

Tell him I am James Hogson, from Newcastle on Tyne . . .
Tell him! . . . I have five daughters. My second daughter,
Betty, ran away from home in company with a young gentleman, Master Cicandel . . . Tell him. (*Eugène continue à le
regarder sans bouger.*) Tell him! . . . (*Se montant.*)[36] Tell
him, I say!

L'Inspecteur

Qu'est-ce qu'il dit?

Eugène

Voilà . . . c'est très compliqué . . . c'est toute une histoire
. . . Monsieur que voici[37] est Anglais . . .

L'Inspecteur

Je le sais.

Eugène

Moi aussi. Il vient pour visiter Paris comme tous les Ang-   5
lais . . .

L'Inspecteur

Et c'est pour ça qu'il fait chercher le commissaire?

Eugène

Non . . . attendez! . . . attendez! Laissez-moi le temps de
traduire . . .

Hogson

Oh! tell him also this young man is a Frenchman and a
clerk in a banking house of Saint James's Street.

---

[36] **Se montant,** *Getting angry.*
[37] **que voici,** *whom you see here.*

Eugène

Justement! . . . (*A l'Inspecteur.*) Pourquoi un Anglais à peine arrivé à Paris peut-il avoir besoin du commissaire? (*Embarrassé.*) Pour un vol de bijoux . . . de portefeuille . . . (*Illuminé d'une idée subite.*) Voilà, monsieur descend du rapide . . .   5

Hogson

Tell him that the young gentleman . . .

Eugène (*à Hogson, en abaissant la main, avec le geste de lui fermer la bouche*)

Ferme![38] (*A l'Inspecteur.*) Monsieur descend du rapide, à la gare du Nord, quand un individu se précipite sur lui et lui prend son portefeuille.

(*L'Inspecteur s'écarte à gauche pour prendre des notes.*)

Hogson (*approuvant le récit d'Eugène*)

Yes! . . . Very well . . . yes . . .

Eugène (*étonné*)

Yes? . . . Eh bien, mon vieux, tu n'es pas dur! . . .[39] (*Il s'éloigne vers le fond. Hogson s'approche de l'Inspecteur 10 en tirant son portefeuille.*)

L'Inspecteur (*étonné*)

Vous aviez donc deux portefeuilles? (*A l'interprète.*) Il avait deux portefeuilles?

Eugène

Toujours! toujours! . . . les Anglais . . .

Hogson (*tendant son portefeuille à l'Inspecteur*)

That is the likeness, the . . . young man's . . . photo . . . photograph!

L'Inspecteur (*étonné*)

La photographie de votre voleur?   15

---

[38] **Ferme!** *Close* (your mouth)! *Don't speak!*
[39] **dur,** *hard to please.*

Hogson

Yes!

L'Inspecteur

Ils sont étonnants, ces Anglais! . . . Un inconnu les bouscule dans la rue et les vole: ils ont déjà sa photographie . . . (*Après réflexion.*) Mais comment a-t-il fait?

Eugène

Je ne vous ai pas dit que l'homme qui l'a bousculé était un homme qu'il connaissait très bien?   5

L'Inspecteur

Non! comment s'appelle-t-il? demandez-le-lui.

Eugène

Il faut que je lui demande? . . . Il m'a déjà dit son nom . . . Il s'appelle . . . John . . . John . . . (*Il pousse une sorte de gloussement.*) Kroukx!

L'Inspecteur

Comment ça s'écrit-il?   10

Eugène

Comment que ça s'écrit? . . . W . . . K . . . M . . . X . . .

L'Inspecteur

Comment diable prononcez-vous cela?

Eugène (*poussant un autre gloussement*)

Crouic!

L'Inspecteur

Enfin! J'ai pas mal de renseignements. Je vais commencer des recherches actives.   15

Eugène

Oui! oui! allez. (*Montrant l'Anglais.*) Il est très fatigué. Je crois qu'il va aller se coucher.

L'Inspecteur

Je m'en vais. (*A l'Anglais.*) Je vais commencer d'actives[40]
recherches.

Il sort.

Farces always end happily. At the end of this one a telephone call
from London informs Jean Cicandel that he has been made an associate in his business firm, at which news all Father Hogson's objections
vanish.

Expressions for Study

1. Comment se fait-il que l'interprète ne soit pas arrivé?
2. Monsieur Spork a fait envoyer un remplaçant.
3. Il vient d'arriver.
4. Le patron tient à ce qu'il y ait un interprète.
5. Vous n'avez rien d'autre à faire qu'à rester ici.
6. Est-ce qu'il vient beaucoup d'étrangers.
7. Comme ci comme ça.
8. Il vient pas mal d'Anglais.
9. Je souhaite qu'il n'en vienne pas.
10. Mais dame! je ne roule pas sur l'or.
11. Il y a des interprètes qui savent à peine le français.
12. Tout à l'heure, vous ne m'aviez pas répondu.
13. Figurez-vous, j'avais peur que vous sachiez mal notre langue.
14. Vous pouvez être tranquille.
15. Du reste nous n'avons pas beaucoup d'étrangers.
16. Ça y est!
17. Combien leur en faut-il de chambres?
18. Nous leur en donnerons deux belles au second.
19. Tant pis!
20. Espérons que ça va bien se passer tout de même.
21. J'en ai jusqu'à ce soir.
22. Où étiez-vous tout à l'heure?
23. Moi non plus.
24. Qu'est-ce qu'il y a?
25. Il faudra voir à vous conformer aux habitudes du pays.
26. Un Anglais à peine arrivé à Paris.

---

[40] **actives.** In the inspector's previous speech this adjective is in its
normal position, after the noun. By placing it before, greater emphasis
is given the word—*immediate.*

27. Monsieur descend du rapide.
28. J'ai pas mal de renseignements.

Questionnaire

1. Pourquoi l'interprète ne vient-il pas aujourd'hui?
2. Combien est payé l'interprète?
3. Que doit faire l'interprète?
4. Le garçon pense-t-il qu'il viendra beaucoup d'Anglais?
5. Eugène parle-t-il beaucoup de langues?
6. Pourquoi a-t-il accepté ce remplacement? Est-il très inquiet?
7. Que font certains interprètes?
8. Pourquoi la caissière demande-t-elle à Eugène s'il sait le français?
9. Pourquoi Eugène fait-il des gestes de détresse?
10. Est-il probable que les Anglais disent des choses de peu d'intérêt?
11. Quels renseignements complémentaires demande la caissière?
12. Eugène lui répond-il d'un ton embarrassé?
13. L'hôtel a-t-il quatre chambres libres?
14. Qu'est-ce que les Anglais pensent probablement?
15. Pourquoi les Anglais sont-ils mécontents?
16. Pourquoi Eugène raccroche-t-il?
17. Eugène a-t-il des remords? A-t-il le sentiment d'une défaite?
18. Que voudrait faire Eugène?
19. Les parents ont-ils raison de faire apprendre le latin à leurs enfants? Pourquoi?
20. La pensée d'Eugène est-elle très logique?
21. Pourquoi Eugène a-t-il sa casquette à l'envers?
22. Pourquoi consulte-t-il l'affiche?
23. Pourquoi Eugène est-il parti? S'était-il vraiment trompé?
24. Comment la caissière décrit-elle l'Anglais?
25. Quelle époque Eugène regrette-t-il? Quand était cette époque?
26. L'Inspecteur est-il content d'avoir été demandé? Pourquoi?
27. Que pense ensuite l'Inspecteur quand Hogson répond toujours *yes?*
28. Qu'est-ce que l'Inspecteur dit qu'Hogson devra faire une autre fois?
29. Quels sont les deux sens de «nous sommes faits pour nous entendre»?
30. Pourquoi le commissaire est-il surpris quand Eugène dit qu'Hogson vient visiter Paris?
31. Quelle idée subite Eugène a-t-il?
32. Pourquoi Eugène ferme-t-il la bouche à Hogson?
33. Pourquoi est-il comique qu'Hogson approuve Eugène?
34. Pourquoi l'Inspecteur est-il étonné?
35. Pourquoi Eugène pousse-t-il un gloussement?
36. L'Inspecteur a-t-il pas mal de renseignements, en réalité?

❁   ❁   ❁   ❁   ❁

Frederic Boutet

Un Oubli

Frederic Boutet (1874–1941) is not among the outstanding names in contemporary French literature. He is, however, typical of that group of writers who contribute heavily to periodical literature. His talent found its focus in the *conte* or short story, a literary genre in which many French writers excel, and which draws its inspiration mostly from those small happenings of daily life which offer a dramatic twist. Boutet in this story recalls the method of Maupassant, whose endings often come as a surprise.

Après le déjeuner, M. Vadège constata qu'il avait quarante minutes avant de retourner à son bureau, et il se versa avec attention[1] sa camomille.[2]

Mme Vadège était assise de l'autre côté de la table et elle était si jolie, si fraîche et si gracieuse, qu'autour d'elle le décor 5 de la petite salle à manger paraissait plus banal et plus mesquin encore.

M. Vadège leva les yeux sur elle et sourit du seul plaisir de la voir. Comme chaque jour, il lui demanda ce qu'elle ferait l'après-midi, et elle le lui dit en détail. Il l'écoutait ravi. 10

---

[1] **avec attention,** *carefully*.

[2] **camomille,** *camomile tea*, said to be good for the digestion.

133

Depuis six ans qu'elle était sa femme, il n'avait pas encore pu s'habituer à son bonheur, et il n'avait pas encore pu comprendre comment Marcelle avait bien voulu l'épouser, lui qui n'était ni beau, ni jeune, ni riche, et qui n'avait aucune chance d'être jamais autre chose qu'un fonctionnaire modeste. 5 Comme elle était dévouée, intelligente, adroite et active! Malgré leurs modestes ressources, elle était toujours élégante, avec des parures qui semblaient chères et ne l'étaient pas, des robes neuves qui étaient de vieilles robes si bien transformées qu'il ne les reconnaissait jamais. Il avait retrouvé auprès d'elle 10 une sentimentalité d'adolescent. Pendant les heures de son travail la pensée de Marcelle ne le quittait pas. Il l'imaginait dans leur intérieur,[3] ou bien en courses par les rues, traversant Paris pour acheter à meilleur marché dans tel magasin qu'elle connaissait . . . Elle était si économe et si sérieuse! . . . 15

Soudain, M. Vadège tressaillit si violemment que son lorgnon tomba.

—Marcelle, c'est aujourd'hui samedi! s'écria-t-il d'une voix étranglée.[4]

—Oui. Eh bien? dit-elle étonnée. 20

—Le dîner de la cousine Armande . . . hier, vendredi!

—Nous l'avons oublié! cria Marcelle en se dressant bouleversée.

C'était une catastrophe.[5] La cousine Armande, dont ils étaient les seuls parents, était une vieille personne très riche, 25 très fantasque et très susceptible.[6] Elle avait coutume, selon

---

[3] **intérieur,** *home.* French has lacked a word having the intimacy of the English word *home;* **intérieur** perhaps comes the closest to the English concept.

[4] **voix étranglée,** *choked voice.*

[5] A good example of the French talent for overstatement. Compare, on the other hand, the opposite characteristic in *Les Carnets du Major Thompson* which comes later.

[6] **susceptible,** *easily offended.*

qu'elle était bien ou mal avec les Vadège,[7] de leur promettre son héritage, ou de leur jurer qu'ils n'auraient jamais un sou d'elle. Les Vadège, malgré tout leur zèle, n'avaient jamais su au juste ce qu'il fallait faire pour être bien avec la cousine Armande; par contre, ils savaient à merveille que la moindre 5 négligence, le plus léger manque d'égards, les fâchait avec elle pour des mois et risquait de les frustrer de[8] cette fortune qui était le seul espoir de leur médiocrité.[9]

Justement,[10] après une brouille prolongée, ils venaient de[11] l'apaiser et elle les avait invités à dîner, faveur rare! . . . Et 10 ce dîner, ils l'avaient oublié! Ils l'avaient oublié sans raison, stupidement. Ils n'y avaient plus pensé, voilà![12] C'était fou!

Ils s'imaginaient la cousine Armande chez elle, la veille au soir, les attendant, s'irritant, plus furieuse à toutes les minutes, regrettant ses préparatifs, car elle se piquait de bien recevoir 15 et se plaisait à les éblouir malgré qu'elle fût avare.[13] Jamais elle ne leur pardonnerait un tel affront . . .

Atterrés, ils se regardaient et, soudain, Marcelle éclata en reproches violents. C'était de la faute de son mari! Il ne pensait jamais à rien! Qu'avait-il dans l'esprit? Elle se le 20 demandait.[14] Ce n'était pas cependant sa besogne de scribe[15] qui pouvait le préoccuper . . . Par sa faute, ils perdaient leur seul espoir d'avenir! . . .

Elle s'animait, l'injuriait, se lançait dans une scène comme elle lui en avait déjà fait quelques-unes, bien qu'elle fût en 25

---

[7] Proper names in French are not pluralized.

[8] **de les frustrer de,** *to do them out of.*

[9] **médiocrité,** *humble state.*

[10] **Justement,** *Indeed.*

[11] **venaient de,** *had just.*

[12] **voilà,** *that's all there was to it!*

[13] **malgré qu'elle fût avare,** *in spite of being stingy;* **fût** is the imperfect subjunctive of **être.**

[14] **Elle se le demandait,** *She did wonder.*

[15] **sa besogne de scribe,** *his clerk's job.*

général d'humeur égale. Lui, la tête basse, très malheureux, ne répondait pas. Elle avait raison; il avait tous les torts; il eût seulement voulu[16] qu'elle criât moins fort.

Brusquement, elle s'arrêta. Elle regardait dans la rue à travers la fenêtre.

—La voilà! s'exclama-t-elle. La cousine Armande! Elle vient ici! Je l'ai vue traverser!

—Mon Dieu! qu'est-ce qu'on va lui dire? gémit Vadège.

—Laisse-moi faire,[17] ordonna Marcelle éclairée par une idée subite. Viens par ici! Elle le poussa dans la chambre à coucher.

—Ote ta jaquette! Ote ton faux col! Dépêche-toi donc! Mets ce foulard,[18] couche-toi sur le canapé . . .

Elle étendit sur lui un couvre-pied, plaça un oreiller sous sa tête, posa sur une table, au chevet du canapé, deux vieilles fioles de potion et la tasse de camomille. Puis, en un instant, elle eut ôté sa robe, passé un peignoir, défait ses cheveux.

—Tu comprends, tu as été très malade hier, souffla-t-elle à son mari. Heureusement, tu as mauvaise mine[19] ces jours-ci . . .

On sonnait, elle alla ouvrir.

—Chut! . . . Ma cousine, je vous en supplie, ne faites pas de bruit . . . Il a été bien mal, mais il repose . . . dit-elle à la cousine Armande, qui arrivait avide de vengeance et qui, ahurie, demanda des explications.

Elle les eut longues et pathétiques. Vadège, la veille, avait failli mourir.[20] Le médecin était venu. Marcelle pleura. Quelle peur elle avait eue! . . . Après quelques minutes, les deux femmes, à pas furtifs, entrèrent dans la chambre à coucher. La cousine Armande s'approcha du canapé; son visage, habituellement revêche, exprimait la compassion.

—Eh bien! mon cousin, voyons, ça ne va donc pas?

---

[16] **il eût seulement voulu,** *only he would have liked.*

[17] **Laisse-moi faire,** *Leave things to me.*

[18] **foulard,** *kerchief* (around his head or neck).

[19] **tu as mauvaise mine,** *you haven't been looking well.*

[20] **avait failli mourir,** *had almost died.*

Vadège eut un vague grognement. Il avait si peur de la maladie que le rôle qu'il jouait l'inquiétait malgré tout.

—Ça va un peu mieux, intervint Marcelle, mais il doit prendre des précautions . . . Il se tue de travail . . .

—Il faut qu'il se soigne, dit la vieille dame, émue. Voyons, vous savez que je vous aime bien, tous les deux. Il faudra venir chez moi, à la campagne, cet été . . . Plus tard, ce sera chez vous,[21] vous savez. Allons, je ne veux pas fatiguer le malade. Je m'en vais . . .

—Et vous ne m'en voulez pas[22] pour hier soir, ma cousine? demanda Marcelle en la reconduisant. J'ai tout oublié. J'étais folle d'inquiétude . . .

—Mais non, mais non, je ne t'en veux pas, ma pauvre petite, dit la cousine Armande.

Elle s'en alla et, quand la porte se fut refermée sur elle, Marcelle revint dans la chambre à coucher et se mit à rire.

—Ça y est,[23] dit-elle. Eh bien! je crois que tu peux me féliciter! . . .

—Sans doute,[24] sans doute, répondit Vadège.

Mais lui ne riait pas. Assis sur le divan, en manches de chemise, son cou maigre à nu, ses mèches rares et longues dans les yeux, il réfléchissait, perplexe et soupçonneux.

—Comme elle sait bien mentir . . . se disait-il avec angoisse.

Expressions for Study

1. Depuis six ans qu'elle était sa femme, il n'avait pas encore pu s'habituer à son bonheur.
2. Il l'imaginait dans leur intérieur, ou bien en courses par la rue.
3. . . . traversant Paris pour acheter à meilleur marché dans tel magasin . . .
4. Les Vadège n'avaient jamais su au juste ce qu'il fallait faire pour être bien avec la cousine.

---

[21] **ce sera chez vous,** *it will be your place.*
[22] **vous ne m'en voulez pas,** *you're not put out with me.*
[23] **Ça y est,** *It worked.*
[24] **Sans doute,** *Indeed.*

5. Ils venaient de l'apaiser.
6. Ils n'y avaient plus pensé, voilà!
7. Elle se piquait de bien recevoir.
8. Qu'avait-il dans l'esprit?
9. Elle se le demandait.
10. Laisse-moi faire.
11. Tu as mauvaise mine ces jours-ci.
12. Vadège avait failli mourir.
13. Ça ne va donc pas?
14. Vous ne m'en voulez pas pour hier soir?
15. Je ne t'en veux pas.
16. Marcelle se mit à rire.
17. Ça y est.
18. Comme elle sait bien mentir.

Questionnaire

1. Pourquoi la salle à manger paraissait-elle plus banale encore?
2. La salle à manger était-elle jolie et originale ordinairement?
3. Qu'est-ce que Monsieur Vadège ne comprenait pas? Pourquoi?
4. Pourquoi M. Vadège ne reconnaissait-il pas les robes de sa femme?
5. Pourquoi Marcelle traversait-elle Paris quelquefois?
6. Qu'est-ce que la cousine promettait alternativement?
7. Qu'est-ce que les Vadège espéraient?
8. Quelle était la conséquence d'une négligence envers la cousine?
9. Les Vadège avaient-ils des sentiments nobles?
10. La cousine invitait-elle souvent les Vadège?
11. Qu'est-ce que la cousine a probablement fait la veille au soir?
12. Qu'est-ce que Marcelle a reproché à son mari?
13. Marcelle estime-t-elle beaucoup le travail de son mari? Prouvez-le.
14. Quel trait du caractère de Marcelle est révélé par cette scène? Et par son idée subite?
15. Que savez-vous maintenant du caractère de Vadège?
16. Quelle était l'idée de Marcelle? Quel décor a-t-elle arrangé?
17. Pourquoi la cousine venait-elle? Quelle a été sa réaction?
18. Selon Marcelle, de quoi avait-elle peur?
19. Vadège aime-t-il son rôle de malade? Pourquoi?
20. La vieille dame est-elle toujours fâchée? Où les invite-t-elle?
21. Les Vadège peuvent-ils espérer la fortune de la cousine maintenant? Prouvez-le.
22. Pourquoi Vadège était-il soupçonneux maintenant?
23. Pensez-vous qu'il avait raison de l'être?

Marcel Aymé

Les Boeufs[1] [bφ]

Marcel Aymé, born in 1902, is a contemporary writer whose fondness for satire makes him one of the outstanding heirs of that vein which is ever present in French literature. «Les Boeufs,» drawn from a collection of animal stories, combines his satirical talent with a gentle tenderness which would seem to make of this story a parable for young readers. The good humor and the slightly moralizing tone suggest that Aymé is a modern fabulist, in the style of La Fontaine, but a prose fabulist.

Delphine eut le prix d'excellence et Marinette le prix d'honneur.[2] Le maître embrassa les deux soeurs en prenant bien garde de ne pas salir leurs belles robes, et le sous-préfet,[3] venu tout exprès de la ville dans son uniforme brodé, prononça un discours.   5

—Mes chers enfants, dit-il, l'instruction[4] est une bonne

---

[1] **Boeufs** has a silent **f** in the plural.

[2] **prix d'honneur,** *honorable mention.*

[3] **sous-préfet.** Each **département** has a **préfet** (prefect), appointed by the central government, as its chief administrative officer. Each **arrondissement** within a department is headed by a **sous-préfet.**

[4] **instruction,** *education.*

139

chose et ceux qui n'en ont pas sont bien à plaindre. Heureusement, vous n'êtes pas dans ce cas-là, vous. Par exemple, je
vois ici deux petites filles en robes roses, qui ont une jolie
couronne dorée sur leurs cheveux blonds. C'est parce qu'elles
ont bien travaillé. Aujourd'hui, elles sont récompensées de 5
leur peine, et voyez donc comme c'est agréable pour leurs
parents: ils sont aussi fiers que leurs enfants. Ah! ah! Et
tenez, moi qui vous parle, je ne voudrais pas avoir l'air de
me vanter, mais enfin, si je n'avais pas toujours bien appris
mes leçons, je n'aurais pas ma position de sous-préfet. Voilà 10
pourquoi il faut bien s'appliquer à l'école, et faire comprendre
aux ignorants et aux paresseux que l'instruction est indispensable.

Le sous-préfet s'inclina, les écolières chantèrent une petite
chanson, et chacun rentra chez soi. En arrivant à la maison, 15
Delphine et Marinette ôtèrent leurs belles robes pour mettre
leurs tabliers de tous les jours, mais au lieu de jouer, elles se
mirent à parler du discours du sous-préfet. Elles trouvaient
qu'il était vraiment très bien, ce discours. Même, elles étaient
ennuyées de n'avoir pas sous la main quelqu'un de tout à fait 20
ignorant à qui faire comprendre les bienfaits de l'instruction.
Delphine soupirait:

—Dire que nous avons deux mois de vacances, deux mois
qui pourraient être si utilement employés. Mais quoi?[5] Il n'y
a personne. 25

Dans l'étable de leurs parents, il y avait deux boeufs de la
même taille et du même age, l'un tacheté de roux, l'autre
blanc et sans tache. Les boeufs sont comme les souliers, ils
vont presque toujours par deux. C'est pourquoi l'on dit «une
paire de boeufs». Marinette alla d'abord au boeuf roux et lui 30
dit en lui caressant le front:

—Boeuf, est-ce que tu[6] ne veux pas apprendre à lire?

---

[5] **Mais quoi?** *But what is there to do?*
[6] Here the familiar form of address is used, not necessarily as a term
of endearment, but because she is speaking to an inferior; but perhaps
both feelings are involved.

D'abord, le grand boeuf roux ne répondit pas. Il croyait que c'était pour rire.

—L'instruction est une belle chose! appuya Delphine. Il n'y a rien de plus agréable, tu verras, quand tu sauras lire.

Le grand roux rumina encore un moment avant de ré- 5 pondre, mais au fond, il avait déjà son opinion.

—Apprendre à lire, pourquoi faire? Est-ce que la charrue en[7] sera moins lourde à tirer? Est-ce que j'aurai davantage à manger? Certainement non. Je me fatiguerais donc sans résultat? Merci bien, je ne suis pas si bête[8] que vous croyez, 10 petites. Non, je n'apprendrai pas à lire, ma foi non.

—Voyons, boeuf, protesta Delphine, tu ne parles pas raisonnablement, et tu ne penses pas à ce que tu perds. Réfléchis un peu.

—C'est tout réfléchi, mes belles, je refuse. Ah! si encore 15 il s'agissait d'apprendre à jouer, je ne dis pas.[9]

Marinette, qui était un peu plus blonde que sa soeur, mais plus vive aussi, déclara que c'était tant pis pour lui, qu'on allait le laisser à son ignorance et qu'il resterait toute sa vie un mauvais boeuf.   20

—Ce n'est pas vrai, dit le grand roux, je ne suis pas un mauvais boeuf. J'ai toujours bien fait mon métier, et personne n'a rien à me reprocher. Vous me faites rire, toutes les deux, avec votre instruction. Comme si l'on ne pouvait pas vivre sans ça! Remarquez bien que je n'en dis pas de mal, je 25 prétends[10] que ce n'est pas une chose pour les boeufs, voilà tout. La preuve, c'est qu'on n'a jamais vu un boeuf avoir de l'instruction.

—Ce n'est pas une preuve du tout, répliqua Marinette. Si les boeufs ne savent rien, c'est qu'ils n'ont jamais rien 30 appris.

---

[7] **en**, *because of it.*

[8] **bête** here means *stupid* but it may also mean *animal.* Obviously a pun, consciously or not, on the part of the ox.

[9] **je ne dis pas**, *I don't say I would refuse.*

[10] **prétends**, *claim.*

—En tout cas, ce n'est pas moi qui m'y mettrai,[11] vous pouvez être tranquilles.

Prié à son tour, le boeuf blanc parut touché de leur sollicitude. Il avait beaucoup d'affection pour elles et il ne voulait pas les attrister par un autre refus. D'autre part, il ne 5 lui deplaisait pas de penser qu'il pourrait être plus tard un ruminant distingué. C'était un bon boeuf, un très bon boeuf, même; doux, patient, laborieux, mais qui avait un peu d'orgueil et d'ambition.

—Ecoutez, petites, leur dit-il, j'ai presque envie de vous 10 répondre comme mon frère: à quoi me servira de[12] savoir lire? Mais je tiens à vous faire plaisir. Après tout, si l'instruction n'est pas utile à un boeuf, à l'occasion, elle pourra me distraire. Je consens donc à essayer.

Les petites étaient bien contentes d'avoir trouvé un boeuf 15 de bonne volonté et le félicitaient de son intelligence.

—Boeuf, je suis sûre que tu feras de très bonnes études, de brillantes études.

—En effet, murmurait-il, je crois bien que j'ai des dispositions.[13] 20

Comme les petites quittaient l'étable pour aller chercher un alphabet, le grand roux leur demanda sérieusement:

—Dites-moi, petites, est-ce que vous n'avez pas envie[14] d'apprendre à ruminer?[15]

—Apprendre à ruminer, dirent-elles, et pourquoi faire? 25

—Vous avez raison, convint le grand roux, pourquoi faire?

Delphine et Marinette, qui voulaient faire une surprise à leurs parents, décidèrent de garder le secret sur les études du boeuf blanc. Plus tard, quand il serait déjà savant, elles auraient plaisir à voir l'étonnement de leur père. 30

---

[11] **qui m'y mettrai,** *who will undertake that.*
[12] **à quoi me servira de,** *what will be the good of.*
[13] **dispositions,** *ability, talent.*
[14] **envie,** *desire.*
[15] **ruminer,** *to chew your cud.*

Les débuts furent plus faciles que les petites n'avaient[16] osé l'espérer. Le boeuf était vraiment très doué. A cause des railleries du grand roux, il feignait de prendre un plaisir sans égal a épeler l'alphabet. En moins de quinze jours,[17] il eut appris à lire ses lettres et même à les réciter par coeur. Les dimanches, les jours de pluie, et en général, tous les soirs au retour des champs, Delphine et Marinette lui donnaient des leçons. Le pauvre boeuf en avait de violents maux de tête, et il lui arrivait de[18] se réveiller au milieu de la nuit en disant tout haut:

—*B, A,* ba, *B, E,* be, *B, I,* bi . . .

—Est-il bête avec ses, *B, A,* ba, disait le grand roux. Il n'y a même plus moyen de dormir tranquillement.

—Tu n'imagineras jamais, ripostait le boeuf blanc, quel plaisir ce peut être de connaitre les voyelles, les consonnes, de former des syllabes, enfin. Cela rend la vie bien agréable et je comprends à présent pourquoi l'on fait un si grand éloge de l'instruction. Je me sens déjà un autre boeuf qu'il y a trois semaines. Quel bonheur d'apprendre! mais voilà, tout le monde ne peut pas, il faut des capacités.[19]

Tout d'abord, Delphine et Marinette purent se féliciter de leur initiative. Le boeuf faisait des progrès surprenants. Au bout du mois, il commençait à savoir compter, il lisait presque couramment, et il avait même appris une petite poésie. Il devint si studieux qu'à l'étable, il avait toujours un livre ouvert dont il tournait les pages avec sa langue. C'était tantôt une arithmétique, tantôt une grammaire, ou encore une histoire, une géographie, un recueil de poèmes. Sa curiosité n'avait d'égale que[20] son application, et il s'intéressait à tout ce qui est imprimé.

---

[16] This **ne** is redundant and is not to be translated here.
[17] **quinze jours,** *two weeks.*
[18] **il lui arrivait de,** *it happened that he.*
[19] **il faut des capacités,** *it takes talent.*
[20] **n'avait d'égale que,** *was equaled only by.*

—Comment ai-je pu vivre en ignorant[21] toutes ces belles choses, murmurait-il à chaque instant.

Malheureusement ses études le fatiguaient beaucoup, à cause de son trop grand zèle, et aussi parce que ce nouveau labeur ne lui épargnait pas celui des champs. Il oubliait la 5 moitié du temps de boire et de manger, si bien que les petites, voyant sa maigreur, furent prises d'inquiétude.

—Boeuf, lui dirent-elles, nous sommes très contentes de ton travail. Voilà que tu en sais[22] maintenant presque autant que nous et peut-être plus, si c'est possible. Tu as donc mérité 10 de te reposer, et d'ailleurs, ta santé l'exige.

—Je me moque de ma santé[23] et ne veux penser qu'à orner mon esprit.

—Voyons, boeuf, il faut être raisonnable. Si tu allais à 15 l'école comme nous, tu verrais que le travail n'est pas toujours bon, et qu'il y a temps pour tout. La preuve en est que nous avons des récréations pour nous reposer, et même des vacances.

—Vous me parlez de vacances, et ci et ça,[24] et que je dev- 20 rais me reposer. Bon. Et moi je vous réponds justement[25] que je suis de votre avis. Parfaitement, des vacances, mais alors de vraies vacances qui me permettront de travailler selon mes goûts et mes aptitudes. Ah! pouvoir consacrer son temps à lire les poètes, à connaître les travaux des savants . . . c'est 25 la vie, cela!

—Il faut bien jouer aussi, dit Marinette.

—On ne peut pas discuter avec vous, soupira le boeuf, vous êtes des enfants.

Et il se replongea dans un chapitre de géographie. 30

—Au moins, lui dit Marinette, puisque tu ne veux pas

---

[21] **ignorant,** *not knowing.*

[22] **tu en sais,** *you are as informed.* The **en** means *on matters, on everything.*

[23] **Je me moque de ma santé,** *I don't care about my health.*

[24] **et ci et ça,** *and this and that.*

[25] **justement,** *precisely.*

prendre de vacances, fais attention que personne ne te voie étudier. Quand je pense que tu as toujours un livre ouvert devant les yeux et que nos parents pourraient te surprendre . . .

On peut juger par cette recommandation que les deux 5 blondes n'étaient plus très sûres d'avoir fait oeuvre de sagesse. Et en effet, elles ne se vantaient à personne de leur entreprise.

Bien entendu, le maître n'avait pas été sans apercevoir un changement dans l'attitude du boeuf blanc. Un jour, sur la 10 fin de l'après-midi, il eut la surprise de le voir, assis sur le pas de la porte de l'étable, qui paraissait contempler distraitement la campagne.

—Par exemple, dit-il, qu'est-ce que tu fais là, boeuf, et dans cette position assise? 15

Et le boeuf, fermant à demi les paupières, répondit d'une voix douce:

> J'admire, assis sous un portail
> Ce reste de jour dont s'éclaire
> La dernière heure du travail . . .[26]

Le maître ne savait pas, ou bien il avait oublié, ces vers de Victor Hugo, et il convint tout d'abord:

—Il parle bien, ce boeuf. 20

Mais il soupçonnait que ce beau langage dissimulait un mystère inquiétant, car il ajouta:

—Hum! je ne sais pas ce qu'il a,[27] mais depuis quelque temps, je trouve qu'il a des airs singuliers . . . tout à fait singuliers . . : 25

Le père s'écria:

—Allons! rentre dans ton étable! je n'aime pas les boeufs qui font des manières,[28] moi!

---

[26] The **boeuf** has good taste in poetry. These lines are from **La Saison des semailles. Le Soir** (*The Sowing Season. Evening*) by France's greatest poet, Victor Hugo (1802–1885).

[27] **ce qu'il a,** *what's wrong with him.*

[28] **qui font des manières,** *who put on airs.*

Le boeuf se leva en lui jetant un regard triste et courroucé, puis il regagna sa place auprès du grand roux. Bientôt, le travail qu'il fournissait aux champs se ressentit de[29] ses occupations studieuses. Il avait la tête si pleine de beaux vers, de dates historiques, de chiffres et de maximes, qu'il écoutait 5 distraitement les ordres donnés par son maître. Parfois même, il n'écoutait pas du tout, et l'attelage s'en allait de travers.

—Fais donc attention, lui soufflait le grand roux en le poussant de l'épaule.

Un matin de labour,[30] il s'arrêta brusquement au milieu 10 d'un sillon. Voilà ce qu'il disait:

—Deux robinets coulent dans un récipient cylindrique de soixante-quinze centimètres de haut, et débitent ensemble vingt-cinq décimètres cubes à la minute.[31] Sachant que l'un des deux robinets, s'il coulait seul, mettrait trente minutes à 15 remplir le récipient, alors que l'autre mettrait trois fois moins de temps que s'ils coulaient tous les deux à la fois, calculer le volume du récipient, son diamètre, et au bout de combien de temps il sera plein . . . C'est intéressant . . . très intéressant . . . 20

—Enfin, explique-moi donc un peu ce que tu racontes. . . .

Mais le boeuf était si profondément absorbé par la recherche de sa solution qu'il n'entendait rien et demeurait immobile.

Le maître était fort surpris d'un pareil caprice. «Il faut que 25 cette bête-là soit malade», songea-t-il. Il passa en tête de l'attelage et interrogea d'une voix tout amicale:

—Tu parais souffrant.

Alors, le boeuf, frappant la terre de son sabot, répondit avec colère: 30

---

[29] **se ressentit de,** *showed the effects of.*

[30] **Un matin de labour,** *One morning when they were ploughing; labor* is **labeur.**

[31] This is a very jumbled problem that no one should waste any time trying to solve.

—C'est tout de même malheureux,[32] mais il n'y a pas moyen de réfléchir en paix une minute!

Le maître demeura interloqué à se demander si son boeuf avait bien toute sa raison.

Ce jour-là, au repas de midi, les petites eurent une grande 5 frayeur en entendant les paroles de leur père.

—Ce boeuf blanc devient impossible, disait-il, et ce matin encore j'ai cru devenir enragé à cause de ses sottises. Non seulement il fait son travail de travers, mais je ne peux même plus lui faire une observation. Croyez-vous, hein? S'il 10 continue à se rendre insupportable, je vais me voir obligé de le vendre pour la boucherie . . .

—A la boucherie? demanda Delphine. Pourquoi faire?

—Tiens, cette idée![33] pour le manger, tout simplement!

Delphine se mit à sangloter, et Marinette à protester. 15

—Manger le boeuf blanc? dit-elle, mais c'est que moi je ne veux pas.

—Ni moi, dit Delphine. On ne mange pas un boeuf parce qu'il est de mauvaise humeur ou parce qu'il est triste.

—Il faudrait peut-être le consoler? 20

—Bien sûr! En tout cas, on n'a pas le droit de le manger!

—Et on ne le mangera pas!

Les petites, voyant clairement le péril où elles avaient engagé leur ami, sanglotaient, si bien que le père s'écria d'une voix courroucée: 25

—Taisez-vous! ces choses-là ne regardent pas[34] des gamines. Un boeuf qui fait sa mauvaise tête[35] n'est plus bon qu'à être mangé, et si le nôtre ne s'amende pas, il sera mangé comme il le mérite!

Lorsque les petites furent sorties, il dit encore à sa femme, 30 mais en riant et sans plus de colère:

---

[32] **malheureux,** *unfortunate.*
[33] **Tiens, cette idée,** *Well! what a question!*
[34] **ne regardent pas,** *don't concern.*
[35] **fait sa mauvaise tête,** *has gotten out of hand.*

—S'il fallait les écouter, on laisserait toutes les bêtes mourir de vieillesse. Quant au boeuf blanc, je ne crois pas qu'il soit possible de le vendre avant longtemps; il est devenu si maigre que ce serait une mauvaise affaire.[36] Je serais d'ailleurs bien curieux de savoir pourquoi il maigrit ainsi. J'ai toujours pensé 5 que ce n'était pas naturel.

Cependant, Delphine et Marinette avaient couru à l'étable avertir le malheureux boeuf qui était justement en train d'[37] étudier sa grammaire. En les voyant, il ferma les yeux et récita sans se tromper une fois la règle des participes,[38] qui 10 est pourtant très difficile. Mais Marinette confisqua la grammaire et Delphine tomba à genoux sur la paille.

—Boeuf, il paraît que si tu continues à tirer la charrue de travers[39] et à répondre de travers, tu vas être vendu.

—Que m'importe, fillette? Là-dessus, je suis tout à fait de 15 l'avis de La Fontaine: «Notre ennemi, c'est notre maître.»[40]

—Vous voyez comme il est, fit observer le grand roux. A présent, il ne connaît plus ni parents, ni amis.

—Que m'importe d'être vendu? reprenait l'autre. Le seul risque serait sans doute de me voir apprécié un peu mieux 20 que je ne[41] suis ici.

—Mon pauvre boeuf, lui dit Delphine, tu serais vendu au boucher.

—Pour être mangé, ajouta Marinette. Tu vas être mangé et ce sera notre faute à nous qui t'avons donné de l'instruc- 25

---

[36] **une mauvaise affaire,** *bad business.*

[37] **en train d',** *busy.*

[38] **la règle des participes,** *the rule on the agreement of the past participles.*

[39] **de travers,** *this way and that* (a few words later the sense is *foolishly*).

[40] This is from **Le Vieillard et l'âne** (*The Old Man and the Donkey*) a fable by La Fontaine (1621–1695).

[41] Once again the **ne** is redundant in this construction and is not to be translated. The cow's very correct French is not only humorous but suggests a certain sophistication.

tion. Parce qu'il faut bien le reconnaître: c'est l'instruction qui t'a rendu insupportable. Et si tu ne veux pas être mangé, il va falloir commencer par oublier tout ce que tu as appris.

—J'avais bien dit que tout cela ne valait rien pour les boeufs, soupira le grand roux. On n'a pas voulu m'écouter.   5

Son compagnon le regarda du haut en bas et répondit sèchement:

—Oui, Monsieur, j'ai méprisé vos conseils. Sachez que je ne regrette rien, et quant à vouloir oublier quoi que ce soit, je refuse. Mon seul désir, ma seule ambition, c'est d'ap- 10 prendre encore et toujours. Plutôt mourir que d'y renoncer.

Le grand roux, au lieu de se fâcher, répondit avec amitié:

—Si tu venais à mourir,[42] j'aurais du chagrin, tu sais.

—Oui, oui, on dit ça, et puis dans le fond . . .[43]

—Sans compter que ce ne serait pas agréable pour toi, 15 poursuivit le grand roux. Voilà pourtant où ton instruction va te mener, si tu n'y prends pas garde.[44]

Le boeuf blanc n'avait plus du tout envie de mourir.

—Boeuf, lui disaient les petites, le discours de M. le sous-préfet n'était pas fait pour les boeufs. Si nous avions mieux 20 réfléchi, nous t'aurions appris à jouer à des jeux.

—Non, tout de même, protestait le boeuf blanc. Les jeux, c'est bon pour les enfants.

—Moi, disait le grand roux en riant de toutes ses dents, il me semble que j'aimerais ça, les jeux.   25

Les petites promirent de lui apprendre à jouer, et le boeuf blanc jura qu'à l'avenir il s'appliquerait aux travaux de la terre et n'aurait plus en présence du maître la moindre distraction.

Pendant une semaine, le boeuf s'abstint de toute espèce de 30 lectures, mais il fut si malheureux[45] qu'il maigrit, durant cette

---

[42] venais à, *happened to.*
[43] dans le fond, *at heart.*
[44] si tu n'y prends pas garde, *if you don't pay attention.*
[45] malheureux, *unhappy.*

huitaine,[46] de vingt-sept livres et trois hectogrammes, ce qui
est considérable, même pour un boeuf. Les petites compri-
rent elles-mêmes qu'il ne pouvait durer à un pareil régime
et lui rendirent quelques livres parmi ceux qu'elles jugeaient
les plus ennuyeux: un traité sur la fabrication des parapluies   5
et un ouvrage très ancien sur la guérison des rhumatismes.
Le boeuf les trouva si attrayants que, non content de les relire, il les apprit par coeur tous les deux. «Donnez-m'en
d'autres», dit-il aux petites lorsqu'il eut fini, et il fallut bien
lui obéir. Dès lors il retomba dans sa funeste passion de   10
l'étude et rien ne put l'en détourner.

Delphine et Marinette, dans l'espoir que le boeuf savant
se laisserait tenter par les plaisirs des jeux, avaient appris des
jeux au grand roux qui s'en amusait beaucoup, et même un
peu plus qu'il n'était[47] raisonnable à un boeuf de son âge,   15
car il devenait d'humeur[48] frivole, riant à propos de tout et
de rien. Cela faisait une paire de boeufs très mal assortie, et
les sujets de querelle étaient nombreux.

—Je ne comprends pas, disait le boeuf blanc d'une voix
sévère en jetant sur son compagnon un regard attristé, je ne   20
comprends pas . . .

—Non, laisse-moi rire, interrompait le grand roux, c'est
plus fort que moi, il faut que je rie.

—Je ne comprends pas qu'on puisse[49] à ce point manquer
de sérieux et de dignité. Quand on pense que la surface d'un   25
rectangle s'obtient en multipliant la longueur par la largeur,
que le Rhin prend sa source dans le massif du Saint-Gothard[50]
et que Charles Martel[51] vainquit les Arabes en l'an 732, on

---

[46] **huitaine,** *week.*

[47] **n'** is redundant.

[48] **humeur,** *disposition.*

[49] **puisse,** present subjunctive of **pouvoir,** *can.*

[50] **le massif du Saint-Gothard,** *the Saint Gothard mountains.* They
are in the Alps.

[51] **Charles Martel,** *Charles the Hammerer* (689–741) known in history for the event here mentioned.

est consterné par le spectacle d'un boeuf de six ans se livrant à des jeux imbéciles.

Ils en vinrent à ne plus pouvoir se supporter, et formèrent le plus mauvais attelage qu'on eut jamais vu.

Un soir, au retour des champs, le grand roux jouait avec les 5 petites dans la cour de la ferme. Le maître qui considérait ces ébats sans bienveillance le tira rudement par la queue et lui dit avec colère:

—As-tu fini tes singeries?

—Alors quoi, dit le boeuf, on ne peut même plus jouer, 10 maintenant?

—Je te donnerai la permission de jouer quand tu travailleras comme il faut. Va-t'en à l'étable.

Puis il avisa le boeuf blanc qui faisait une expérience de physique. 15

—Toi, dit le maître, je te conseille également plus d'application, et je trouverai bien un moyen de t'y obliger. En attendant, rentre aussi.

Fâché d'interrompre son expérience, et plus encore humilié qu'on lui parlât sur ce ton, le boeuf blanc riposta: 20

—J'admets que vous vous adressiez avec cette rudesse à un boeuf ignorant, tel que mon compagnon. Ces espèces ne comprennent en effet point d'autre langage. Mais ce n'est pas ainsi que l'on traite un boeuf tel que moi, un boeuf instruit . . . Un boeuf, dis-je, instruit dans les sciences, les belles- 25 lettres et la philosophie.

—Comment? mais je ne te savais pas aussi savant, boeuf.

—C'est pourtant la vérité. J'ai lu plus de livres que vous n'en[52] lirez jamais, Monsieur, et je sais plus de choses que n'en sait toute votre famille réunie. Mais trouvez-vous convenable 30 qu'un boeuf de mon mérite soit obligé aux travaux de la terre? et pensez-vous, Monsieur, que la philosophie soit à sa place devant la charrue?

Le maître l'écoutait avec attention et, de temps à autre,

---

[52] Here and later in this line the n' is redundant.

il hochait la tête. Mais les petites eurent la surprise de l'entendre dire:

—Boeuf, pourquoi ne m'avoir pas parlé ainsi plus tôt? Si j'avais su, tu penses bien que je ne t'aurais pas obligé à un labeur aussi pénible: j'ai trop de respect pour la science et la 5 philosophie.

—Et les belles-lettres aussi, dit le boeuf, vous avez l'air d'oublier les belles-lettres.

—Bien entendu, les belles-lettres aussi. Mais va, c'est bien fini et j'entends[53] que désormais tu restes à la maison pour 10 achever tes études dans la quiétude la plus complète.

—Vous êtes un bon maître, comment reconnaître votre générosité?

—En prenant bien soin de ta santé. N'aie donc pas d'autre souci que d'étudier, de manger et de dormir. Le grand roux 15 travaillera pour deux.

Il n'y avait que le grand roux qui n'eût pas à[54] se féliciter de cette décision.

Quant au boeuf blanc, l'on peut dire qu'il vécut parfaitement heureux. Il s'était orienté décidément vers la philoso- 20 phie, et comme il avait autant de loisirs qu'il en pouvait désirer, ses méditations étaient sereines. Il engraissait régulièrement. Il était en possession d'une très belle philosophie, lorsque son maître, s'étant aperçu qu'il avait augmenté de soixante-quinze kilogrammes, décida de le vendre au boucher 25 en même temps que le grand roux. Par bonheur, le jour où il les conduisit à la ville, un grand cirque venait de planter[55] sa tente sur la place principale. Le propriétaire du cirque, en passant auprès d'eux, entendit le boeuf blanc qui parlait avec distinction de science et de poésie. Il pensa qu'un boeuf 30 savant ne ferait pas mal dans son cirque, et il en proposa aussitôt un bon prix. Le grand roux regrettait maintenant de n'avoir pas étudié.

---

[53] **entends,** *intend.*

[54] **n'eût pas à,** *didn't have (occasion) to.*

[55] **venait de planter,** *had just pitched.*

—Prenez-moi aussi, dit-il, je ne suis pas savant, c'est vrai, mais je connais des jeux amusants, et je ferai rire le public.

—Prenez-le, dit le boeuf blanc, c'est mon ami, et je ne peux pas me séparer de lui.

Après quelques hésitations, le propriétaire du cirque voulut 5 bien acheter le grand roux, et il n'eut pas à le regretter, car les boeufs eurent beaucoup de succès. Le lendemain, les petites vinrent à la ville et purent applaudir leurs amis dans un très joli numéro. Elles avaient un peu de peine en pensant qu'elles les voyaient pour la dernière fois, et le boeuf blanc 10 lui-même, qui ne demandait qu'à voyager pour s'instruire encore, avait du mal[56] à retenir ses larmes.

Les parents achetèrent une autre paire de boeufs, mais les petites se gardèrent bien de[57] leur apprendre à lire, car elles savaient maintenant qu'à moins de trouver place dans un 15 cirque, les boeufs ne gagnent rien à s'instruire, et que les meilleures lectures leur attirent les pires ennuis.

Expressions for Study

1. Le maître embrassa les deux soeurs en prenant bien garde de ne pas salir leurs belles robes.
2. Ceux qui n'en ont pas sont bien à plaindre.
3. Voyez donc comme c'est agréable.
4. Il faut faire comprendre aux ignorants que l'instruction est indispensable.
5. Elles se mirent à parler du discours.
6. . . . quelqu'un de tout à fait ignorant . . .
7. Il croyait que c'était pour rire.
8. Je ne suis pas si bête que vous croyez.
9. Je prétends que ce n'est pas une chose pour les boeufs.
10. Ce n'est pas moi qui m'y mettrai, vous pouvez être tranquilles.
11. A quoi me servira de savoir lire?
12. Je crois bien que j'ai des dispositions.
13. Est-ce que vous n'avez pas envie d'apprendre à ruminer?
14. Vous avez raison.

---

[56] **du mal,** *difficulty.*
[57] **se gardèrent bien de,** *took good care not to.*

15. Les débuts furent plus faciles que les petites n'avaient osé l'espérer.

16. En moins de quinze jours, il eut appris à lire.

17. Le pauvre boeuf en avait de violents maux de tête.

18. Il lui arrivait de se réveiller au milieu de la nuit.

19. Je me sens déjà un autre boeuf qu'il y a trois semaines.

20. Il faut des capacités.

21. Sa curiosité n'avait d'égale que son application.

22. Tu en sais maintenant presque autant que nous.

23. D'ailleurs ta santé l'exige.

24. Je me moque de ma santé.

25. Vous me parlez de vacances, et ci et ça.

26. Je vous réponds justement que je suis de votre avis.

27. Fais attention que personne ne te voie étudier.

28. Elles ne se vantaient à personne.

29. Bien entendu, le maître n'avait pas été sans apercevoir un changement.

30. Je ne sais pas ce qu'il a.

31. Depuis quelque temps, je trouve qu'il a des airs singuliers.

32. Je n'aime pas les boeufs qui font des manières.

33. Le travail se ressentit de ses occupations sérieuses.

34. L'attelage s'en allait de travers.

35. Un matin de labour, il s'arrêta brusquement.

36. C'est tout de même malheureux.

37. Delphine se mit à sangloter.

38. Ces choses-là ne regardent pas des gamines.

39. Un boeuf qui fait sa mauvaise tête n'est plus bon.

40. Ce serait une mauvaise affaire.

41. . . . le malheureux boeuf qui était justement en train d'étudier . . .

42. Si tu continues à tirer la charrue de travers et à répondre de travers . . .

43. Que m'importe?

44. Quant à vouloir oublier quoi que ce soit, je refuse.

45. Si tu venais à mourir, j'aurais du chagrin.

46. . . . si tu n'y prends pas garde.

47. Le boeuf n'avait plus du tout envie de mourir.

48. Non, tout de même.

49. Il maigrit durant cette huitaine.

50. Il devenait d'humeur frivole, riant à propos de tout et.de rien.

51. J'entends que désormais tu restes à la maison.

52. Il n'y avait que le grand roux que n'eût pas à se féliciter de cette décision.

53. Un grand cirque venait de planter sa tente.
54. Le boeuf blanc avait du mal à retenir ses larmes.
55. Les petites se gardèrent bien de leur apprendre à lire.

Questionnaire

1. Pourquoi les parents sont-ils fiers?
2. Que faut-il faire comprendre à ceux qui n'ont pas d'instruction?
3. Qu'ont fait Delphine et Marinette en rentrant à la maison?
4. Pourquoi étaient-elles ennuyées?
5. A quoi pourraient-elles employer leurs vacances?
6. Qu'est-ce que Marinette a proposé au boeuf roux?
7. Pourquoi refuse-t-il?
8. Marinette a-t-elle insisté? Pourquoi?
9. Pourquoi personne n'a-t-il rien à reprocher au grand roux?
10. Pourquoi les boeufs ne savent-ils rien, pour Marinette? Pour le grand roux?
11. Pourquoi le boeuf blanc a-t-il accepté? Décrivez son caractère.
12. L'instruction est-elle utile à un boeuf?
13. Le boeuf blanc est-il très modeste?
14. Qu'est-ce que le grand roux a proposé aux petites? Pourquoi ont-elles refusé?
15. Pourquoi les petites ont-elles gardé le secret?
16. Le boeuf a-t-il appris vite?
17. A-t-il appris à lire par une méthode moderne?
18. Pourquoi le grand roux protestait-il?
19. Le boeuf blanc aimait-il beaucoup apprendre? Pourquoi le feignait-il?
20. Que savait le boeuf au bout d'un mois?
21. Quels sujets étudiait-il? Était-il studieux?
22. Pourquoi était-il fatigué? Pourquoi a-t-il maigri?
23. Qu'est-ce que les petites disent que le boeuf a mérité? Et pourquoi?
24. Le travail est-il toujours bon? Quelle en est la preuve?
25. Quelle sorte de vacances aimerait le boeuf?
26. A quoi le boeuf doit-il faire attention?
27. Pourquoi les deux blondes ne se vantaient-elles à personne?
28. Le maître était-il très instruit? Comment le sait-on?
29. Quelle est la première impression du maître? Que soupçonne-t-il ensuite?
30. Quel changement le maître a-t-il remarqué chez le boeuf?
31. Pourquoi le boeuf ne travaillait-il plus très bien aux champs?
32. Savez-vous faire ce problème?

33. Qu'a pensé le maître du caprice du boeuf?
34. Pourquoi le boeuf était-il en colère?
35. Que fera le père si le boeuf blanc continue ses sottises?
36. Quelles sont les sottises du boeuf blanc?
37. Que faut-il faire si un boeuf est triste?
38. Pourquoi Delphine et Marinette sanglotaient-elles?
39. Pourquoi le père riait-il?
40. Est-il possible de vendre le boeuf blanc?
41. Récitez la règle des participes.
42. Pourquoi le boeuf est-il de l'avis de La Fontaine?
43. Qu'arriverait-il au boeuf s'il était vendu?
44. Pourquoi le boeuf blanc est-il insupportable?
45. Le boeuf blanc accepte-t-il d'oublier tout ce qu'il a appris? Pourquoi?
46. Le boeuf blanc croit-il à l'amitié du boeuf roux?
47. Qu'est-ce que les petites auraient dû apprendre au boeuf?
48. Qu'est-ce que le boeuf blanc a juré?
49. Est-ce que le boeuf a cessé de maigrir quand il a cessé de lire?
50. Quels livres le boeuf a-t-il appris par coeur? Les trouvait-il ennuyeux?
51. Pourquoi les deux petites ont-elles appris des jeux au boeuf roux?
52. Le boeuf roux changeait-il aussi?
53. Pourquoi les deux boeufs se querellaient-ils?
54. Est-ce que les deux boeufs travaillaient bien ensemble?
55. Le maître approuvait-il les jeux du grand roux?
56. Quand permettra-t-il au boeuf roux de jouer?
57. Pourquoi le boeuf blanc était-il humilié? Etait-il modeste?
58. Pensez-vous que la philosophie soit à sa place devant la charrue?
59. Le maître a-t-il été en colère? Pourquoi pas?
60. Quelle décision le maître a-t-il prise?
61. Les deux boeufs ont-ils été contents de la décision?
62. Le boeuf blanc a-t-il continué à maigrir?
63. Le maître a-t-il vendu ses boeufs au boucher?
64. Pourquoi le propriétaire du cirque a-t-il proposé d'acheter le boeuf blanc?
65. Pourquoi a-t-il aussi acheté le grand roux?
66. Qu'ont pensé les petites du départ des boeufs?
67. Etait-ce une bonne solution?
68. Quelle est la morale de ce conte?

Pierre Daninos

Les Carnets du major Thompson

The Honourable William Marmaduke Thompson who is the speaker in the following pages is the creation of the French journalist Pierre Daninos (born 1913). Thompson, son of a titled English family, retired army major, much decorated for military and other services, is Daninos' device for probing into the peculiarities of those two culturally conflicting neighbors, the English and the French. Thus this selection offers, after a fashion, a complement to the pages by Maurois, in which the Americans and the French are contrasted.

The borderline between satire and caricature is very thin and the reader should be warned that Daninos is frequently the caricaturist. If the portrait of the French is more flattering than that of the English, still Daninos has been relatively impartial in his exaggerated and humorous picture of these two societies.

The language of the original is unchanged, but there are some deletions.

BACKGROUND

The narrator is always Major Thompson. The French people named are friends and acquaintances, including the Daninos family (the author's) itself.

LE PAYS DU SHAKE-HAND[1]

Pour les Français—et pour beaucoup d'autres peuples—le pays du shake-hand, c'est l'Angleterre.

---

[1] Daninos' use of English words is mostly for "atmosphere." The French expression occurs a few lines later (see note 4).

M. Taupin se croit obligé de me serrer la main avec une force redoublée parce que je suis Anglais, Anglais du pays du shake-hand.

En vérité, si le vigoureux shake-hand anglais est une image chère aux romans policiers français qui se déroulent en Angleterre pour faire plus vrai,[2] le pays de la poignée de main, c'est la France. 5

Il s'est passé[3] un peu avec le shake-hand ce qui est arrivé avec la table: les Anglais ont appris au monde la façon de se tenir correctement à table. Mais ce sont les Francais qui mangent. Les Anglo-Saxons ont, de même, trouvé un nom 10 très évocateur[4] pour la poignée de main. Mais ce sont les Français qui se la serrent.[5] Ce genre de contact plutôt barbare est, chez nous,[6] réduit au minimum. Une fois que nous avons donné la main à quelqu'un, il n'a plus rien à attendre de ce côté[7] pour le reste de la vie. 15

Un statisticien dont les calculs m'inspirent la plus grande confiance, car il n'appartient à aucun institut de statistique,[8] a calculé qu'un Français de moyenne importance, tel que M. Taupin ou M. Charnelet, passe (environ) trente minutes par jour, soit plus d'une année d'une vie de soixante ans, à 20 serrer des mains à neuf heures,[9] à midi, à deux heures, à six heures. Cela, bien entendu, sans parler des mains des gens

---

[2] **qui se déroulent en Angleterre pour faire plus vrai,** *which take place in England to make them seem more authentic.*

[3] **Il s'est passé,** *There has occurred.*

[4] **évocateur,** *suggestive.* (The French **poignée de main** means literally *fistful of hand.*)

[5] **qui se la serrent,** *who do the shaking.*

[6] **chez nous,** *with us,* i.e., in England.

[7] **plus rien à attendre de ce côté,** *Nothing more to hope for in that matter* (*shaking hands*).

[8] A sly dig at the importance that statistics have come to play in our contemporary life, especially those that come from large research institutions.

[9] The times given here are those for going to the office, leaving at noon, returning in the afternoon, and leaving in the evening.

qu'il ne connaît pas, des visiteurs, des parents,[10] des amis, ce qui sans doute porterait le total annuel à trois semaines de main et, pour la vie, à trois années. Si l'on considère que ce travailleur du poignet[11] passe (environ) trois heures par jour à table et huit au lit, on arrive à conclure que le Français 5 ne vit dans le sens anglais, c'est-à-dire correct, du mot, que[12] trente ans sur[13]soixante, ce qui est insuffisant.

Pour en revenir à la poignée de main, qui est chez nous à peu près standardisée depuis mille ans, elle possède chez les Français de nombreuses nuances: elle peut être chaleureuse, 10 amicale, condescendante, froide, sèche. Il y en a qui estiment n'avoir serré une main qu'après vous avoir broyé les pha- langes. D'autres conservent votre main comme s'ils ne vou- laient plus vous la rendre. Il y en a qui ne donnent que trois doigts, deux doigts, ou le bout d'un seul. N'importe: ils don- 15 nent quelque chose, on doit le prendre. Je vois souvent des Français faire des prodiges d'équilibre et d'acrobatie en plein milieu[14] d'un boulevard sillonné de voitures[15] pour faire passer dans la main gauche ce qu'ils ont dans la main droite et, au risque de se faire cent fois écraser, donner leur 20 dextre à une personne qui les laissera en général indifférents, mais parfois morts.[16]

Je regardais l'autre soir un critique dramatique terminer à la hâte l'article que son journal attendait. Des amis s'ap- prochaient, hésitaient un instant, puis tombaient sur lui la 25 main en avant. C'[17] était plus fort qu'eux—et surtout que lui. Cinq fois en cinq minutes je le vis serrer la main des gens qui lui avaient dit: «Je vous en prie . . . ne vous dérangez pas!»

---

[10] **parents**, *relatives*.
[11] **travailleur du poignet**, *wrist manipulator. worker*
[12] **que** completes the negative verb **ne vit**.
[13] **sur**, *out of.*
[14] **en plein milieu**, *in the very middle.*
[15] **sillonné de voitures**, *criss-crossed by cars.*
[16] —Because they have been killed in the act of shaking hands.
[17] **C'**, *It*, i.e., the habit.

mais l'eussent[18] jugé *bien distant ce soir-là* s'il n'avait bousculé ses feuillets[19] et abandonné son stylo pour leur dire bonsoir. Car les Français sont sur ce chapitre[20] d'une extrême
susceptibilité. Quelqu'un notera tout de suite:

«Tiens!... Il ne m'a pas serré la main!...»   5

Et le voilà cherchant aussitôt dans sa vie de la veille le
détail qui lui a échappé et qui a pu blesser son supérieur.
Ou bien: «Il ne m'a pas serré la main comme d'habitude»
..., ce qui est également grave. Mais l'offense des offenses
c'est de ne pas prendre une main et de la laisser pendre. 10
Quand un Français dit: «Je lui ai refusé la main!» il en dit
autant que nous lorsque nous déclarons: «Je l'ai coupé
mort.»[21]

Lorsqu'un étranger vit longtemps en France, il prend vite
l'habitude de serrer toutes les mains qui sont à portée de la 15
sienne. De sorte qu'aujourd'hui, quand je retourne en Angleterre, mon avant-bras reste machinalement tendu dans le
vide. Mes compatriotes ne savent qu'en faire. *Too bad* ...
car, s'il est aisé de tendre une main, il est beaucoup plus
gênant de la retirer quand personne n'en veut.   20

LE TEMPS

Les Français sont peut-être des maîtres dans la conversation, mais ce sont des enfants lorsqu'il s'agit de parler du
temps. C'est là une spécialité dont les Anglais sont les rois
incontestés. Il faut d'ailleurs rendre cette justice aux Français
qu'ils ne cherchent en aucune façon à faire concurrence à 25
leurs voisins sur ce plan. En France, parler de la pluie et du
beau temps cela revient à[22] avouer que l'on est incapable de

---

[18] **eussent = auraient.**
[19] **bousculé ses feuillets,** *shoved aside his papers.*
[20] **sur ce chapitre,** *on this score.*
[21] **Je l'ai coupé mort,** *I cut him dead.*
[22] **cela revient à,** *that amounts to.*

parler d'autre chose. En Angleterre, c'est un devoir sacré et la marque d'une sérieuse éducation. Pour être un vraiment bon Anglais, il faut d'abord savoir parler du temps, du temps qu'il fait, du temps qu'il fit, du temps qu'il pourrait faire. . . . Un mot revient plus que n'importe quel autre dans la con- 5 versation, un mot-clef, un mot-roi: *weather . . . , rainy weather . . . , cloudy weather . . . , dreadful weather . . . , stormy weather . . . , incredible weather!* Il est probable qu'à l'origine du monde le temps fut conçu, en partie, pour permettre aux Anglais d'en parler. En vérité, il n'y a pas un 10 seul pays où l'on en parle autant. C'est peut-être pourquoi il y fait si mauvais. L'impressionnante dépense de vocabulaire météorologique qui se fait chaque jour en Angleterre doit perturber l'atmosphère.

Mais ce n'est pas là la seule différence qui sépare les 15 Anglais du Français dans la conversation.

En France, on exagère le moindre incident. En Angleterre, on minimise la plus grande catastrophe.[23] Si un Français arrive à un dîner avec une heure de retard parce qu'il s'est trompé du jour, il parlera toute la soirée de son invraisem- 20 blable aventure. Si un Anglais arrive quelques minutes en retard parce que le toit de sa maison s'est effondré, il dira qu'il a été retenu par une *slight disturbance*.

LES LOIS DE L'HOSPITALITE ET DE LA GASTRONOMIE

Les Français peuvent être considérés comme les gens les plus hospitaliers du monde, pourvu que l'on ne veuille pas 25 entrer chez eux.

Beaucoup d'étrangers, venus quelque temps en France, rêvent de vivre dans une famille française. Après maints essais infructueux, j'ai constaté que le meilleur moyen d'y arriver est de s'établir sur place, trouver une Française qui 30

---

[23] These two lines indicate the French tendency to overstatement and the English characteristic of understatement.

vouloir bien de qn = avoir de l'affection
pr qn

veuille bien de vous[24] et fonder sa famille soi-même. C'est ce
que j'ai fait.

Au bout d'une heure, un Anglais dont vous venez de faire
la connaissance vous invitera—si vous ne l'avez pas choqué
par un excès d'intelligence ou de curiosité—à passer le week- 5
end dans son cottage. Au bout de cinq ans, vous vous aper-
cevrez que vous ne savez pas très bien s'il aime les femmes,
les chiens ou les timbres-poste.

Au bout d'une heure, parfois avant, un Français vous a
expliqué comment et pourquoi il a été amené à délaisser de 10
temps en temps sa femme. Au bout de dix ans, vous con-
staterez que vous n'avez jamais passé une nuit sous son toit.

Lorsque je me rendis pour la première fois à Lyon, M.
Taupin m'avertit:

«Attention . . . la société lyonnaise est très fermée. . . . 15
Mais prenez patience, quand on vous connaîtra un peu, vous
serez reçu partout!»

Il s'agissait, me précisa-t-il, d'une tendance particulière
aux Lyonnais. Mais on me prévint de la même façon (chaque
fois en soulignant le caractère purement local de cet état 20
d'esprit) à Bordeaux, à Lille, à Marseille et même à Mazamet.[25] *Most important,* Mazamet. Vous pouvez bien connaître
Paris, Roubaix,[26] Toulouse et Carcassonne, vous ne con-
naîtrez pas la France si vous ignorez[27] Mazamet, capitale du
mouton au pays du bas de laine. Là comme ailleurs il me 25
fut dit, devant de nobles hôtels particuliers aux[28] façades
austères:

«Une fois qu'ils vous auront adopté, vous verrez, ils vous
recevront comme l'un des leurs!»

---

[24] **veuille bien de vous,** *is fond of you.*

[25] Mazamet, city in southern France known for its production of
sheep's wool and hides.

[26] Roubaix, city in northern France; Carcassonne, famous walled
town in southern France.

[27] **ignorez,** *are unaware of.*

[28] **hôtels particuliers aux,** *private mansions with.*

Encore un de ces cercles vicieux dont ce sain pays est prodigue:[29] pour être reçu il faut être connu, et pour être connu il faut être reçu. L'essentiel avec ces sociétés très fermées, c'est de commencer à entrer.

Combien de temps au juste peut durer cette période 5 d'observation—j'allais parler d'incubation? On ne saurait[30] le dire avec exactitude. Certains assurent: six mois . . . un an. Il y a là une grande exagération. Cela peut durer une dizaine, une vingtaine d'années. Le mieux est donc de prévoir jusqu'à la seconde génération, qui commencera à être reçue, à re- 10 cevoir et à devenir, elle aussi, très fermée.

Il existe, je dois le dire, une grande différence entre la province et Paris.

En province, on vous avertit tout de suite que *c'est très fermé;* on vous cite l'exemple d'un homme d'affaires d'Europe 15 centrale qui a fait le siège de Bordeaux[31] pendant sept ans sans pouvoir opérer une trouée; ou le cas d'une famille d'Oran[32] qui a attendu un demi-siècle avant de voir les portes s'ouvrir (et qui est devenue, à son tour, *très fermée*). Finalement, tout de même, vous êtes reçu. 20

A Paris, vous n'êtes pas reçu du tout: on vous sort.[33]

L'effet produit par l'arrivée des Nicholson ou des Martinez[34] sur leurs amis parisiens est *rather curious.* Je me trouvais par hasard chez les Daninos le jour où un coup de téléphone leur apprit l'imminente arrivée—je crois bien 25 qu'ils parlèrent de *débarquement*—des Svensson qui les avaient hébergés quinze jours durant à Stockholm. L'annonce d'une catastrophe n'eût pas[35] provoqué plus d'accablement.

détresse

distress

---

[29] **dont ce sain pays est prodigue,** *in which this healthy country abounds.*

[30] **On ne saurait,** *You can't.*

[31] **qui a fait le siège de Bordeaux,** *who tried to break into Bordeaux society.*

[32] Seaport in Algeria.

[33] **on vous sort,** *you are taken out.*

[34] English and Spanish friends.

[35] **n'eût pas = n'aurait pas.**

«Il va falloir les emmener partout!» entendis-je.

. . . Et, devant la perspective de cette épreuve, je sentis mes hôtes terriblement tentés de ne les emmener nulle part. En fin de compte, le dîner «à la maison» ayant été reporté à une date ultérieure, les Svensson furent conviés à *prendre* 5 *un verre*[36] dans un café des Champs-Elysées[37] pour être, après quelques jours, conduits dans quelques-uns de ces sanctuaires d'art et de plaisir où les Parisiens s'aventurent rarement.

Je dois dire, à la décharge des[38] Français en général, et des 10 Daninos en particulier, que l'appétit des Svensson est monumental. Je ne parle pas de la table (quoique beaucoup d'étrangers qui, chez eux, mangent trois fois rien, chez les Français dévorent), mais des pierres . . . Gunnar Svensson est un formidable avaleur de pierres. J'avais toujours eu tendance 15 à croire que l'estomac suédois était à peu près conçu sur le même modèle que les autres. C'est une erreur. L'absorption du Sacré-Cœur,[39] par exemple, sembla pour lui un hors-d'œuvre.

«*Nous devons maintenant*, dit-il, *voir les Catacombes*.»[40] 20

Si les Catacombes étaient à Florence, M. Daninos les aurait sans doute déjà visitées trois fois. Mais, habitant Paris depuis quarante ans, il ne les connaissait pas encore. (Il se rappelait seulement qu'un jour—il avait sept ans—son père lui dit: «Si tu es sage, je t'emmènerai, dimanche, aux Catacombes.» 25 Il ne dut pas être[41] sage, car il n'y avait jamais mis les pieds.)

---

[36] **prendre un verre,** *have a drink.*

[37] Champs-Elysées, fashionable right-bank boulevard in Paris, stretching from the Place de la Concorde to the Arch of Triumph, site of many theaters and cafés.

[38] **à la décharge des,** *to exonerate the.*

[39] **L'absorption du Sacré-Coeur,** *The drinking in* (*ingestion*) *of the Sacré-Coeur* (a Byzantine-style basilica in Paris, Montmartre section).

[40] **Catacombes,** underground chambers in Paris, once used for the burial of the dead.

[41] **Il ne dut pas être,** *He couldn't have been.*

Mes hôtes essayèrent de détourner Gunnar de son projet. «Si[42] nous allions plutôt prendre un verre sur la place du Tertre?»[43]

Mais non. Les étrangers ont quelquefois des idées fixes. Gunnar voulait ses Catacombes. Allez donc faire perdre le 5 nord à un Suédois![44]

«C'est facile, lui dit son hôte, je vais vous y conduire.»

Avouer ne pas connaître les Catacombes, pour un Parisien, c'est vexant. Mais ne pas savoir même où aller les chercher, c'est épouvantable. Sous prétexte d'acheter des cigarettes, 10 mon collaborateur et ami s'éloigna un instant, disparut, avisa un agent. «Dites-moi, pour aller aux Catacombes?» L'agent réfléchit, hésita, sortit son mémento. Ils se seraient serré la main.[45] Entre Français.

Quant à l'hospitalité proprement dite,[46] je crois qu'il est 15 plus facile à un Américain d'entrer dans les salons de Buckingham Palace[47] que de déjeuner chez les Taupin. On lui dit dès son arrivée: «Il faut absolument que vous veniez déjeuner avec nous, mais si, mais si!» Et puis les semaines passent; il y a un imprévu, les enfants sont malades, la cuisinière 20 a donné ses huit jours.[48] Et, finalement, le Parisien emmène l'étranger avide de couleur locale dans un *american grill room,* où le menu n'est même pas rédigé en français comme aux U.S.A.

J'exagère, sans doute. . . . *Well.* . . . Quand on reste plus de 25

---

[42] **Si,** *Supposing.*

[43] A public square in the Montmartre district.

[44] **Allez donc faire perdre le nord à un Suédois,** *Just try to make a Swede change his mind* (**perdre le nord** means *to be off-compass*). Obviously there is something of an untranslatable pun in combining the notions of **nord** and **Suédois.**

[45] **Ils se seraient serré la main,** *Probably they shook hands.* The conditional sometimes conveys this idea of probability.

[46] **proprement dite,** *real.*

[47] The royal residence in London.

[48] **a donné ses huit jours,** *gave her week's notice.*

six mois en France, je l'admets, on finit par être invité à déjeuner dans certaines familles. En ce cas, on vous avertit: «Ce sera *à la fortune du pot.*»[49]

Cette fortune-là prend, en France, les formes les plus généreuses. Elle éclaire même tout le problème: car on com- 5 prend, lorsque l'on voit les Français vous recevoir à la fortune du pot en mettant les petits plats dans les grands,[50] pourquoi cette improvisation doit être préparée de longue date. Jamais une maîtresse de maison ne parviendrait chez nous à ce résultat sans un travail de plusieurs mois. Toute la question 10 est donc de savoir s'il vaut mieux être invité tout de suite par des Anglais, ou attendre six mois pour être prié par des Français. Pour ma part, je penche en faveur de la seconde solution. *Good Lord!* C'est tellement bon que ce n'est plus du tout mauvais d'avoir attendu.   15

MARTINE ET URSULA[51]

J'ai connu dans ma vie un bouleversement comparable à ce que dut être l'effondrement des Colonnes d'Hercule,[52] le jour où Martine me dit:

«J'aime ces petits poils argentés dans ta moustache. . . .»

C'était le long de la Seine, par une de ces matinées en- 20 soleillées de mars. Je sentis le monde basculer; je tombais *definitely* dans l'univers sentimental des Latins. Je n'étais plus l'honorable major W. M. Thompson. J'allais devenir le mari de Martine Noblet, *vous savez, cet Anglais incroyable avec une moustache blanche. . . .*   25

---

[49] **à la fortune du pot,** *pot luck.*

[50] **en mettant les petits plats dans les grands,** (*but*) *in real style,* as shown by having each dish on a service plate.

[51] Ursula is his first wife and English; after her death he married Martine, a Frenchwoman.

[52] The Pillars of Hercules are the mountains on either side of the Mediterranean at the Strait of Gibraltar. Mythologically their formation was one of the extraordinary feats performed by Hercules, who, by this act of strength, separated Europe from Africa.

Parler à un homme de détails aussi personnels que sa moustache n'est pas, outre-Manche, une chose qui se fait. Il m'aura fallu venir vivre en France pour apprendre enfin, dans le détail, ma géographie. Je veux parler de mon atlas personnel dont Ursula se préoccupait si peu et dont Martine 5 a fait un relevé aussi tendre qu'exact. Jamais Ursula ne m'aurait tenu un tel langage;[53] je me souviens encore des termes qu'elle employa, dans les mêmes circonstances, comme je ne me décidais pas à parler moi-même:[54]

«Nous deux . . . après tout . . . Qu'est-ce que vous en 10 pensez? . . .»

C'est après de folles déclarations de ce genre que les Anglais se marient.

C'est ainsi que j'épousai Ursula.

A vrai dire, ce n'est pas tant l'amour qui nous unit, que 15 la passion du cheval[55] qui nous rapprocha.

La première fois que j'aperçus Ursula, elle montait *Lazy Lassie* au Horse Show de Dublin. La remise de la Coupe d'Or me permit de la féliciter. Elle me parla des Indes et de la façon de chasser le sanglier. Nous dûmes bientôt nous 20 séparer, mais une sympathie était née, et lorsque, quelques semaines plus tard, pendant la saison de la chasse au renard, je la retrouvai, nous fûmes portés tout naturellement l'un vers l'autre. En cette fin d'automne somptueuse, la campagne et les bois du Leicestershire resplendissaient encore de leurs 25 ors et de leurs rousseurs. Fut-ce la beauté de cette nature ou plutôt l'évocation de nos souvenirs hippiques? Nous perdîmes la chasse. En traversant le petit village de Ratcliffe, nous fîmes une halte aux Marlborough Arms pour y boire un whisky, et même un second. . . .[56]   30

---

[53] **ne m'aurait tenu un tel langage,** *would have spoken to me in this manner.*

[54] **je ne me décidais pas à parler moi-même,** *I couldn't make up my own mind to propose.*

[55] **passion du cheval,** *love of horses.*

[56] The ellipsis has considerable suggestive power here.

Pourquoi tant de femmes changent-elles dès l'instant où on les épouse? A la vérité, tout fut différent à partir du moment où Ursula m'apparut en robe de chambre. C'était sa prestance qui d'abord m'avait attiré, son allure, sa classe— toutes qualités qui effaçaient, en les absorbant, les traits 5 rébarbatifs de son visage: long nez, grandes oreilles, mâchoires trop développées. Comme chez ces lads[57] qui, à force de vivre jour et nuit dans l'ombre des chevaux, en arrivent à leur ressembler, il y avait en elle du cheval.

J'essayai bien, les premiers temps,[58] d'inciter Ursula à 10 revêtir le plus souvent possible la tenue que j'aimais. Mon insistance lui parut-elle singulière? Dès le jour où nous entrâmes dans notre demeure du Hampshire, Ursula cessa de monter. Sa façon même de rire d'un bon mot[59] n'était plus la même. Le fait, sans doute, d'avoir à s'occuper d'une 15 maison, à commander à des domestiques, la rendait tout à coup plus grave. C'était une maîtresse de maison, moins prompte à rire d'un bon mot qu'à relever des traces de poussière, de pieds surtout. Jamais je n'avais tant entendu parler de mes pieds. 20

«Faites attention à vos pieds quand vous entrez, *dear*. . . . Essuyez-vous les pieds! . . . Vous êtes encore passé par ici avec vos pieds, Thompson!»

Peut-être existe-t-il des hommes qui parviennent à passer quelque part sans leurs pieds? C'est là une chose au-dessus 25 de mes forces. Ce qui est certain, c'est que notre drame[60] naquit par les pieds. On cherche toujours de grands motifs aux grands drames. Ils sont souvent petits. A force de me parler de pieds, Ursula finit par me faire regarder les siens. Dans une botte bien faite, tous les pieds passent.[61] Mais, dans 30

---

[57] lads, an English word taken into French to mean *stable boys*.
[58] les premiers temps, *during the first days of our marriage*.
[59] rire d'un bon mot, *laugh at something clever I had said*.
[60] drame, *domestic difficulties*.
[61] passent, *are acceptable*.

refoulement = repression, inhibition

une pantoufle, le pied d'Ursula prenait des proportions gigantesques.

Comment expliquer, en demeurant dans les limites de la décence, ce que fut ma vie avec Ursula?

Peut-être justement en un seul mot: la décence. Cette 5 athlète, cette chasseresse impénitente s'était métamorphosée en un parangon de décence.

Toutes les Anglaises ne sont pas à l'image d'Ursula, et pourtant, expliquer Ursula c'est expliquer un peu d'Angleterre. Ce royaume aurait dû être celui de Freud:[62] tout peut 10 s'y expliquer par le refoulement. L'ère victorienne[63] mit sur pied une colossale entreprise de refoulement dont les filiales sont encore loin d'avoir cessé toute activité. Ursula était issue d'un indestructible bastion de la forteresse victorienne. Dans le manoir, où elle naquit, sa grandmère Lady Plunkett main- 15 tenait avec rigidité les principes wesleyens:[64] on ne devait jamais prononcer le mot jambes (il fallait parler d'*extremities* ou de *lower limbs*) et les pieds des pianos étaient chaussés de mousseline.

Ursula avait onze ans lorsqu'elle fut envoyée à un collège 20 du Warwickshire[65] où régnait la double loi du puritanisme et du sport. Quand elle en sortit, six ans plus tard, elle ne savait peut-être pas exactement comment était fait un garçon, mais elle l'était devenue elle-même.

Le premier soin de l'éducation britannique est de séparer 25

---

[62] **aurait dû être celui de Freud,** *should have been Freud's native country.* Freud (1856–1939) is the famous Viennese founder of certain psychological and psychiatric theories treating mostly with the subconscious.

[63] Although Queen Victoria died in 1901, the Victorian era, characterized by formalism in manners and morals, is frequently considered to have lasted until the end of the reign of Edward VII in 1910.

[64] **principes wesleyens,** *Methodist principles.* John Wesley lived from 1703 to 1791.

[65] **collège du Warwickshire,** *school in Warwickshire,* in central England.

les deux sexes comme s'ils ne devaient plus jamais se revoir.
Tandis que les filles sont confiées à des institutions où l'on
couvre leurs jambes de bas noirs, les garçons sont expediés
dans des collèges d'où ils sortent tout étonnés d'apprendre
qu'à côté du cricket et du Colonial Office[66] ils auront de 5
temps à autre à s'occuper des femmes.

Encore est-ce peu dire[67] qu'en Angleterre rien n'est fait
pour les femmes. Tout est fait contre elles, elles d'abord.[68]
Il est normal que le principal objectif d'un petit garçon soit
de devenir un homme; mais, dans le Royaume-Uni, c'est aussi 10
le but d'une petite fille.

«*Run like boys, girls, run!* (Courez comme des garçons,
girls, courez!),» disaient les *mistresses;* ce qui était une façon
de sous-entendre: «Ainsi vous n'y penserez pas!» Et Ursula
courait comme un garçon. A l'heure où Martine et ses amies 15
devenaient romantiques et rêvaient en lisant *On ne badine
pas avec l'amour*,[69] Ursula et ses camarades faisaient des
prodiges à *lacrosse*.

La femme que j'épousai était marquée par son collège
jusque dans sa façon de dormir. Quelque temps après l'entrée 20
d'Ursula dans ce collège, un soir d'hiver, une surveillante, in-
spectant son glacial dortoir, l'avait découverte s'endormant
pelotonnée sous ses draps.

«Mon enfant, lui dit-elle, est-ce là une posture décente
pour dormir? Supposez un instant que vous soyez cette nuit 25
rappelée à Dieu: serait-ce une façon correcte de rencontrer
Notre-Seigneur?»

---

[66] The Colonial Office is one of the ministries in the British government.

[67] **Encore est-ce peu dire,** *Still it is a real understatement to say.*

[68] **elles d'abord,** *especially them.*

[69] *On ne badine pas avec l'amour, No Jesting with Love* was published in 1834 by Alfred de Musset (1810–1857). It is the best of the
plays of this poet-dramatist and is marked by an intensity of feeling
and praise of love that keep it very vital.

A partir de cette nuit, Ursula s'endormit selon la *rule*: sur
le dos, les pieds au froid,[70] les mains jointes sur la poitrine.
C'est là, j'en conviens, une attitude des plus recommendables
pour les rois et les reines qui, figés dans la pierre, dorment
leur dernier sommeil dans l'Abbaye de Westminster,[71] ex-   5
posés aux regards des générations.

Je sais. . . . Toutes les Anglaises ne dorment pas ainsi.
Toutes les filles d'Albion[72] n'ont pas de grands pieds et des
mâchoires géantes. Il est[73] de ravissantes Anglaises—et,
quand elles sont jolies, elles le sont pour toutes celles qui ne 10
le sont pas. Ursula, sans doute, était un cas.[74] Et, dans le
cas d'Ursula, l'amour, simplement, ne l'intéressait pas.

Levée à cinq heures, elle passait sa journée avec les
chevaux, avec les garçons d'écurie. Quand elle rentrait, elle
ôtait ses bottes, se jetait sur un sofa ou sur son lit, sombrait 15
dans le sommeil ou reprenait sa broderie.

Des dizaines d'années me séparaient encore de[75] Martine
et de l'univers sentimental des Français. Puis-je me permettre
ici de passer du particulier au général et, après avoir pris
soin de souligner que l'Angleterre n'est pas exclusivement 20
peuplée d'Ursulas, de noter ce que je considère comme une
différence essentielle entre les deux pays?

Les Anglais ont des rites pour le thé et des habitudes pour
l'amour.[76] Les Français prennent pour l'amour les soins que
nous reservons au thé. Le plus souvent, chez, nous, l'amour 25

---

[70] **les pieds au froid,** *her feet out of the blankets.*

[71] Westminster Abbey in London is the burial place of many of the
English monarchs and other notables.

[72] Albion is an old and poetic expression for England.

[73] **Il est = Il y a.**

[74] **un cas,** *a special case.*

[75] **Des dizaines d'années me séparaient encore de,** *It was still many
years before I was to meet.*

[76] **ont des rites pour le thé et des habitudes pour l'amour,** *drink their
tea as a ritual but treat love merely as a habit.*

est un sketch rapide dont on ne parle ni avant ni après. Pour
les Français, c'est une pièce savamment montée,[77] avec pro-
logue et intermèdes, et dont on parle beaucoup avant, pendant et après.

En France, une jolie femme (toutes les femmes s'arrangent 5
pour être jolies dans ce pays, même les autres)[78] sera choquée
si un homme ne lui fait pas la cour dans un salon ou ne
remarque même pas sa nouvelle robe.

En Angleterre, une jolie femme trouvera *most shocking*
qu'un homme lui baise la main, et tout à fait déplacé qu'il 10
lui tourne[79] un compliment sur son teint.

Ce que Martine demande avant tout à une robe, c'est
d'être élégante. Ursula, comme ses compagnes, voulait
d'abord s'y sentir *comfortable*. Dans la rue, la Parisienne
qui inaugure un *petit* tailleur[80] printanier est secrètement 15
ravie de voir le regard des hommes s'allumer. L'Anglaise le
serait sans doute aussi, mais ce début d'incendie est inimagi-
nable dans un pays où le regard des hommes, sans doute à
cause de l'humidité ambiante, paraît ininflammable. Les
Français contemplent les femmes. Les Anglais ne font que 20
les croiser.[81]

En France, les femmes font tout ce qu'elles peuvent pour
être remarquées—tout en affichant la surprise la plus vive si
quelque inconnu les remarque au point de le leur dire. Une
femme du monde sera scandalisée si on l'aborde, mais navrée 25
que l'on n'essaie pas. «On ne me suit plus . . .» dira-t-elle un
jour, pour marquer à la fois son âge et son désabusement.

Une Anglaise peut être parfaitement tranquille sur ce
chapitre: on ne l'importunera jamais. Si, par extraordinaire,

---

[77] **pièce savamment montée,** *cleverly arranged play.*

[78] **même les autres,** *even those who aren't.*

[79] **lui tourne,** *address to her.*

[80] **tailleur,** *tailored suit.* The **petit** is italicized to suggest that the
suit is a modest one, but not really.

[81] **ne font que les croiser,** *just pass them by in the street* (without
noticing them).

quelque étranger suspect s'avisait de la suivre, le traditionnel policeman aurait tôt fait de[82] remettre les choses dans la tradition la plus stricte—les policemen des deux pays étant très différents. Martine m'a raconté qu'un jour, encore jeune fille, mais déjà suivie, elle s'était précipitée vers un gardien 5 de la paix pour lui dire: «Monsieur l'agent, cet homme me suit!»

«Dommage que je ne puisse pas en faire autant, mademoiselle!» lui répondit l'agent, tout en continuant à régler la circulation. 10

Expressions for Study

1. Les romans policiers français qui se déroulent en Angleterre pour faire plus vrai.
2. Il s'est passé un peu avec le shake-hand ce qui est arrivé avec la table.
3. Un Français de moyenne importance passe (environ) trente minutes par jour, soit plus d'une année d'une vie de soixante ans, à serrer des mains.
4. Cela, bien entendu, sans parler des mains des gens qu'il ne connaît pas.
5. Pour en revenir à la poignée de main . . .
6. Il y en a qui estiment n'avoir serré une main qu'après vous avoir broyé les phalanges.
7. Il en dit autant que nous lorsque nous déclarons: «Je l'ai coupé mort.»
8. Il prend vite l'habitude de serrer toutes les mains qui sont à portée de la sienne.
9. Mes compatriotes ne savent qu'en faire.
10. Tout cela revient à avouer que l'on est incapable de parler d'autre chose.
11. Un mot revient plus que n'importe quel autre.
12. Il s'est trompé du jour.
13. Pourvu que l'on ne veuille pas entrer chez eux.
14. Le meilleur moyen est de trouver une Française qui veuille bien de vous.
15. Un Anglais dont vous venez de faire la connaissance.

---

[82] **aurait tôt fait de,** *wouldn't take long in.*

16. Devant de nobles hôtels particuliers aux façades austères.
17. Combien de temps au juste peut durer cette période?
18. On ne saurait le dire.
19. Finalement, tout de même, vous êtes reçu.
20. A Paris, on vous sort.
21. L'annonce d'une catastrophe n'eût pas provoqué plus d'accablement.
22. Je sentis mes hôtes terriblement tentés de ne les emmener nulle part.
23. L'absorption du Sacré-Coeur sembla pour lui un hors-d'oeuvre.
24. Il ne dut pas être sage.
25. Ils se seraient serré la main.
26. La cuisinière a donné ses huit jours.
27. Ce sera à la fortune du pot.
28. En mettant les petits plats dans les grands.
29. Cette improvisation doit être préparée de longue date.
30. Il m'aura fallu venir vivre en France.
31. Jamais Ursula ne m'aurait tenu un tel langage.
32. Nous dûmes bientôt nous séparer.
33. Tout fut différent à partir du moment où Ursula m'apparut en robe de chambre.
34. Comme chez ces lads qui, à force de vivre jour et nuit dans l'ombre des chevaux, en arrivent à leur ressembler.
35. Notre drame naquit par les pieds.
36. Dans une botte bien faite, tous les pieds passent.
37. Comme s'ils ne devaient jamais plus se revoir.
38. Ils auront de temps à autre à s'occuper des femmes.
39. Encore est-ce peu dire que rien n'est fait pour les femmes.
40. Ursula était un cas.
41. Une jolie femme sera choquée si un homme ne lui fait pas la cour.
42. Les Français contemplent les femmes. Les Anglais ne font que les croiser.
43. Le traditionnel policeman aurait tôt fait de remettre les choses dans la tradition.
44. Dommage que je ne puisse pas en faire autant.

Questionnaire

Le Pays du shake-hand

1. Pourquoi les romans policiers français se déroulent-ils en Angleterre?
2. Qui a inventé un nom pour la poignée de main? Et qui la pratique?

3. Les Anglais se serrent-ils souvent la main?
4. Combien de temps un Français passe-t-il chaque jour à serrer des mains?
5. Le Major a-t-il confiance en les statisticiens en général?
6. Quelles sont les différentes façons de serrer la main à quelqu'un?
7. Que font souvent les Français de dangereux? Pourquoi?
8. Pourquoi le critique dramatique était-il pressé?
9. Qu'auraient pensé ses amis s'il ne leur avait pas dit bonsoir?
10. Quelle est la plus grave offense possible pour un Français?
11. Qu'est-ce qui arrive à un Anglais qui vit longtemps en France?
12. Est-il dans une situation agréable lorsqu'il retourne en Angleterre?

Le Temps

1. Qui sont des maîtres quand il s'agit de parler du temps?
2. Qu'est-ce que cela signifie en France, si on parle du temps? Et en Angleterre?
3. Pourquoi le temps a-t-il été inventé?
4. Pourquoi fait-il si mauvais en Angleterre?
5. Quelle est la deuxième différence qui sépare les Anglais des Français dans la conversation?

Les Lois de l'hospitalité et de la gastronomie

1. Les Français sont-ils hospitaliers? à quelle condition?
2. Quel est le meilleur moyen de vivre dans une famille française?
3. Qu'est-ce qu'un Français vous a expliqué au bout d'une heure? Et un Anglais?
4. Connaissez-vous bien un Anglais au bout de cinq ans?
5. Lequel vous invitera le plus vite chez lui, l'Anglais on le Français?
6. Quelle est la caractéristique de la société de province?
7. Qu'est-ce qu'on vous dit toujours quand vous arrivez dans une ville?
8. Que faut-il faire pour être reçu? et pour être connu?
9. Que font les gens qui sont enfin reçus?
10. Combien de temps la famille a-t-elle attendu pour entrer dans la société d'Oran?
11. Quelle est la grande différence entre Paris et la province?
12. Comment les Svensson ont-ils annoncé leur arrivée?
13. Comment les Daninos avaient-ils fait la connaissance des Svensson?
14. Qu'est-ce que les Daninos ont l'intention de faire?
15. Ont-ils invité les Svensson à la maison?
16. Qu'est-ce que Gunnar Svensson aime faire?

17. Quelle était son idée fixe?
18. M. Daninos connaissait-il les Catacombes? Pourquoi?
19. Savait-il comment aller aux Catacombes? Et l'agent de police?
20. Pourquoi M. Taupin attend-il si longtemps pour inviter les étrangers?
21. Où le Parisien emmène-t-il son invité étranger?
22. Quelle est l'explication de cette longue attente?
23. Qu'est-ce que c'est que la fortune du pot?
24. Le repas français peut-il être préparé rapidement?
25. Est-ce que cela vaut la peine d'attendre longtemps?

Martine et Ursula

1. Quelle idée a eue le Major Thompson en entendant la remarque de Martine?
2. Est-il convenable pour des Anglais de parler de détails personnels?
3. Ursula s'intéressait-elle à l'aspect physique du Major Thompson?
4. Qui a fait la déclaration, le Major ou Ursula? En quels mots?
5. Quel intérêt avaient-ils en commun?
6. Quel fut leur premier sujet de conversation?
7. Que faisaient Ursula et le Major Thompson en ce bel automne?
8. Est-ce qu'ils ont continué la chasse?
9. Quelles étaient les qualités physiques d'Ursula? Et ses défauts?
10. Pourquoi Ursula ressemblait-elle à un cheval?
11. Ursula continue-t-elle à monter après son mariage?
12. Pourquoi était-elle sérieuse maintenant?
13. De quoi parlait-elle toujours?
14. Comment étaient les pieds d'Ursula?
15. Quel est le mot qui explique Ursula?
16. Comment peut-on tout expliquer en Angleterre?
17. Le victorianisme a-t-il des conséquences aujourd'hui?
18. Quels étaient les principes de Lady Plunkett?
19. Quelle éducation a reçue Ursula?
20. L'éducation britannique est-elle mixte?
21. Est-ce que l'Angleterre est favorable aux femmes?
22. Que faisait Martine à dix-huit ans? Et Ursula?
23. Est-ce qu'il fait chaud dans une maison anglaise?
24. Qu'est-ce que la surveillante a dit à Ursula?
25. A quoi ressemblait Ursula quand elle dormait?
26. Y a-t-il de jolies Anglaises? Sont-elles très jolies?
27. Que faisait Ursula en rentrant à la maison?
28. Quelle est une différence importante entre les Anglais et les Français?

29. Qu'est-ce que c'est que l'amour pour les Français?
30. Est-ce qu'une Française sera choquée si un homme remarque sa nouvelle robe?
31. Qu'est-ce que Martine demande à une robe? Et Ursula?
32. Les Anglais regardent-ils les femmes avec admiration?
33. Est-ce que les Françaises aiment qu'on les remarque?
34. Quel sentiment éprouve une femme du monde si on ne la suit plus?
35. Pourquoi Martine a-t-elle parlé au gardien de la paix?
36. L'agent de police a-t-il bien protégé Martine?

Jean L'Hôte

La Communale

In the minds of most Americans France and Paris are synonymous. It is easy to justify this impression, for over the centuries, the long history of France has been that of the gradual imposition of the authority of Paris over the rest of the country. A highly centralized government causes all the authority of government, including that over education, to radiate from Paris and to affect even the most remote villages. The literary, artistic, and commercial wellsprings of French life are dominated by Paris. Yet the "provinces," which means everything outside Paris, have their own definite character and vitality.

The selection which follows is from a first novel by Jean L'Hôte (born 1929) called *La Communale* [*The Elementary School*]. It is laid in a small community in one of France's most easterly provinces —Lorraine—and describes that most important yet commonplace event—the day of final examinations in a small country school. The humor and the realism of the telling should strike a universal note with every reader.

BACKGROUND

The story is related by the son of a country schoolteacher, taking his final examinations, along with the students from nearby schools, in his father's schoolhouse.

Le grand jour du certificat d'études prim.ires[1] arriva enfin. Dès[2] sept heures du matin, les candidats commencèrent à arriver des campagnes[3] voisines. Les fils de riches fermiers venaient en cabriolet,[4] avec leur père. Les autres étaient montés sur d'ordinaires chars à bancs conduits par l'instituteur lui-même. Il y eut bientôt devant l'école un grand rassemblement d'enfants endimanchés, de paysans, de boeufs, de chevaux et de voitures. On reconnaissait les candidats au cartable de cuir bouilli[5] qu'ils portaient précieusement sous le bras et sur lequel on pouvait lire l'inscription publicitaire[6] d'une marque d'apéritif[7] ou de machines agricoles. Le fils d'un gros propriétaire fit une arrivée très remarquée, debout sur un tracteur, à côté de son père qui, en allant aux champs, avait fait un détour pour le conduire à l'école.

Les instituteurs membres du jury s'étaient rassemblés dans notre salle à manger et parlaient de leurs candidats comme de jeunes poulains qu'ils présenteraient au comice agricole.[8]

Pendant ce temps, ma mère servait à ces messieurs des tasses de thé ou de café. Elle avait mis de côté à la cuisine une cruche de chocolat et quelques croissants frais pour Monsieur l'Inspecteur primaire qui avait, paraît-il, un faible pour ces friandises-là. Pour rien au monde, mes parents

---

[1] **études primaires.** In general terms this would cover the studies beginning at six years of age and terminating at twelve or thirteen.

[2] **Dès** always adds to the sense of immediacy or earliness; translate *As early as.*

[3] **campagnes,** *countryside.*

[4] **cabriolet,** a light carriage, perhaps two-wheeled, and obviously more fashionable than the **chars à bancs** next mentioned. The latter has a number of transverse benches. It is not necessary to translate either word.

[5] **cartable de cuir bouilli,** *soft leather brief cases.*

[6] **inscription publicitaire,** *advertisement.*

[7] **marque d'apéritif,** *brand of aperitif.* An aperitif is a light drink before a meal, to stimulate the appetite.

[8] **comice agricole,** *country fair.*

n'auraient manqué à cette tradition, ils avaient un bien[9] trop
grand respect pour Monsieur l'Inspecteur. D'ailleurs, c'était
un homme qui portait un habit noir, un col cassé, un bouc
et la rosette de la légion d'honneur.[10] Il habitait la villa «SAM
SUFFY»[11] à deux kilomètres de Lunéville.[12]   5

Il se déplaçait toujours sur une grande bicyclette noire,
avec un grelot en guise d'avertisseur. Par souci de sa dignité,
il la laissait toujours à la première maison et venait en ville
à pied.

Ce jour-là, il fut surpris en route par l'un de ces petits 10
orages matinaux qui ne sont jamais graves au mois de juillet
mais qui suffisent, en cinq minutes, à tremper un homme
jusqu'à la chemise. Comme l'ouverture des épreuves devait
se faire solennellement à huit heures précises sous la présidence de Monsieur l'Inspecteur, celui-ci ne se mit pas à l'abri 15
et arriva à l'école complètement mouillé. Mais ma mère avait
tout prévu. Lorsqu'elle vit à huit heures moins dix l'averse
tomber, elle mit le fer à repasser à chauffer sur la cuisinière et
quand l'Inspecteur arriva, essoufflé, elle le conduisit directement à la cuisine et me fit sortir sur le palier car je ne devais 20
pas assister à ce qui allait se passer ensuite.

Toutes ces précautions avaient tellement excité ma curiosité que je ne pus résister à l'envie[13] de regarder par le trou
de la serrure. J'aperçus alors tout à fait distinctement le grand
homme qui quittait son veston noir et qui attendait en bras 25
de chemise que ma mère ait terminé de repasser l'habit
trempé, pour le sécher.

Dans la classe, l'émotion était grande. Une minute encore
et l'examen devait commencer. Monsieur l'Inspecteur ne fut
pas en retard, il fit son entrée juste comme huit heures son- 30

---

[9] bien = beaucoup.

[10] The inspector has all the airs of dignity and respectability—black
suit, wing collar, a goatee, and the red rosette of the Legion of Honor.

[11] SAM SUFFY, a phonetic rendering of ça me suffit, the somewhat
whimsical name he has given his villa; translate Good Enough for Me.

[12] Lunéville, town in northeastern France.

[13] envie, desire.

naient. Il monta sur l'estrade, ajusta ses lorgnons et chercha dans sa poche le texte des épreuves qu'il avait établi lui-même et qu'il était le seul à connaître jusqu'à ce moment. Toute la classe était suspendue à ses moindres gestes. De quel genre serait le problème d'arithmétique qui allait sortir 5 de l'une de ses poches? Serait-ce une réduction de fractions au même dénominateur ou, ce qui était plus redoutable encore, un problème mettant en cause les volumes des sphères, des cylindres et des parallélépipèdes?[14] Enfin, Monsieur l'Inspecteur trouva. Il déplia un papier humide et se 10 mit à lire.

—Deux trains partent à la même heure, en direction l'un de l'autre, le premier d'une gare *A*, le second d'une gare *B*. Sachant que le premier roule à la vitesse de 50 km/heure et le second à la vitesse de 45 km/heure et que la distance à par- 15 courir est de 500 kilomètres, à quelle heure se rencontreront-ils? Ils sont partis à 9 h.[15] 53.

Aussitôt, tous les candidats se penchèrent sur leur copie. Seuls, les élèves de mon père restèrent le nez en l'air, avec une expression de douloureuse inquiétude. L'inspecteur dit à 20 l'un d'eux:

—Alors, toi! . . . Tu n'as pas compris les données du problème?

—On n'a jamais fait de problèmes en locomotive, M'sieur!

—La belle affaire![16] Figure-toi que ce sont des aéroplanes 25 ou bien des automobiles.

Renseignés par cette précieuse indication, les candidats de mon père se mirent à l'ouvrage avec ardeur.

La classe était plongée dans le silence. On n'entendait que le crissement des plumes neuves sur le papier. Les deux in- 30 stituteurs chargés de la surveillance passaient lentement entre les rangées. Quelquefois ils s'arrêtaient derrière un élève, se

---

[14] **parallélépipèdes,** prisms whose bases have the form of a parallelogram.

[15] **h.** = **heure.**

[16] **La belle affaire!** *What difference does that make!*

penchaient sur son travail et repartaient avec cet air énigmatique,[17] plus terrible qu'un reproche pour les candidats
inquiets.

Les élèves de mon père terminèrent leur problème dix
minutes avant les autres. L'épreuve suivante était la composi- 5
tion française. Monsieur l'Inspecteur remonta sur l'estrade et
déplia un grand papier sur lequel il ne lut que ces mots:

—Racontez quelles sont vos occupations le jeudi après-
midi.[18]

A nouveau, la classe devint silencieuse. Au bout de quel- 10
ques minutes on entendit un bruit bizarre. C'était un élève de
mon père, le[19] Jean Royer, qui rêvait. Il avait le regard perdu
au plafond et imitait avec sa bouche le ronflement d'une
automobile qui démarre, change de vitesse puis roule à toute
allure.[20]   15

—Voyons, Monsieur, où vous croyez-vous donc? dit l'inspecteur.

Très étonné de s'entendre appeler Monsieur, le Jean Royer
se tut et resta immobile, les yeux ronds, la bouche ouverte.

—Ce n'est pas moi qu'il faut regarder, dit l'inspecteur, 20
fermez votre bouche et travaillez.

Le Jean Royer se pencha sur sa copie. Après quelques instants de travail, il se laissa à nouveau aller à son imagination
et se mit encore à imiter le moteur d'une automobile. Mais
il s'aperçut aussitôt de son inconvenance[21] et plaça sa main 25
devant sa bouche pour achever sa composition française.

Les épreuves écrites se terminaient à onze heures et demie.

---

[17] The **air énigmatique** clearly implies dissatisfaction with what the
teachers have just seen.

[18] **jeudi après-midi,** *Thursday afternoon,* the weekday holiday in
French schools.

[19] The use of the definite article before a proper name usually has a
derogatory connotation; here, that there is something odd about the
boy. Translate as *that.*

[20] **roule à toute allure,** *goes full speed ahead.*

[21] **inconvenance,** *improper conduct.*

Dès qu'ils sortirent de la salle d'examen, les élèves allèrent
dans la cour former autour de leurs maîtres des petits groupes
ou chacun rendait compte de l'heure à laquelle il avait fait
se rencontrer les trains. De la fenêtre de l'école, on devinait
aisément que les résultats rapportés ne concordaient pas tou- 5
jours. On apercevait plusieurs groupes au milieu desquels
l'instituteur dessinait sur le sable de la cour le trajet des deux
locomotives.

A midi, mon père fit un saut[22] à la maison, pour prendre
son chapeau.   10

—Je me sauve,[23] dit-il, on m'attend pour le banquet. Je
crois qu'ils ont tous trouvé le bon résultat pour le problème.
Il n'y a que ce nigaud de Jean Royer qui a changé les locomotives en automobiles. Je pense que le jury ne tiendra
compte que de l'heure de la rencontre.   15

Mon père partit en courant rejoindre les autres instituteurs
au banquet annuel du certificat d'études.

Au banquet, on dut boire beaucoup car, lorsque l'inspecteur et les instituteurs revinrent à l'école, plusieurs avaient la
mine rouge et parlaient avec une gaieté inhabituelle.   20

La première épreuve de l'après-midi était le dessin. Monsieur l'Inspecteur vint trouver ma mère et lui demanda un
objet décoratif qui pourrait servir de modèle. Elle lui confia
la théière de notre service en porcelaine et les candidats
s'appliquèrent à en reproduire exactement tous les détails.   25

Au bout de quelques instants, Monsieur l'Inspecteur
découvrit un élève qui dessinait sur la théière, non pas les
petites fleurs qu'il voyait, mais une bergère et ses moutons.
Son étonnement augmenta encore quand il s'aperçut que
plusieurs autres candidats faisaient la même erreur. Il essaya 30
de comprendre ce phénomène curieux en s'approchant de la
théière pour l'observer minutieusement. Il n'y avait pas de
doute possible, elle était décorée de fleurettes roses et vertes

---

[22] **fit un saut,** *hurried over.*
[23] **Je me sauve,** *I'm off!*

qui ne ressemblaient ni à une bergère ni à des moutons. Monsieur l'Inspecteur s'assit derrière le bureau et médita profondément. Tout à coup, en relevant la tête, il vit sur la théière une bergère et des moutons dessinés de son côté.[24] Les élèves ne pouvaient donc pas les voir. Cela devint alors un mystère trop grand pour l'intelligence de Monsieur l'Inspecteur.

Il ignorait[25] que cette théière servait depuis toujours[26] aux leçons de dessin de mon père et que les candidats de celui-ci savaient la dessiner par coeur.

Les épreuves de chant et de récitation eurent lieu dans une atmosphère d'euphorie et d'indulgence. La chaleur du mois de juillet et les suites du trop bon repas de midi ajoutaient leurs effets pour créer chez messieurs les examinateurs un agréable engourdissement.

Les épreuves se terminèrent par la gymnastique. Les instituteurs de ce temps-là ne lui accordaient aucune importance. Ils estimaient que les enfants de la campagne se donnaient assez d'exercice en aidant leurs parents aux travaux des champs. Aussi[27] n'était-ce que par pure forme qu'on invita les candidats à descendre dans la cour pour les faire sauter au-dessus d'une corde tendue entre deux chaises. Quant à l'épreuve de course, il ne restait plus assez de temps pour la faire passer à chaque élève[28] séparément. Monsieur l'Inspecteur fit aligner[29] tous les candidats devant le grand mur de la cour et décida que ceux qui mettraient[30] plus de trente secondes pour parvenir au mur d'en face, auraient deux points en moins. Le trajet était si court que tout le monde arriva en même temps.

---

[24] **de son côté,** *on his side of the teapot.*

[25] **ignorait,** *didn't realize.*

[26] **servait depuis toujours,** *had been used since time eternal.*

[27] **Aussi,** *So,* its usual meaning at the beginning of a sentence.

[28] **pour la faire passer à chaque élève,** *to have every pupil take it.*

[29] **fit aligner,** *drew up.*

[30] **mettraient,** *would take.*

A cinq heures, la correction des copies était terminée. Il restait à examiner le cas de quelques candidats dont la note était un peu inférieure à la moyenne mais qui méritaient peut-être d'être rachetés. Le jury, présidé par l'Inspecteur, se réunit dans notre salle à manger. De la cuisine, on entendait 5 parfaitement la conversation. A un certain moment, il dut être[31] question d'un élève de mon père car celui-ci se mit à écouter attentivement, debout derrière la porte.

—Prenons garde, disait une grosse voix, l'obscurantisme clérical[32] est en train de faire des ravages dans nos cam- 10 pagnes. Un candidat a écrit textuellement[33] que la houille blanche[34] était un miracle et qu'on en produisait beaucoup dans la région de Lourdes.[35]

—Vous ne m'étonnez pas, répondit une petite voix. Moi, j'ai lu trois copies où les enfants racontaient que le jeudi 15 après-midi, ils allaient à Lourdes, en automobile. Il y en a même un, au retour, qui est mort de soif en traversant le Massif Central.[36]

—Et pourquoi n'iraient-ils pas à Lourdes? dit une autre voix fluette. Le climat y est sain. 20

—Vous écrivez sain avec un *t*?[37] reprit la grosse voix.

---

[31] **dut être,** *must have been.*

[32] **obscurantisme clérical,** *clerical (church) obstructionism.* The assumption is that the members of the clergy are opposed to the spread of education. The issue of church versus state traditionally finds its local reflection in a certain antagonism between the neighborhood priest and teacher.

[33] **textuellement,** *literally.*

[34] **houille blanche,** *white coal,* a euphemism for water power.

[35] Lourdes, a town in southwestern France, is famous for its religious pilgrimages which attract believers from all over the world. The miraculous cures of the ill and crippled are attributed to the influence of Saint Bernadette (1844–1879).

[36] A chain of hills, plateaus, and small mountains in south-central France. Do not translate.

[37] The similarity in sound of many words of different spelling makes French particularly apt for puns of this type.

Il y eut alors un rire général et l'on entendit un bruit de verre cassé.

—Le service![38] dit ma mère en se levant, inquiète.

—Messieurs, un peu de calme, s'il vous plaît, dit l'Inspecteur et procédons par ordre.[39] Examinons d'abord les copies 5
de calcul arithmétique. Il y a le cas de ce candidat qui a répondu un chiffre juste au problème mais qui l'a donné en «automobiles» et non en «locomotives.» A votre avis, méritera-t-il quand même la bonne note?

—Mais bien sûr! répondirent toutes les voix en même 10
temps.

—Je n'en suis pas si sûr, reprit aussitôt la voix fluette. De nos jours, on ne pense plus qu'au plaisir. Il y a d'abord eu le cinéma, puis la bicyclette, maintenant l'automobile et pourquoi pas le ballon dirigeable pendant que vous y êtes![40] 15

—Oh! dit mon père, scandalisé.

L'Inspecteur intervint pour calmer la voix fluette mais celle-ci ne voulait plus s'arrêter.

—Que les ministres[41] ou les médecins aient une automobile, d'accord! Mais vous n'allez tout de même pas me dire 20
que nos paysans en ont besoin. D'ailleurs, avec la boue qu'il y a dans nos chemins, elles seraient jolies, vos automobiles . . .

—Messieurs, je crois que la majorité est suffisante pour que . . .

Mais l'autre ne laissa pas l'Inspecteur achever sa phrase. 25

—Et vous, Monsieur l'Inspecteur, vous avez une automobile? Non! Vous allez en vélo[42] ou à pied, comme moi, et nous n'en sommes pas morts.

Finalement, tous les candidats de mon père furent, cette année-là, reçus au certificat d'études primaires. Quand les 30
résultats eurent été proclamés, les membres du jury et quel-

---

[38] **service,** (*dinner*) *service.*

[39] **par ordre,** *in the proper order.*

[40] **pendant que vous y êtes!** *while you are about it!*

[41] **ministres,** *ministers of the government.*

[42] **vélo = bicyclette.**

ques autres instituteurs décidèrent d'aller arroser ça[43] à la
Brasserie d'Alsace. Mon père me permit de l'accompagner et
nous partîmes rejoindre les autres. En route, nous rencon-
trâmes Monsieur le Curé en costume d'église qui marchait
lentement à la tête d'un enterrement. Mon père s'arrêta sur   5
le bord du trottoir et enleva dévotement son chapeau. A ce
moment, le curé nous aperçut, il cessa de murmurer ses
prières et dit en nous regardant:

—Combien?

—Cinq, répondit mon père.   10

En effet, sur[44] huit candidats présentés par l'école libre,[45]
cinq seulement avaient été reçus.

Le curé se replongea dans la lecture de son livre de prières,
l'enterrement s'éloigna et nous arrivâmes à la Brasserie d'Alsace.   15

Les instituteurs bavardèrent longtemps à la terrasse du
café. Ils parlèrent de politique, de jardinage et d'école. Pendant ce temps, seul dans mon coin, j'apercevais au travers des
pois de senteur le lent défilé des voitures qui reconduisaient
dans les villages maîtres d'écoles et candidats reçus au certifi- 20
cat d'études. Quelquefois, il y avait à l'arrière[46] un ou deux
recalés qui baissaient la tête, les jambes ballantes, insensibles
aux cahots. Finalement, le long cortège, enveloppé de poussière, s'éloigna dans la lumière oblique du soleil couchant.

Expressions for Study

1. Dès sept heures du matin, les candidats commencèrent à arriver.
2. Il y eut bientôt devant l'école un grand rassemblement d'enfants
   endimanchés.
3. De jeunes poulains qu'ils présenteraient au comice agricole.

---

[43] **arroser ça,** *wash it down.*

[44] **sur,** *out of.*

[45] **école libre:** the so-called *free schools* are in reality parochial
schools, whose students must, however, pass state examinations if they
wish proper accreditation.

[46] **à l'arrière,** *at the back.*

4. Elle avait mis de côté une cruche de chocolat.
5. L'Inspecteur avait un faible pour ces friandises-là.
6. Pour rien au monde, mes parents n'auraient manqué à cette tradition.
7. Un grelot en guise d'avertisseur.
8. L'ouverture des épreuves devait se faire à huit heures.
9. Je ne devais pas assister à ce qui allait se passer.
10. Je ne pus résister à l'envie de regarder.
11. J'aperçus tout à fait distinctement le grand homme.
12. Il se mit à lire.
13. La belle affaire!
14. Figure-toi que ce sont des aéroplanes.
15. Les candidates se mirent à l'ouvrage.
16. On n'entendait que le crissement des plumes.
17. Une automobile qui change de vitesse puis roule à toute allure.
18. Le Jean Royer se tut.
19. Il se laissa à nouveau aller à son imagination.
20. Il s'aperçut aussitôt de son inconvenance. _in decorousness_
21. Les résultats ne concordaient pas toujours. _impolitesse_
22. Mon père fit un saut à la maison.
23. Je me sauve.
24. On dut boire beaucoup.
25. Tout à coup, il vit sur la théière des moutons dessinés de son côté.
26. Il ignorait que cette théière servait depuis toujours.
27. Aussi n'était-ce que par pure forme.
28. Il ne restait plus assez de temps pour la faire passer à chaque élève.
29. Il dut être question d'un élève de mon père.
30. Méritera-t-il quand même la bonne note?
31. De nos jours, on ne pense plus qu'au plaisir.
32. Pourquoi pas le ballon dirigeable pendant que vous y êtes?
33. Vous n'allez tout de même pas me dire que nos paysans en ont besoin.
34. D'ailleurs, elles seraient jolies.
35. Vous allez en vélo.
36. Ils décidèrent d'aller arroser ça.
37. Sur huit candidates, cinq seulement avaient été reçus.

Questionnaire

1. Comment arrivaient les candidats?
2. Etaient-ils bien habillés? Comment les reconnaissait-on?
3. Comment les membres du jury parlaient-ils de leurs candidats?

4. Qu'est-ce que la mère donne à manger et à boire aux instituteurs? Pourquoi?
5. Décrivez l'Inspecteur
6. Que faisait l'Inspecteur par souci de dignité?
7. Qu'est-ce qui est arrivé à l'Inspecteur en route?
8. Qu'a fait la mère quand elle a vu l'averse tomber?
9. Qu'est-ce que le petit garçon a vu par le trou de la serrure?
10. Qu'a fait l'Inspecteur en entrant dans la classe?
11. La classe connaissait-elle le sujet? Etait-elle anxieuse?
12. Que se demandait la classe?
13. Pourquoi les élèves du père étaient-ils inquiets?
14. Qu'est-ce que l'Inspecteur leur a dit de faire?
15. Que faisaient les instituteurs pendant l'examen?
16. Est-ce qu'ils faisaient des critiques aux candidats?
17. Quel était le sujet de la composition française?
18. Quel est le bruit bizarre qu'on a entendu?
19. Qu'est-ce que l'Inspecteur a dit à Jean de faire?
20. A quelle heure s'est terminé l'examen?
21. Qu'ont fait les élèves après l'examen? Et l'instituteur?
22. Qu'est-ce que Jean Royer a fait? Que pense l'instituteur?
23. Comment sait-on que les instituteurs ont dû beaucoup boire?
24. Pourquoi l'Inspecteur a-t-il demandé une théière?
25. Qu'est-ce que plusieurs candidats dessinaient? Que voyaient-ils?
26. Quelle est l'explication de ce mystère?
27. L'Inspecteur était-il très intelligent?
28. Quel est l'effet du bon repas sur les examinateurs? Sont-ils sévères?
29. Pourquoi les instituteurs n'accordaient-ils aucune importance à la gymnastique?
30. Qu'est-ce que l'Inspecteur a fait pour l'épreuve de course?
31. Que restait-il à faire à cinq heures?
32. Qu'est-ce qu'un candidat a écrit?
33. Pourquoi Lourdes est-elle une ville célèbre?
34. Que pensait un des instituteurs de la réponse du candidat?
35. Quel cas examine-t-on? Quelle est la question?
36. Nommez plusieurs moyens de transport.
37. Qu'est-ce que l'homme à la petite voix critique?
38. Où sont allés les instituteurs après la proclamation des résultats?
39. Qu'est-ce que le curé faisait? Qu'est-ce qu'il a fait?
40. De quoi ont bavardé les instituteurs?
41. Qu'est-ce que le petit garçon voyait par la fenêtre?
42. Décrivez les recalés. *ceux qui n'ont pas été reçus*
43. Qui a raconté cette histoire?

[*Sidonie Gabrielle Claudine*] Colette

Two Stories

Colette (1873–1954), as she was known to readers of her mature literary works, was the most distinguished woman of letters on the contemporary French, and perhaps world-wide, scene. As was most natural her writings dealt with her own sex and showed a very heightened sensitivity to the many shades of feminine psychology.

Le Rire may be considered as autobiographical; *L'Autre Femme* is an extremely subtle study of the psychology of love. It will bear close reading.

There is very slight abridgment of the original text.

LE RIRE

Elle riait volontiers,[1] d'un rire jeune et aigu qui mouillait ses yeux de larmes, et qu'elle se reprochait après comme un manquement à la dignité d'une mère chargée de quatre enfants et de soucis d'argent. Elle maîtrisait les cascades de son rire, se gourmandait sévèrement: «Allons! voyons! . . .»[2] puis cédait à une rechute de rire qui faisait trembler son pince-nez.

5

[1] **volontiers,** *easily.*
[2] **Allons! voyons!** *But! see here!*

190

Nous nous montrions jaloux de déchaîner son rire, surtout quand nous prîmes assez d'âge[3] pour voir grandir d'année en année, sur son visage, le souci du lendemain, une sorte de détresse qui l'assombrissait, lorsqu'elle songeait à notre destin d'enfants sans fortune, à sa santé menacée, à la vieillesse qui 5 ralentissait les pas—une seule jambe et deux béquilles—de son compagnon chéri. Muette, ma mère ressemblait à toutes les mères épouvantées devant la pauvreté et la mort. Mais la parole rallumait sur son visage une jeunesse invincible. Elle put maigrir de chagrin et ne parla jamais tristement. 10 Elle échappait, comme d'un bond, à une rêverie tragique, en s'écriant, l'aiguille à tricot dardée vers son mari:

—Oui? Eh bien, essaie de mourir avant moi, et tu verras!

—Je l'essaierai, ma chère âme, répondait-il.

Elle le regardait aussi férocement que s'il eût, par distrac- 15 tion,[4] cassé la petite théière chinoise:

—Je te reconnais bien là![5] Tout l'égoïsme des Funel et des Colette est en toi! Ah! pourquoi t'ai-je épousé?

—Ma chère âme, parce que je t'ai menacée, si tu t'y refusais, d'une balle dans la tête. 20

—C'est vrai. Déjà à cette époque-là, tu vois? tu ne pensais qu'à toi. Et maintenant, tu ne vois rien de mieux que de mourir avant moi. Va, va, essaie seulement! . . .[6]

Il essaya, et réussit du premier coup.[7] Il mourut dans sa soixante-quatorzième année, tenant les mains de sa bien- 25 aimée et rivant à des yeux en pleurs un regard qui perdait sa couleur, devenait d'un bleu vague et laiteux, pâlissait comme un ciel envahi par la brume. Il eut les plus belles funérailles dans un cimetière villageois, un cercueil de bois jaune, nu sous une vieille tunique percée de blessures—sa tunique de 30

---

[3] **prîmes assez d'âge,** *became old enough.*
[4] **par distraction,** *absent-mindedly.*
[5] **Je te reconnais bien là!** *If that isn't just like you!*
[6] **essaie seulement,** *just try.*
[7] **du premier coup,** *the first time.*

capitaine au Ier zouaves[8]—et ma mère l'accompagna sans
chanceler au bord de la tombe, toute petite et résolue sous
ses voiles, et murmurant tout bas, pour lui seul, des paroles
d'amour.

Nous la ramenâmes à la maison, où elle s'emporta contre 5
son deuil neuf,[9] son crêpe encombrant qu'elle accrochait à
toutes les clefs de tiroirs et de portes, sa robe de cachemire
qui l'étouffait. Elle se reposa dans le salon, près du grand
fauteuil vert où mon père ne s'assoirait plus et que le chien
déjà envahissait avec délices. Elle était fiévreuse, rouge de 10
teint, et disait, sans pleurs:

—Ah! quelle chaleur! Dieu, que ce noir tient chaud! Tu
ne crois pas que maintenant je puis remettre ma robe de
satinette bleue?

—Mais . . . 15

—Quoi? c'est à cause de mon deuil? J'ai horreur de ce
noir! D'abord c'est triste. Pourquoi veux-tu que j'offre à ceux
que je rencontre un spectacle triste et déplaisant? Quel rapport y a-t-il entre ce cachemire et ce crêpe et mes propres
sentiments? Que je te voie jamais porter mon deuil![10] Tu sais 20
très bien que je n'aime pour toi que le rose, et certains
bleus . . .

Elle se leva brusquement, fit quelques pas vers une chambre vide et s'arrêta:

—Ah! . . . c'est vrai . . . 25

Elle revint s'asseoir, avouant, d'un geste humble et simple,

---

[8] The zouaves were French infantry regiments whose uniforms had
Arab characteristics. The regiments were originally formed in North
Africa.

[9] **elle s'emporta contre son deuil neuf,** *she objected violently because
she had to wear mourning.*

[10] **Que je te voie jamais porter mon deuil!** *Never let me see you
wearing mourning for me!* An unconsciously humorous juxtaposition of
ideas. The **Que je te voie jamais** was no doubt a frequent motherly
admonition.

qu'elle venait, pour la première fois de la journée, d'oublier[11] qu'il était mort.

—Veux-tu que je te donne à boire, maman? Tu ne voudrais pas te coucher?

—Eh non! Pourquoi? Je ne suis pas malade! 5

Elle se rassit, et commença d'apprendre la patience, en regardant sur le parquet, de la porte du salon à la porte de la chambre vide, un chemin poudreux marqué par de gros souliers pesants.[12]

Un petit chat entra, circonspect et naïf,[13] un ordinaire et 10 irrésistible chaton de quatre à cinq mois. Il se jouait à lui-même[14] une comédie majestueuse, mesurait son pas et portait la queue en cierge, à l'imitation des seigneurs matous. Mais un saut périlleux en avant, que rien n'annonçait, le jeta séant par-dessus tête à nos pieds,[15] où il prit peur de sa propre 15 extravagance, se roula en turban, se mit debout sur ses pattes de derrière, dansa de biais, enfla le dos, se changea en toupie . . .

—Regarde-le, regarde-le, Minet-Chéri![16] Mon Dieu, qu'il est drôle![17] 20

Et elle riait, ma mère en deuil, elle riait de son rire aigu de jeune fille, et frappait dans ses mains devant le petit chat . . . Le souvenir fulgurant tarit cette cascade brillante, sécha dans les yeux de ma mère les larmes du rire. Pourtant, elle ne s'excusa pas d'avoir ri, ce jour-là, ni ceux qui suivirent, 25

---

[11] **venait . . . d'oublier,** *had just forgotten.*

[12] **marqué par de gros souliers pesants,** *showing the marks of big heavy shoes* (those of her late husband).

[13] **naïf,** *natural.*

[14] **Il se jouait à lui-même,** *He was playing out for his own amusement.*

[15] **le jeta séant par-dessus tête à nos pieds,** *became a somersault which ended up with him sitting at our feet.*

[16] **Minet-Chéri!** *the dear cat!*

[17] **qu'il est drôle!** *how funny he is!*

car elle nous fit cette grâce, ayant perdu celui qu'elle aimait d'amour,[18] de demeurer parmi nous toute pareille à elle-même, acceptant sa douleur ainsi qu'elle eût[19] accepté l'avènement d'une saison lugubre et longue, mais recevant de toutes parts la bénédiction passagère de la joie[20]—elle 5 vécut balayée d'ombre et de lumière, courbée sous des tourmentes, résignée, changeante et généreuse, parée d'enfants, de fleurs et d'animaux comme un domaine nourricier.[21]

Expressions for Study

1. Elle riait volontiers.
2. Nous prîmes assez d'âge pour voir grandir le souci du lendemain.
3. Je te reconnais bien là!
4. Tu ne pensais qu'à toi.
5. Essaie seulement!
6. Il réussit du premier coup.
7. Elle s'emporta contre son deuil neuf.
8. Que je te voie jamais porter mon deuil!
9. Elle venait d'oublier.
10. Veux-tu que je te donne à boire?
11. Il se jouait à lui-même une comédie.
12. Un saut le jeta séant par-dessus tête à nos pieds.

Questionnaire

1. Pourquoi la mère se reprochait-elle son rire?
2. Pourquoi les enfants voulaient-ils déchaîner son rire?
3. Pourquoi le visage de la mère s'assombrissait-il?
4. Pourquoi les pas de son mari ralentissaient-ils?
5. N'avait-elle pas peur de la pauvreté et de la mort?
6. Que disait-elle à son mari? Parlait-elle sérieusement?
7. Pourquoi s'était-elle mariée? Le croyez-vous?
8. A quoi ressemblait le regard du père mourant?

---

[18] **aimait d'amour,** *truly loved.*

[19] **eût** = **aurait.**

[20] **recevant de toutes parts la bénédiction passagère de la joie,** *taking from every side the fleeting blessings of happiness.*

[21] **un domaine nourricier,** *a life-giving source.*

9. Comment le père fut-il enterré?
10. L'auteur admire-t-elle sa mère? Comment le sait-on?
11. Contre quoi la mère s'emportait-elle?
12. Qu'aurait-elle voulu faire? Pourquoi ne pouvait-elle pas?
13. Avait-elle des sentiments conventionnels? Comment l'exprime-t-elle?
14. Que regardait-elle sur le parquet? Qui avait marqué ce chemin?
15. Comment marchait le chaton? qu'a-t-il fait brusquement?
16. Pourquoi la mère a-t-elle cessé de rire?
17. La mère a-t-elle été changée par la douleur?
18. A-t-elle vécu révoltée?

L'AUTRE FEMME

—Deux couverts?[1] Par ici,[2] monsieur et madame, il y a encore une table contre la baie, si madame et monsieur veulent profiter de[3] la vue.

Alice suivit le maître d'hôtel.

—Oh! oui, viens, Marc, on aura l'air de[4] déjeuner sur la 5 mer dans un bateau . . .

Son mari la retint d'un bras passé sous le sien.

—Nous serons mieux là.

—Là? Au milieu de tout ce monde? J'aime bien mieux . . .

—Je t'en prie,[5] Alice. 10

Il resserra son étreinte d'une manière tellement significative qu'elle se retourna:[6]

—Qu'est-ce que tu as?[7]

Il fit[8] "ch . . . tt" tout bas, en la regardant fixement, et l'entraîna vers la table du milieu. 15

—Qu'est-ce qu'il y a,[9] Marc?

---

[1] **Deux couverts?** *Table for two?* Literally, *Two place-settings?*
[2] **Par ici,** *This way.*
[3] **profiter de,** *take advantage of, enjoy.*
[4] **on aura l'air de,** *it will seem like.*
[5] **Je t'en prie,** *Please.*
[6] **se retourna,** *turned around.*
[7] **Qu'est-ce que tu as?** *But what's wrong?*
[8] **fit = dit.**
[9] **Qu'est-ce qu'il y a,** *What is wrong.*

—Je vais te dire, chérie. Laisse-moi commander le déjeuner. Veux-tu des crevettes? ou des oeufs en gelée?

—Ce que tu voudras, tu sais bien.

Ils se sourirent, gaspillant les précieux moments d'un maître d'hôtel surmené, atteint d'une sorte de danse ner- 5 veuse, qui transpirait près d'eux.

—Les crevettes, commanda Marc. Et puis les oeufs bacon. Et du poulet froid avec une salade de romaine. Fromage à la crème? Spécialité de 'la maison? Va pour[10] la spécialité. Deux très bons cafés. Qu'on fasse déjeuner mon chauffeur,[11] 10 nous repartons à deux heures. Du cidre? Je me méfie . . .[12] Du champagne sec.

Il soupira comme s'il avait déménagé une armoire,[13] contempla la mer décolorée de midi, le ciel presque blanc, puis sa femme qu'il trouva jolie sous un petit chapeau de Mercure 15 à[14] grand voile pendant.

—Tu as bonne mine,[15] chérie. Et tout ce bleu de mer te fait les yeux verts, figure-toi![16] Et puis tu engraisses, en voyage . . . C'est agréable, à un point, mais à un point! . . .

Elle tendit orgueilleusement sa gorge ronde, en se pen- 20 chant au-dessus de la table:

—Pourquoi m'as-tu empêchée de prendre cette place contre la baie?

Marc Seguy ne songea pas à mentir.

—Parce que tu allais t'asseoir à côté de quelqu'un que je 25 connais.

—Et que je ne connais pas?

---

[10] **Va pour,** *Let's have.*

[11] **Qu'on fasse déjeuner mon chauffeur,** *Have my chauffeur lunch.*

[12] **Je me méfie,** *I don't trust it.*

[13] **déménagé une armoire,** *moved a wardrobe.*

[14] **un petit chapeau de Mercure à,** *a Mercury* (*tight-fitting*) *style hat with.* . . . Such a hat probably has small wings.

[15] **Tu as bonne mine,** *You look lovely.*

[16] **figure-toi!** *imagine!*

—Mon ex-femme.

Elle ne trouva pas un mot à dire et ouvrit plus grands ses
yeux bleus.

—Quoi donc,[17] chérie? Ça arrivera[18] encore. C'est sans importance.   5

Alice, retrouvant la parole, lança dans leur ordre logique
les questions inévitables:

—Elle t'a vu? Elle a vu que tu l'avais vue? Montre-la-moi?

—Ne te retourne pas tout de suite, je t'en prie, elle doit
nous surveiller . . . Une dame brune, tête nue, elle doit habiter 10
cet hôtel . . . Toute seule, derrière ces enfants en rouge . . .
Oui. Je vois.

Abritée derrière des chapeaux de plage à grandes ailes,[19]
Alice put regarder celle qui était encore, quinze mois auparavant, la femme de son mari. «Incompatibilité,» lui racontait   15
Marc. «Oh! mais, là . . . incompatibilité totale! Nous avons
divorcé en gens bien élevés,[20] presque en amis, tranquillement, rapidement. Et je me suis mis à t'aimer, et tu as bien
voulu[21] être heureuse avec moi. Quelle chance qu'il n'y ait,
dans notre bonheur, ni coupables, ni victimes!»[22]   20

La femme en blanc, casquée de cheveux plats et lustrés
où la lumière de la mer miroitait en plaques d'azur, fumait
une cigarette en fermant à demi les yeux. Alice se retourna
vers son mari, prit des crevettes et du beurre, mangea posé-
ment. Au bout d'un moment de silence: 25

—Pourquoi ne m'avais-tu jamais dit qu'elle avait aussi les
yeux bleus?

—Mais je n'y ai pas pensé!

---

[17] **Quoi donc,** *Why should it bother you.*

[18] **arrivera,** *will happen.*

[19] **chapeaux de plage à grandes ailes,** *wide-brimmed beach hats.*

[20] **en gens bien élevés,** *like well-bred people.*

[21] **tu as bien voulu,** *you have found it quite possible.*

[22] **Quelle chance . . . victimes!** *How fortunate that in our happiness
there is no element of a guilty feeling or of having harmed anyone.*
The reference is to Marc's previous marriage.

Il baisa la main qu'elle étendait vers la corbeille à pain et
elle rougit de plaisir. Brune et grasse, on l'eût[23] trouvée un
peu bestiale,[24] mais le bleu changeant de ses yeux, et ses
cheveux d'or ondé, la déguisaient en[25] blonde frêle et sentimentale. Elle vouait à son mari une gratitude éclatante. Im- 5
modeste sans le savoir, elle portait sur toute sa personne les
marques trop visibles d'une extrême félicité.

Ils mangèrent et burent de bon appétit, et chacun d'eux
crut que l'autre oubliait la femme en blanc. Pourtant, Alice
riait parfois trop haut, et Marc soignait sa silhouette,[26] élargis- 10
sant les épaules et redressant la nuque. Ils attendirent le
café assez longtemps, en silence. Une rivière incandescente,
reflet étiré du soleil haut et invisible, se déplaçait[27] lentement
sur la mer, et brillait d'un feu insoutenable.

—Elle est toujours là, tu sais, chuchota brusquement Alice. 15

—Elle te gêne? Tu veux prendre le café ailleurs?

—Mais pas du tout! C'est plutôt elle qui devrait être gênée!
D'ailleurs, elle n'a pas l'air de s'amuser follement, si tu la
voyais . . .

—Pas besoin. Je lui connais cet air-là.[28]   20

—Ah! oui, c'était son genre?[29]

Il souffla de la fumée par les narines et fronça les sourcils:

—Un genre . . . Non. A te parler franchement, elle n'était
pas heureuse avec moi.

—Ça, par exemple! . . .[30]   25

---

[23] eût = aurait.

[24] bestiale, *coarse*.

[25] en, *as a.*

[26] soignait sa silhouette, *was giving extreme attention to his appearance.* By little psychological touches Colette reveals that Marc's
love for his former wife is still alive.

[27] se déplaçait, *shimmered.*

[28] Je lui connais cet air-là, *I recognize that attitude of hers.*

[29] c'était son genre? *was that her affectation?*—to appear non-
chalant.

[30] Ça, par exemple! *Imagine that!*

—Tu es d'une indulgence délicieuse, chérie, une indulgence folle . . . Tu es un amour,[31] toi . . . Tu m'aimes . . . Je suis si fier, quand je te vois ces yeux . . . oui, ces yeux-là . . . Elle . . . Je n'ai sans doute pas su la rendre heureuse. Voilà, je n'ai pas su.   5

—Elle est difficile![32]

Alice s'éventait avec irritation, et jetait de brefs regards sur la femme en blanc qui fumait, la tête appuyée au dossier de rotin, et fermait les yeux avec un air de lassitude satisfaite.

Marc haussa les épaules modestement: 10

—C'est le mot, avoua-t-il. Que veux-tu? Il faut plaindre ceux qui ne sont jamais contents. Nous, nous sommes si contents . . . N'est-ce pas, chérie?

Elle ne répondit pas. Elle donnait une attention furtive au visage de son mari, coloré, régulier, à ses cheveux drus, 15 faufilés çà et là de soie blanche, à ses mains courtes et soignées. Dubitative pour la première fois, elle s'interrogea:

«Qu'est-ce qu'elle voulait donc de mieux, elle?»

Et jusqu'au départ, pendant que Marc payait l'addition, s'enquérait du[33] chauffeur, de la route, elle ne cessa plus de 20 regarder avec une curiosité envieuse[34] la dame en blanc, cette mécontente, cette difficile, cette supérieure . . .

Expressions for Study

1. Madame et monsieur veulent profiter de la vue.
2. On aura l'air de déjeuner sur la mer dans un bateau.
3. Je t'en prie.
4. Elle se retourna.
5. Qu'est-ce que tu as?

---

[31] **amour,** *darling.*

[32] **difficile!** *hard to get along with!*

[33] **s'enquérait du chauffeur,** *asked about the chauffeur.*

[34] Why **envieuse?** Because Alice, so completely happy with Marc, feels that the former wife, who was not happy with him, must possess qualities **supérieure** to her own.

6. Qu'est-ce qu'il y a?
7. Qu'on fasse déjeuner mon chauffeur.
8. . . . un petit chapeau à grand voile pendant.
9. Tu as bonne mine.
10. Ce bleu de mer te fait les yeux verts, figure-toi!
11. Ça arrivera encore.
12. Ne te retourne pas tout de suite.
13. . . . des chapeaux de plage à grandes ailes.
14. Nous avons divorcé en gens bien élevés.
15. Je me suis mis à t'aimer.
16. Tu as bien voulu être heureuse avec moi.
17. Ses cheveux d'or ondé la déguisaient en blonde frêle.
18. Ils mangèrent de bon appétit.
19. Marc soignait sa silhouette.
20. Elle n'a pas l'air de s'amuser follement.
21. Je lui connais cet air-là.
22. Tu es un amour, toi.

Questionnaire

1. Où Alice voulait-elle déjeuner? Pourquoi?
2. Qu'a fait son mari?
3. Pourquoi le maître d'hôtel était-il atteint d'une sorte de danse nerveuse?
4. Quel déjeuner Marc a-t-il commandé?
5. Pourquoi n'a-t-il pas commandé de cidre?
6. Comment Marc trouve-t-il sa femme?
7. Que fait le bleu de mer aux yeux d'Alice?
8. Pourquoi Marc a-t-il empêché Alice de prendre la table contre la baie?
9. Quelles questions Alice a-t-elle posées?
10. Que suppose Marc?
11. Qui portait des chapeaux de plage?
12. Pourquoi Marc a-t-il divorcé? Et comment?
13. Croyez-vous Marc? Comment sait-on qu'il a des remords?
14. Comparez l'attitude des deux femmes.
15. Alice était-elle frêle et modeste?
16. Comment voyait-on qu'elle était heureuse?
17. Alice et Marc ont-ils oublié l'autre femme? Comment le sait-on?
18. Que voyait-on sur la mer?
19. L'autre femme a-t-elle l'air content maintenant?
20. Etait-elle heureuse avec Marc? Pourquoi?

21. Pourquoi Marc est-il fier? Qu'est-ce que les yeux d'Alice expriment?
22. Que pense Alice de l'autre femme?
23. Selon Marc, qui faut-il plaindre? De qui parle-t-il en particulier?
24. Se sent-il responsable du divorce? L'admet-il?
25. Que s'est demandé Alice pour la première fois?
26. Quel sentiment éprouve Alice envers la dame en blanc?
27. De ces trois personnes, laquelle vous est la plus sympathique?

Jules Verne

De La Terre à la lune

Before Jules Verne (1828–1905) French literature was not without writings whose locale was that of interplanetary space. In the seventeenth century Cyrano de Bergerac's *Voyage dans la lune* and in the eighteenth Voltaire's *Micromégas* utilized ultra-terrestrial situations. But, in general, such literature was motivated either by the wish to avoid the censorship which might follow from treating too immediate a topic or to make a philosophical point best presented in terms of the whole universe. It was not a literature of pure imagination.

Jules Verne's work is science fiction in the best sense. It derives from a highly gifted imagination and, in many instances, sufficient knowledge to give it almost a prophetic quality. If his *Vingt Mille Lieues sous les mers* [*Twenty Thousand Leagues Under the Sea*] and *Around the World in Eighty Days* have long since ceased to have any scientific interest, one can still marvel that the accomplishment described in his *De La Terre à la lune*, written in 1866, is still to be realized, and that efforts are being made to do so. Also the instinct, sheer good luck, or scientific guesswork (he had the assistance of a scientific friend) which led him to place the site of the launching of the projectile on a parallel with today's Cape Canaveral is little short of amazing. A short visit to the United States at the end of the last century could hardly have contributed to the choice.

The text given here is abridged but not otherwise changed.

BACKGROUND

The locale is Baltimore, Maryland; the organization is the Gun Club, whose president is Barbicane and secretary J.-T. Maston (the hyphenated first name, probably John Thomas, is a French usage— and the last name would sound more probable if it were Matson).

A decision has just been reached to launch a projectile to the moon —with passengers!

FLORIDE ET TEXAS

Cependant, une question restait encore à décider; il fallait choisir un endroit favorable à l'expérience.[1] Suivant la recommandation de l'observatoire de Cambridge,[2] le tir devait être dirigé perpendiculairement au plan de l'horizon, c'est-à-dire vers le zénith; or, la Lune ne monte au zénith que dans 5 les lieux situés entre 0° et 28° de latitude. Il s'agissait donc de déterminer exactement le point du globe où serait fondue l'immense Columbiad.[3]

Le 20 octobre, le Gun-Club étant réuni en séance générale, Barbicane apporta une magnifique carte des Etats-Unis. 10 Mais, sans lui laisser le temps de la déployer, J.-T. Maston avait demandé la parole avec sa véhémence habituelle, et parlé en ces termes:

«Honorables collègues, la question qui va se traiter aujourd'hui a une véritable importance nationale, et elle va 15 nous fournir l'occasion de faire un grand acte de patriotisme.»

Les membres du Gun-Club se regardèrent sans comprendre où l'orateur voulait en venir.[4]

«Aucun de vous, reprit-il, n'a la pensée de transiger avec la gloire de son pays et s'il[5] est un droit que l'Union puisse 20

---

[1] **expérience,** *experiment,* that of launching a manned projectile to the moon.

[2] Cambridge, Massachusetts.

[3] Considerable advance in military ordnance was made during the Civil War and a large artillery piece called the Columbiad was in use.

[4] **où l'orateur voulait en venir,** *what the orator was driving at.*

[5] **il,** *there.*

revendiquer, c'est celui de recéler dans ses flancs le formidable canon du Gun-Club. Or, dans les circonstances actuelles . . .[6]

—Brave Maston . . . dit le président.

—Permettez-moi de développer ma pensée, reprit l'orateur. 5
Dans les circonstances actuelles, nous sommes forcés de choisir un lieu assez rapproché de l'équateur pour que l'expérience se fasse dans de bonnes conditions . . .

—Si vous voulez bien . . . dit Barbicane.

—Je demande la libre discussion des idées, répliqua le 10
bouillant J.-T. Maston, et je soutiens que le territoire duquel s'élancera notre glorieux projectile doit appartenir à l'Union.

—Sans doute! répondirent quelques membres.

—Eh bien! puisque nos frontières ne sont pas assez étendues, puisque au sud l'Océan nous oppose une barrière in- 15
franchissable, puisqu'il nous faut chercher au-delà des Etats-Unis et dans un pays limitrophe ce vingt-huitième parallèle, c'est là un *casus belli*[7] légitime, et je demande que l'on déclare la guerre au Mexique!

—Mais non! mais non! s'écria-t-on de toutes parts.   20

—Non! répliqua J.-T. Maston. Voilà un mot que je m'étonne d'entendre dans cette enceinte!

—Mais écoutez donc! . . .

—Jamais! jamais! s'écria le fougueux orateur. Tôt ou tard cette guerre se fera, et je demande qu'elle éclate aujourd'hui 25
même.

—Maston, dit Barbicane en faisant détoner son timbre avec fracas, je vous retire la parole!»[8]

Maston voulut répliquer, mais quelques-uns de ses collègues parvinrent à[9] le contenir.   30

«Je conviens, dit Barbicane, que l'expérience ne peut et ne doit être tentée que sur le sol de l'Union, mais si mon im-

---

[6] **actuelles,** *present.*

[7] ***casus belli**, cause for war.*

[8] **je vous retire la parole,** *I declare you out of order.*

[9] **parvinrent à,** *succeeded in.*

patient ami m'eût[10] laissé parler, s'il eût jeté les yeux sur une carte, il saurait qu'il est parfaitement inutile de déclarer la guerre à nos voisins, car certaines frontières des Etats-Unis s'étendent au-delà du vingt-huitième parallèle. Voyez, nous avons à notre disposition toute la partie méridionale du Texas et des Florides.»[11]

L'incident n'eut pas de suite;[12] cependant, ce ne fut pas sans regret que J.-T. Maston se laissa convaincre. Il fut donc décidé que la Columbiad serait coulée, soit dans le sol du Texas, soit dans celui de la Floride. Mais cette décision devait créer une rivalité sans exemple entre les villes de ces deux Etats.

Le vingt-huitième parallèle, à sa rencontre avec[13] la côte américaine, traverse la péninsule de la Floride et la divise en deux parties à peu près égales. Puis, se jetant dans le golfe du Mexique, il sous-tend[14] l'arc formé par les côtes de l'Alabama, du Mississipi et de la Louisiane. Alors, abordant le Texas, dont il coupe un angle, il se prolonge à travers le Mexique, franchit la Sonora,[15] enjambe la vieille Californie et va se perdre dans les mers du Pacifique.

Il n'y avait donc que les portions du Texas et de la Floride, situées au-dessous de ce parallèle, qui fussent dans les conditions de latitude recommandées par l'observatoire de Cambridge.

La Floride, dans sa partie méridionale, ne compte pas de cités[16] importantes. Elle est seulement hérissée de forts élevés contre les Indiens errants. Une seule ville, Tampa-

---

[10] **eût = aurait.**

[11] The current usage is in the singular—**la Floride**—which is favored in this story.

[12] **L'incident n'eut pas de suite,** *That was the end of the matter.*

[13] à sa **rencontre avec,** *where it crosses.*

[14] **sous-tend,** *passes just beneath.*

[15] **la Sonora,** a state in northwest Mexico; **la vieille Californie** is *Lower California.*

[16] **cités,** the older word for *ville(s)*; its use now is mostly limited to reference to the older part of large cities.

Town,[17] pouvait réclamer en faveur de sa situation et se présenter avec ses droits.

Au Texas, au contraire, les villes sont plus nombreuses et plus importantes; Corpus-Christi, dans le county de Nueces, et toutes les cités situées sur le Rio-Bravo,[18] Laredo, Com- 5 alites, San-Ignacio dans le Web, Roma, Rio-Grande-City dans le Starr, Edinburg dans l'Hidalgo, Santa-Rita, el Panda, Brownsville dans le Cameron, formèrent une ligue imposante contre les prétentions de la Floride.

Aussi,[19] la décision à peine connue, les députés texiens et 10 floridiens arrivèrent à Baltimore par le plus court;[20] à partir de ce moment, le président Barbicane et les membres in- fluents du Gun-Club furent assiégés jour et nuit de réclama- tions formidables. Si sept villes de la Grèce se disputèrent l'honneur d'avoir vu naître Homère,[21] deux Etats tout entiers 15 menaçaient d'en venir aux mains[22] à propos d'un canon.

On vit alors ces «frères féroces» se promener en armes dans les rues de la ville. A chaque rencontre, quelque conflit était à craindre, qui aurait eu des conséquences désastreuses. Heureusement la prudence et l'adresse du président Barbi- 20 cane conjurèrent ce danger. Les démonstrations personnelles trouvèrent un dérivatif dans les journaux des divers Etats.

Ce fut ainsi que le New York Herald et la Tribune soutin-

---

[17] The addition of -**Town** would appear to be Verne's license—which he uses frequently in place names. The rest of this story contains some rather glaring inaccuracies which will be evident to the informed reader. It has not been thought necessary to point them out. The blend of fact and fancy is commonplace in fiction with historical pretensions.

[18] Here Verne names, fairly accurately, a number of towns, cities, and counties in southern Texas. The **Rio-Bravo** is an earlier name for the *Rio-Grande*.

[19] **Aussi,** *So.*

[20] **par le plus court,** *by the shortest road possible, as quickly as possible.*

[21] See *note* 7, page 79.

[22] **d'en venir aux mains,** *to come to blows.*

rent le Texas tandis que le Times et l'American Review[23] prirent fait et cause[24] pour les députés floridiens. Les membres du Gun-Club ne savaient plus auquel entendre.[25]

Le Texas arrivait fièrement avec ses vingt-six comtés, qu'il semblait mettre en batterie;[26] mais la Floride répondait que 5 douze comtés pouvaient plus que vingt-six, dans un pays six fois plus petit.

Le Texas se targuait fort de ses trois cent trente mille indigènes,[27] mais la Floride, moins vaste, se vantait d'être plus peuplé avec cinquante-six mille. D'ailleurs, elle accusait 10 le Texas d'avoir une spécialité de fièvres paludéennes qui lui coûtaient, bon an, mal an, plusieurs milliers d'habitants. Et elle n'avait pas tort.

A son tour, le Texas répliquait qu'en fait de fièvres la Floride n'avait rien à lui envier, et qu'il était au moins im- 15 prudent de traiter les autres de[28] pays malsains, quand on avait l'honneur de posséder le «vomito negro»[29] à l'état chronique. Et il avait raison.

«D'ailleurs, ajoutaient les Texiens par l'organe du New York Herald, on doit des égards à un Etat où pousse le plus 20 beau coton de toute l'Amérique, un Etat qui produit le meilleur chêne vert pour la construction des navires, un Etat qui renferme de la houille superbe et des mines de fer dont le rendement est de cinquante pour cent de minerai pur.»

A cela l'American Review répondait que le sol de la 25

---

[23] All these are, presumably, New York publications.

[24] **prirent fait et cause,** *took sides.*

[25] **auquel entendre,** *which to listen to.*

[26] **qu'il semblait mettre en batterie,** *which it seemed to use as a battery* (of field artillery).

[27] **indigènes,** *natives.* Whether they are Mexicans, Indians, or native-born Americans is not clear, but in any case the number of people in the state seems irrelevant to the question under consideration. No doubt this is just an early example of the "Texas spirit."

[28] **traiter les autres de,** *call the others.*

[29] **vomito negro,** *black vomit;* one of the symptoms of yellow fever.

Floride, sans être aussi riche, offrait de meilleures conditions pour le moulage et la fonte de la Columbiad, car il était composé de sable et de terre argileuse.

«Mais, reprenaient les Texiens, avant de fondre quoi que ce soit dans un pays, il faut arriver dans ce pays; or, les com- 5 munications avec la Floride sont difficiles, tandis que la côte du Texas offre la baie de Galveston, qui a quatorze lieues de tour et qui peut contenir les flottes du monde entier.

«Bon! répétaient les journaux dévoués aux Floridiens, vous nous la donnez belle avec[30] votre baie Galveston située au- 10 dessus du vingt-neuvième parallèle. N'avons-nous pas la baie d'Espiritu-Santo, ouverte précisément sur le vingt-huitième degré de latitude, et par laquelle les navires arrivent directement à Tampa-Town?

—Jolie baie! répondait le Texas, elle est à demi ensablée! 15

—Ensablés vous-même! s'écriait la Floride. Ne dirait-on pas[31] que je suis un pays de sauvages?

—Ma foi,[32] les Seminoles courent encore vos prairies!

—Eh bien! et vos Apaches et vos Comanches, sont-ils donc civilisés!» 20

La guerre se soutenait ainsi depuis quelques jours,[33] quand la Floride essaya d'entraîner son adversaire sur un autre terrain, et un matin le Times insinua que, l'entreprise étant «essentiellement américaine,» elle ne pouvait être tentée que sur un territoire «essentiellement américain!» 25

A ces mots le Texas bondit: «Américains! s'écria-t-il, ne le sommes-nous pas autant que vous? Le Texas et la Floride n'ont-ils pas été incorporés tous les deux à l'Union en 1845?

—Sans doute, répondit le Times, mais nous appartenons aux Américains depuis 1820.[34] 30

---

[30] **vous nous la donnez belle avec,** *that's a lot of nonsense about.*

[31] **Ne dirait-on pas,** *Next I suppose you'll be saying.*

[32] **Ma foi,** *Well!*

[33] **se soutenait ainsi depuis quelques jours,** *had been raging thus for some days.*

[34] It was actually in 1819 that Spain ceded most of Florida to the United States.

—Je le crois bien,[35] répliqua la Tribune: après avoir été Espagnols ou Anglais pendant deux cents ans, on vous a vendus aux Etats-Unis pour cinq millions de dollars!

—Et qu'importe! répliquèrent les Floridiens, devons-nous en rougir? En 1803, n'a-t-on pas acheté la Louisiane à[36] Napoléon au prix de seize millions de dollars?

—C'est une honte! s'écrièrent alors les députés du Texas. Un misérable morceau de terre comme la Floride, oser se comparer au Texas, qui, au lieu de se vendre, s'est fait indépendant lui-même, qui a chassé les Mexicains le 2 mars 1836,[37] qui s'est déclaré république fédérative après la victoire remportée par Samuel Houston aux bords du San-Jacinto sur les troupes de Santa-Anna! Un pays enfin qui s'est adjoint volontairement aux Etats-Unis d'Amérique!

—Parce qu'il avait peur des Mexicains!» répondit la Floride.

Peur! Du jour où ce mot, vraiment trop vif, fut prononcé, la position devint intolérable. On s'attendit à un égorgement des deux partis dans les rues de Baltimore. On fut obligé de garder les députés à vue.[38]

Le président Barbicane ne savait où donner de la tête.[39] Les notes, les documents, les lettres grosses de menaces pleuvaient dans sa maison. Quel parti[40] devait-il prendre? Au point de vue de l'appropriation du sol, de la facilité des communications, de la rapidité des transports, les droits des deux Etats étaient véritablement égaux. Quant aux personnalités politiques, elles n'avaient que faire dans[41] la question.

Or, cette hésitation, cet embarras durait déjà depuis longtemps, quand Barbicane résolut d'en sortir; il réunit ses col-

---

[35] **Je le crois bien,** That *is true.*

[36] **à,** *from.*

[37] The final defeat of the Mexicans was on April 21 (not March 2), 1836.

[38] **de garder les députés à vue,** *to keep an eye on the delegates.*

[39] **ne savait où donner de la tête,** *was at his wit's end.*

[40] **parti,** *decision.*

[41] **elles n'avaient que faire dans,** *they had nothing to do with.*

lègues, et la solution qu'il leur proposa fut profondément sage, comme on va le voir.

«En considérant bien, dit-il, ce qui vient de se passer entre la Floride et le Texas, il est évident que les mêmes difficultés se reproduiront entre les villes de l'Etat favorisé. La rivalité 5 descendra du genre à l'espèce,[42] de l'Etat à la Cité, et voilà tout. Or, le Texas possède onze villes dans les conditions voulues, qui se disputeront l'honneur de l'entreprise et nous créeront de nouveaux ennuis, tandis que la Floride n'en a qu'une. Va donc[43] pour la Floride et pour Tampa-Town!» 10

Cette décision, rendue publique, atterra les députés du Texas. Ils entrèrent dans une indescriptible fureur et adressèrent des provocations nominales[44] aux divers membres du Gun-Club. Les magistrats de Baltimore n'eurent plus qu'un parti à prendre, et ils le prirent. On fit chauffer[45] un train 15 spécial, on y embarqua les Texiens bon gré mal gré,[46] et ils quittèrent la ville avec une rapidité de trente milles à l'heure.

Mais, si vite qu'ils fussent emportés, ils eurent le temps de jeter un dernier et menaçant sarcasme à leurs adversaires.

Faisant allusion au peu de largeur de la Floride, simple 20 presqu'île resserrée entre deux mers, ils prétendirent qu'elle ne résisterait pas à la secousse du tir et qu'elle sauterait au premier coup de canon.

«Eh bien! qu'elle saute!»[47] répondirent les Floridiens avec un laconisme[48] digne des temps antiques. 25

*　*　*

En effet, une expérience préparatoire, tentée le 18 octobre,

---

[42] **du genre à l'espèce** here has the sense of *from the state as a whole to the individual cities* (which will begin to quarrel among themselves). The next phrase gives this idea more specifically.

[43] **Va donc,** *So let's decide.*

[44] **provocations nominales,** *personal insults.*

[45] **On fit chauffer,** *The steam was got up for.*

[46] **bon gré mal gré,** *whether they liked it or not.*

[47] **qu'elle saute!** *let it blow up!*

[48] **laconisme,** *conciseness.* This quality was attributed to the Lacedaemonians of ancient Greece.

avait donné les meilleurs résultats et fait concevoir les plus
légitimes espérances. Barbicane, désirant se rendre compte
de[49] l'effet de contrecoup au moment du départ d'un projectile, fit venir un mortier de trente-deux pouces (—0,75 cent.)
de l'arsenal de Pensacola. On l'installa sur le rivage de la 5
rade d'Hillisboro, afin que la bombe retombât dans la mer
et que sa chute fut amortie. Il ne s'agissait que d'expérimenter la secousse au départ et non le choc à l'arrivée. Un
projectile creux fut préparé avec le plus grand soin pour
cette curieuse expérience. Un épais capitonnage, appliqué 10
sur un réseau de ressorts faits du meilleur acier, doublait ses
parois intérieures. C'était un véritable nid soigneusement
ouaté.

«Quel dommage de ne pouvoir y prendre place!» disait
J.-T. Maston en regrettant que sa taille ne lui permît pas de 15
tenter l'aventure.

Dans cette charmante bombe, qui se fermait au moyen d'un
couvercle à vis,[50] on introduisit d'abord un gros chat, puis un
écureuil appartenant au secrétaire perpétuel du Gun-Club,
et auquel J.-T. Maston tenait particulièrement.[51] Mais on 20
voulait savoir comment ce petit animal, peu sujet au vertige,
supporterait ce voyage expérimental.

Le mortier fut chargé avec cent soixante livres de poudre
et la bombe placée dans la pièce. On fit feu.

Aussitôt le projectile s'enleva avec rapidité, décrivit majes- 25
tueusement sa parabole, atteignit une hauteur de mille pieds
environ, et par une courbe gracieuse alla s'abîmer au milieu
des flots.

Sans perdre un instant, une embarcation se dirigea vers le
lieu de sa chute; des plongeurs habiles se précipitèrent sous 30
les eaux, et attachèrent des cables aux oreillettes de la bombe,
qui fut rapidement hissée à bord. Cinq minutes ne s'étaient

---

[49] **se rendre compte de,** *to find out.*
[50] **couvercle à vis,** *screw down cover.*
[51] **auquel J.-T. Maston tenait particulièrement,** *which J. T. Maston was particularly fond of.*

pas écoulées entre le moment où les animaux furent enfermés et le moment où l'on dévissa le couvercle de leur prison.

Ardan, Barbicane, Maston, Nicholl[52] se trouvaient sur l'embarcation, et ils assistèrent à l'opération avec un sentiment d'intérêt facile à comprendre. A peine la bombe fut-elle 5 ouverte, que le chat s'élança au-dehors, un peu froissé, mais plein de vie, et sans avoir l'air de revenir d'une expédition aérienne. Mais d'écureuil, point.[53] On chercha. Nulle trace. Il fallut bien alors reconnaître la vérité. Le chat avait mangé son compagnon de voyage. 10

J.-T. Maston fut très attristé de la perte de son pauvre écureuil, et se proposa de l'inscrire au martyrologe[54] de la science.

Quoi qu'il en soit, après cette expérience, toute hésitation, toute crainte disparurent; d'ailleurs les plans de Barbicane 15 devaient encore perfectionner le projectile et anéantir presque entièrement les effets de contrecoup. Il n'y avait donc plus qu'à partir.[55]

Deux jours plus tard, Michel Ardan reçut un message du président de l'Union, honneur auquel il se montra particu- 20 lièrement sensible.

A l'exemple de son chevaleresque compatriote le marquis de la Fayette,[56] le gouvernement lui décernait le titre de citoyen des Etats-Unis d'Amérique.

---

[52] Ardan is an adventuresome young Frenchman who has heard of the enterprise and wants to be in on it; Nicholl was a skeptic about the project but he had been won over to its possibility. They are to be part of the three-man team chosen for the trip to the moon.

[53] **point,** *no trace.*

[54] **au martyrologe,** *on the list of martyrs.*

[55] **Il n'y avait donc plus qu'à partir,** *There was nothing further to be done except to leave.*

[56] Because of the role he had played in the American Revolutionary War Lafayette was many years later made a "citizen" of the United States.

FEU!

Le premier jour de décembre était arrivé, jour fatal, car si le départ du projectile ne s'effectuait pas le soir même, à dix heures quarante-six minutes et quarante secondes du soir, plus de dix-huit ans s'écouleraient avant que la Lune se représentât[57] dans ces mêmes conditions.

Le temps était magnifique; malgré les approches de l'hiver, le soleil resplendissait et baignait de son radieux effluve cette Terre que trois de ses habitants allaient abandonner pour un nouveau monde.

Que de[58] gens dormirent mal pendant la nuit qui précéda ce jour si impatiemment désiré! Que de poitrines furent oppressées par le pesant fardeau de l'attente! Tous les coeurs palpitèrent d'inquiétude, sauf le coeur de Michel Ardan. Cet impassible personnage allait et venait avec son affairement habituel, mais rien ne dénonçait en lui une préoccupation inaccoutumée. Son sommeil avait été paisible, le sommeil de Turenne,[59] avant la bataille, sur l'affût d'un canon.

Depuis le matin une foule innombrable couvrait les prairies qui s'étendent à perte de vue autour de Stone's-Hill. Tous les quarts d'heure, le *rail-road* de Tampa amenait de nouveaux curieux; cette immigration prit bientôt des proportions fabuleuses, et, suivant les relevés[60] du Tampa-Town Observer, pendant cette mémorable journée, cinq millions de spectateurs foulèrent du pied le sol de la Floride.

Depuis un mois la plus grande partie de cette foule bivouaquait autour de l'enceinte, et jetait les fondements d'une ville qui s'est appelée depuis Ardan's-Town.[61] Des baraque-

---

[57] avant que la Lune se réprésentât, *before the moon would be.*

[58] Que de = Combien de.

[59] This famous general (1611–1675) was made marshal of France by Louis XIV.

[60] rélevés, *observations.*

[61] Pure fantasy on Verne's part!

barracks

ments, des cabanes, des cahutes, des tentes hérissaient la plaine,[62] et ces habitations éphemères abritaient une population assez nombreuse pour faire envie aux plus grandes cités de l'Europe.

Tous les peuples de la Terre y avaient des représentants; [5] tous les dialectes du monde s'y parlaient à la fois. On eût dit[63] la confusion des langues, comme aux temps bibliques de la tour de Babel.[64] Là, les diverses classes de la société américaine se confondaient dans une égalité absolue. Banquiers, cultivateurs, marins, commissionnaires, courtiers, planteurs [10] de coton, négociants, bateliers, magistrats s'y coudoyaient avec un sans-gêne primitif. Les créoles[65] de la Louisiane fraternisaient avec les fermiers de l'Indiana; les gentlemen du Kentucky et du Tennessee, les Virginiens élégants et hautains donnaient la réplique aux trappeurs à demi sauvages [15] des Lacs[66] et aux marchands de boeufs de Cincinnati. Coiffés du chapeau de castor blanc à[67] larges bords ou du panama classique, vêtus de pantalons en cotonnade bleue, chaussés de bottines aux couleurs éclatantes, ils[68] faisaient étinceler à leurs chemises, à leurs manchettes, à leurs cravates, à leurs [20] dix doigts, voire même à leurs oreilles, tout un assortiment de bagues, d'épingles, de brillants, de chaînes, de boucles, dont le haut prix égalait le mauvais goût. Femmes, enfants, serviteurs, dans des toilettes non moins opulentes, accom-

---

[62] **des tentes hérissaient la plaine,** *the plain was bristling with tents, barracks,* etc.

[63] **eût dit = aurait dit.**

[64] The Bible relates how Noah's sons, wishing to reach God, began the construction of a tower but because of their presumption God made each of them speak a different tongue; hence, the origin of languages.

[65] *Créole* is a term used to designate the French born in the New World, particularly those in Louisiana.

[66] **Lacs = Grands Lacs.**

[67] **à,** *with,* as is **aux** a few words later.

[68] **ils** refers to the many people aforementioned.

pagnaient, suivaient, précédaient, entouraient ces maris, ces
pères, ces maîtres, qui ressemblaient à des chefs de tribu au
milieu de leurs familles innombrables.

A l'heure des repas, il fallait voir[69] tout ce monde se
précipiter sur les mets particuliers aux Etats du Sud et 5
dévorer, avec un appétit menaçant pour l'approvisionnement de la Floride, ces aliments qui répugneraient à un estomac européen, tels que grenouilles fricassées, singes à
l'étouffée, *fish-chowder*, sarigue rôtie, opossum saignant, ou
grillades de racoon.[70] 10

Mais aussi quelle série variée de liqueurs ou de boissons
venait en aide à cette alimentation indigeste! Quels cris
excitants, quelles vociférations engageantes retentissaient
dans les *bar-rooms* ou les tavernes ornées de verres, de
chopes, de flacons, de carafes, de bouteilles aux formes in- 15
vraisemblables, de mortiers pour piler le sucre et de paquets
de paille! *mortars*

«Voilà le julep à la menthe! criait l'un de ces débitants
d'une voix retentissante.

—Et du *gin-sling!* répétait celui-ci. 20

—Et le cocktail! le *brandy-smash!* criait celui-là.

—Qui veut goûter le véritable *mint-julep,* à la dernière
mode?» s'écriaient ces adroits marchands en faisant passer
rapidement d'un verre à l'autre, comme un escamoteur fait
d'une muscade, le sucre, le citron, la menthe verte, la glace 25
pilée, l'eau, le cognac et l'ananas frais qui composent cette
boisson rafraîchissante.

Aussi, d'habitude, ces incitations adressées aux gosiers al-
térés sous l'action brûlante des épices se répétaient, se
croisaient dans l'air et produisaient un assourdissant tapage. 30

---

[69] **il fallait voir,** *you should have seen.*

[70] Verne can be lavish in his use of words. **sarigue** and **opossum** are
essentially the same, the former being a South American species! As
for **racoon,** he simply uses the American word.

Mais ce jour-là, ce premier décembre, ces cris étaient rares.
Les débitants se fussent[71] vainement enroués à provoquer
les chalands. Personne ne songeait ni à manger ni à boire, et
à quatre heures du soir, combien de spectateurs circulaient
dans la foule qui n'avaient pas encore pris leur lunch ac- 5
coutumé! Symptôme plus significatif encore, la passion vio-
lente de l'Américain pour les jeux[72] était vaincue par l'émotion. On comprenait que l'évènement du jour absorbait tout
autre besoin et ne laissait place à aucune distraction.

Jusqu'au soir, une agitation sourde, sans clameur, comme 10
celle qui précède les grandes catastrophes, courut parmi
cette foule anxieuse. Un indescriptible malaise régnait dans
les esprits, une torpeur pénible, un sentiment indéfinissable
qui serrait le coeur. Chacun aurait voulu «que ce fût fini».[73]

Cependant, vers sept heures, ce lourd silence se dissipa 15
brusquement. La Lune se levait sur l'horizon. Plusieurs millions de hourras saluèrent son apparition. Elle était exacte au
rendez-vous. Les clameurs montèrent jusqu'au ciel; les ap-
plaudissements éclatèrent de toutes parts, tandis que la
blonde Phoebe[74] brillait paisiblement dans un ciel admirable 20
et caressait cette foule enivrée de ses rayons les plus
affectueux.

En ce moment parurent les trois intrépides voyageurs. A
leur aspect les cris redoublèrent d'intensité. Unanimement,
instantanément, le chant national des Etats-Unis s'échappa 25
de toutes les poitrines haletantes, et le *Yankee doodle,* repris
en choeur par cinq millions d'exécutants, s'éleva comme une
tempête sonore jusqu'aux dernières limites de l'atmosphère.
Puis, après cet irrésistible élan, l'hymne se tut, les dernières
harmonies s'éteignirent peu à peu, les bruits se dissipèrent, 30
et une rumeur silencieuse flotta au-dessus de cette foule si

---

[71] fussent = seraient.
[72] jeux, *sports.*
[73] que ce fût fini, *to have it over with.*
[74] Phoebe, mythological name for the moon.

profondément impressionnée. Cependant, le Français et les deux Américains avaient franchi l'enceinte réservée autour de laquelle se pressait l'immense foule. Ils étaient accompagnés des membres du Gun-Club et des députations envoyées par les observatoires européens. Barbicane, froid et 5 calme, donnait tranquillement ses derniers ordres. Nicholl, les lèvres serrées, les mains croisées derrière le dos, marchait d'un pas ferme et mesuré. Michel Ardan, toujours dégagé,[75] vêtu en[76] parfait voyageur, les guêtres de cuir aux pieds, la gibecière au côté, flottant dans ses vastes vêtements de 10 velours marron, le cigare à la bouche, distribuait sur son passage[77] de chaleureuses poignées de main avec une prodigalité princière. Il était intarissable de verve, de gaieté, riant, plaisantant, faisant au digne J.-T. Maston des farces de gamin, en un mot «Français,» et qui pis est, «Parisien,» 15 jusqu'à la dernière seconde.

Dix heures sonnèrent. Le moment était venu de prendre place dans le projectile; la manoeuvre nécessaire pour y descendre, la plaque de fermeture à visser, le dégagement des grues et des échafaudages penchés sur la gueule de la 20 Columbiad exigeaient un certain temps.

Barbicane avait réglé son chronomètre à un dixième de seconde près[78] sur celui de l'ingénieur Murchison, chargé de mettre le feu aux poudres au moyen de l'étincelle électrique; les voyageurs enfermés dans le projectile pourraient ainsi 25 suivre de l'oeil l'impassible aiguille qui marquerait l'instant précis de leur départ.

Le moment des adieux était donc arrivé. La scène fut touchante; en dépit de sa gaieté fébrile, Michel Ardan se sentit ému. J.-T. Maston avait retrouvé sous ses paupières 30 sèches une vieille larme qu'il réservait sans doute pour cette

---

[75] **dégagé,** *free and easy.*
[76] **en,** *like a.*
[77] **sur son passage,** *as he passed by.*
[78] **à un dixième de seconde près,** *within a tenth of a second.*

occasion. Il la versa sur le front de son cher et brave président.

«Si je partais? dit-il, il est encore temps!

—Impossible, mon vieux Maston,» répondit Barbicane.

Quelques instants plus tard, les trois compagnons de route 5
étaient installés dans le projectile, dont ils avaient vissé intérieurement[79] la plaque d'ouverture, et la bouche de la
Columbiad, entièrement dégagée,[80] s'ouvrait librement vers
le ciel.

Nicholl, Barbicane et Michel Ardan étaient définitivement 10
murés dans leur wagon de métal.

Qui pourrait peindre l'émotion universelle, arrivée alors à
son paroxysme?

La Lune s'avançait sur un firmament d'une pureté limpide,
éteignant sur son passage les feux scintillants des étoiles; 15
elle parcourait alors la constellation des Gémeaux[81] et se
trouvait presque à mi-chemin de l'horizon et du zénith.
Chacun devait donc facilement comprendre que l'on visait
en avant du but, comme le chasseur vise en avant du lièvre
qu'il veut atteindre. Un silence effrayant planait sur toute 20
cette scène. Pas un souffle de vent sur la terre! Pas un souffle
dans les poitrines! Les coeurs n'osaient plus battre. Tous les
regards effarés fixaient la gueule béante de la Columbiad.

Murchison suivait de l'oeil l'aiguille de son chronomètre.
Il s'en fallait à peine de quarante secondes que l'instant du 25
départ ne sonnât,[82] et chacune d'elles durait un siècle.

A la vingtième, il y eut un frémissement universel, et il
vint à la pensée de cette foule que les audacieux voyageurs

---

[79] **intérieurement,** *from the inside.*

[80] **dégagée,** *open.*

[81] **Gémeaux,** *Gemini, the Twins.* The constellation composed of
Castor and Pollux.

[82] **Il s'en fallait à peine de quarante secondes que l'instant du départ ne sonnât,** *It was hardly forty seconds away from the moment of
the takeoff.*

enfermés dans le projectile comptaient aussi ces terribles secondes! Des cris isolés s'échappèrent:

«Trente-cinq! —trente-six! —trente-sept! —trente-huit! —trente-neuf! —quarante! Feu!!!»[83]

Aussitôt Murchison, pressant du doigt l'interrupteur de l'appareil, rétablit le courant[84] et lança l'étincelle électrique au fond de la Columbiad.

Une détonation épouvantable, inouïe, surhumaine, dont rien ne saurait donner une idée, ni les éclats de la foudre, ni le fracas des éruptions,[85] se produisit instantanément. Une immense gerbe de feu jaillit des entrailles du sol comme d'un cratère. La terre se souleva, et c'est à peine si quelques personnes purent[86] un instant entrevoir le projectile fendant victorieusement l'air au milieu des vapeurs flamboyantes.

UN NOUVEL ASTRE

Cette nuit même, la palpitante nouvelle si impatiemment attendue éclata comme un coup de foudre dans les Etats de l'Union, et, de là, s'élançant à travers l'Océan, elle courut sur tous les fils télégraphiques du globe. Le projectile avait été aperçu grâce au gigantesque réflecteur de Long's-Peak.[87]

Voici la note rédigée par le directeur de l'observatoire de Cambridge. Elle renferme la conclusion scientifique de cette grande expérience du Gun-Club.

«Long's Peak, 12 décembre.

«A MM. les membres du bureau de l'Observatoire de Cambridge.

---

[83] The countdown, it will be noted, is the opposite of that employed now.

[84] **rétablit le courant,** *turned on the current.*

[85] **éruptions,** *volcanic eruptions.*

[86] **c'est à peine si quelques personnes purent,** *hardly could a few people.*

[87] In Colorado.

«Le projectile lancé par la Columbiad de Stone's-Hill a été aperçu par MM. Belfast et J.-T. Maston, le 12 décembre, à huit heures quarante-sept minutes du soir, la Lune étant entrée dans son dernier quartier.

«Ce projectile n'est point arrivé à son but. Il a passé à côté, 5 mais assez près, cependant, pour être retenu par l'attraction lunaire.

«Là, son mouvement rectiligne s'est changé en un mouvement circulaire d'une rapidité vertigineuse, et il a été entraîné suivant une orbite elliptique autour de la Lune, dont 10 il est devenu le véritable satellite.

«Les éléments de ce nouvel astre n'ont pas encore pu être déterminés. On ne connaît ni sa vitesse de translation,[88] ni sa vitesse de rotation. La distance qui le sépare de la surface de la Lune peut être évaluée à deux mille huit cent trente-trois 15 milles environ (—4.500 lieues).

«Maintenant, deux hypothèses peuvent se produire et amener une modification dans l'état des choses:

«Ou l'attraction de la Lune finira par l'emporter, et les voyageurs atteindront le but de leur voyage; 20

«Ou, maintenu dans un ordre immutable, le projectile gravitera autour du disque lunaire jusqu'à la fin des siècles.

«C'est ce que les observations apprendront un jour, mais jusqu'ici la tentative du Gun-Club n'a eu d'autre résultat que de doter d'un nouvel astre notre système solaire. 25

«J. Belfast.»

Que de questions soulevait ce dénouement inattendu! Quelle situation grosse de mystères l'avenir réservait aux investigations de la science! Grâce au courage et au dévouement de trois hommes, cette entreprise, assez futile en apparence, d'envoyer un boulet à la Lune, venait d'avoir[89] un 30 résultat immense, et dont les conséquences sont incalculables. Les voyageurs, emprisonnés dans un nouveau satellite,

---

[88] **vitesse de translation,** *forward speed.*
[89] **venait d'avoir,** *had just had.*

s'ils n'avaient pas atteint leur but, faisaient du moins partie du monde lunaire; ils gravitaient autour de l'astre des nuits, et, pour la première fois, l'oeil pouvait en pénétrer tous les mystères. Les noms de Nicholl, de Barbicane, de Michel Ardan devront donc être à jamais célèbres dans les fastes 5 astronomiques, car ces hardis explorateurs, avides d'agrandir le cercle des connaissances humaines, se sont audacieusement lancés à travers l'espace et ont joué leur vie dans la plus étrange tentative des temps modernes.

Quoi qu'il en soit, la note de Long's-Peak une fois connue, 10 il y eut dans l'univers entier un sentiment de surprise et d'effroi. Etait-il possible de venir en aide à ces hardis habitants de la Terre? Non, sans doute, car ils s'étaient mis en dehors de l'humanité en franchissant les limites imposées par Dieu aux créatures terrestres. Ils pouvaient se procurer de 15 l'air pendant deux mois. Ils avaient des vivres pour un an. Mais après? . . . Les coeurs les plus insensibles palpitaient à cette terrible question.

Un seul homme ne voulait pas admettre que la situation fût désespérée. Un seul avait confiance, et c'était leur ami 20 dévoué, audacieux et résolu comme eux, le brave J.-T. Maston.

D'ailleurs, il ne les perdait pas des yeux.[90] Son domicile fut désormais le poste de Long's-Peak; son horizon, le miroir de l'immense réflecteur. Dès que la Lune se levait à l'horizon, il 25 l'encadrait dans le champ du télescope, il ne la perdait pas un instant du regard et la suivait assidûment dans sa marche à travers les espaces stellaires; il observait avec une éternelle patience le passage du projectile sur son disque d'argent,[91] et véritablement le digne homme restait en perpétuelle com- 30 munication avec ses trois amis, qu'il ne désespérait pas de revoir un jour.

«Nous correspondrons avec eux, disait-il à qui voulait l'entendre, dès que les circonstances le permettront. Nous

---

[90] **il ne les perdait pas des yeux,** *he never lost sight of them.*
[91] **disque d'argent,** *reflector.*

aurons de leurs nouvelles[92] et ils auront des nôtres! D'ailleurs, je les connais, ce sont des hommes ingénieux. A eux trois[93] ils emportent dans l'espace toutes les ressources de l'art, de la science et de l'industrie. Avec cela on fait ce qu'on veut, et vous verrez qu'ils se tireront d'affaire!»[94]   5

Expressions for Study

1. Il fallait choisir un endroit favorable à l'expérience.
2. Le tir devait être dirigé perpendiculairement.
3. ... sans comprendre où l'orateur voulait en venir.
4. Mais non! s'écria-t-on de toutes parts.
5. Tôt ou tard cette guerre se fera.
6. Je vous retire la parole.
7. Ses collègues parvinrent à le contenir.
8. L'incident n'eut pas de suite.
9. Aussi, la décision à peine connue, les députés arrivèrent à Baltimore par le plus court.
10. A partir de ce moment, le président et les membres furent assiégés jour et nuit.
11. Deux États menaçaient d'en venir aux mains.
12. Le Times et l'American Review prirent fait et cause pour les députés floridiens.
13. En fait de fièvres la Floride n'avait rien à lui envier.
14. Il était imprudent de traiter les autres de pays malsains.
15. Il avait raison.
16. On doit des égards à un État où pousse le plus beau coton.
17. Avant de fondre quoi que ce soit, il faut arriver dans ce pays.
18. Vous nous la donnez belle.
19. On s'attendit à un égorgement des deux partis.
20. On fut obligé de garder les députés à vue.
21. Le président ne savait où donner de la tête.
22. Quel parti devait-il prendre?
23. Quant aux personnalités, elle n'avaient que faire dans la question.
24. En considérant ce qui vient de se passer entre la Floride et le Texas.

---

[92] **de leurs nouvelles,** *news of them.*
[93] **A eux trois,** *The three of them together.*
[94] **se tireront d'affaire,** *will manage.*

25. La rivalité descendra du genre à l'espèce.
26. Va donc pour la Floride.
27. Ils adressèrent des provocations nominales aux membres.
28. Les magistrats n'eurent plus qu'un parti à prendre.
29. On fit chauffer un train spécial.
30. On y embarqua les Texiens bon gré mal gré.
31. Qu'elle saute!
32. . . . désirant se rendre compte de l'effet de contrecoup . . .
33. On introduisit un écureuil auquel Maston tenait particulièrement.
34. Ils assistèrent à l'opération.
35. A peine la bombe fut-elle ouverte . . .
36. D'écureuil, point.
37. Quoiqu'il en soit . . .
38. Il n'y avait donc plus qu'à partir.
39. Que de gens dormirent mal.
40. Les prairies qui s'étendent à perte de vue.
41. Des tentes hérissaient la plaine.
42. Tous les dialectes s'y parlaient à la fois.
43. . . . chaussés de bottines aux couleurs éclatantes . . .
44. Il fallait voir tout ce monde.
45. Les applaudissement éclatèrent de toutes parts.
46. L'hymne se tut.
47. Ardan, vêtu en parfait voyageur, distribuait sur son passage de chaleureuses poignées de main.
48. Barbicane avait réglé son chronomètre à un dixième de seconde près.
49. Il s'en fallait à peine de quarante secondes que l'instant du départ ne sonnât.
50. Murchison rétablit le courant.
51. C'est à peine si quelques personnes purent un instant entrevoir le projectile.
52. Il a passé à côté.
53. Ou l'attraction de la Lune finira par l'emporter ou le projectile gravitera autour du disque lunaire.
54. Que de questions soulevait ce dénouement.
55. Grâce au courage de trois hommes, cette entreprise venait d'avoir un résultat immense.
56. Les noms devront donc être à jamais célèbres.
57. Quoi qu'il en soit, il y eut un sentiment de surprise.
58. Il ne les perdait pas des yeux.
59. Nous aurons de leurs nouvelles.
60. Vous verrez qu'ils se tireront d'affaire.

Questionnaire

Floride et Texas

1. Comment le tir devait-il être dirigé?
2. Que s'agissait-il de déterminer?
3. Quel droit l'Union peut-elle revendiquer?
4. Que propose Maston? Pourquoi?
5. Ses collègues sont-ils d'accord?
6. Comment Barbicane a-t-il arrêté la véhémence de l'orateur?
7. Pourquoi est-il inutile de déclarer la guerre au Mexique?
8. Quelles régions sont à leur disposition?
9. Quelle est la difficulté créée par cette décision?
10. Par où passe le vingt-huitième parallèle?
11. Quel état a le plus de villes, le Texas ou la Floride?
12. Que réclamaient les députés texiens et floridiens?
13. Que faisaient les députés dans les rues de Baltimore?
14. Les députés en sont-ils venus aux mains? Pourquoi non?
15. Quels journaux soutenaient quel état?
16. Quel était le premier point disputé? Et le deuxième?
17. Le Texas a-t-il un climat sain? Et la Floride?
18. Quelle est la superiorité du sol de la Floride?
19. Décrivez la côte du Texas.
20. Les Séminoles étaient-ils civilisés?
21. La Floride a-t-elle été incorporée à l'Union avant le Texas?
22. Quelle a été la population de la Floride pendant deux cents ans?
23. L'histoire du Texas est-elle glorieuse? Pourquoi?
24. Jules Verne connaît-il bien l'histoire et la géographie des Etats-Unis?
25. Pourquoi était-on obligé de garder les députés à vue?
26. Lequel des deux états était le plus qualifié pour avoir le canon?
27. Quelles sont les difficultés qui se produiront si le Texas est choisi?
28. Pourquoi Barbicane a-t-il choisi la Floride?
29. Quel parti les magistrats de Baltimore ont-ils été obligés de prendre?
30. Est-ce qu'une vitesse de trente milles à l'heure est grande aujourd'hui?
31. Quel menaçant sarcasme les texiens ont-ils jeté?
32. Pourquoi Barbicane a-t-il tenté l'expérience préparatoire?
33. Pourquoi a-t-on installé le mortier sur le rivage?
34. L'intérieur du projectile était-il confortable?
35. Pourquoi a-t-on introduit l'écureuil dans la bombe?

36. Décrivez le voyage du projectile. Combien de temps a-t-il duré?
37. Qui a hissé la bombe hors de l'eau après sa chute?
38. Aviez-vous pensé que le chat mangerait l'écureuil?
39. Quel a été le résultat positif de cette expérience?

Feu!

1. Pourquoi le départ devait-il s'effectuer à une certaine heure?
2. Pourquoi les gens ont-ils mal dormi?
3. Michel Ardan était-il préoccupé?
4. Où habitait la foule? Était-elle nombreuse?
5. A quoi ressemblait cette foule? Pourquoi?
6. Les classes sociales étaient-elles séparées ce jour-là?
7. Nommez des professions de l'Indiana, de Cincinnati.
8. Décrivez les costumes de cette foule. Nommez des bijoux.
9. Que mangeait tout ce monde?
10. Qui a la réputation de manger des grenouilles, ordinairement?
11. Nommez différentes sortes de récipients pour des boissons.
12. Les tavernes étaient-elles silencieuses d'habitude? Et ce jour-là?
13. Quel effet produisent les épices sur le gosier?
14. A quoi les spectateurs ne songeaient-ils pas? Pourquoi?
15. Quelle atmosphère a régné jusqu'au soir? Pourquoi?
16. Qu'est-ce que les spectateurs ont fait quand la lune s'est levée?
17. Jules Verne décrit-il toujours la lune en termes scientifiques?
18. Qu'est-ce qui est arrivé quand les trois voyageurs ont paru?
19. Qui a franchi l'enceinte?
20. Michel Ardan était-il froid et sérieux?
21. De quelle nationalité était-il typique pour Jules Verne?
22. Que fallait-il faire avant le départ du projectile?
23. Pourquoi Barbicane avait-il réglé son chronomètre sur celui de l'ingénieur?
24. Les voyageurs étaient-ils émus? Que propose Maston?
25. Où se trouvait la lune? Où visait-on?
26. Les spectateurs applaudissaient-ils maintenant?
27. Qu'est-ce que la foule a pensé? De qui venaient les cris?
28. Comment Murchison a-t-il lancé la bombe?
29. A quoi a ressemblé la détonation?
30. Les spectateurs ont-ils bien vu le projectile?

Un Nouvel Astre

1. Où la nouvelle a-t-elle été reçue?
2. Le projectile est-il arrivé à la lune?

3. Quel mouvement a le projectile? Autour de quoi est son orbite?
4. Connaît-on sa vitesse et ses éléments?
5. Que se produira-t-il si l'attraction de la lune l'emporte?
6. Quelle est la deuxième hypothèse?
7. Quel est le seul résultat de cette tentative?
8. Qu'est-ce que les voyageurs pouvaient voir maintenant?
9. Pourquoi ces hardis explorateurs ont-ils joué leur vie?
10. Quelles ressources matérielles avaient les voyageurs dans le projectile?
11. Quelle terrible question se posait-on?
12. Quelle était désormais l'occupation de Maston?
13. Comment croyez-vous qu'il restait en communication avec ses trois amis?
14. Maston était-il pessimiste? Qu'espérait-il faire bientôt?
15. Les trois voyageurs se tireront-ils d'affaire? Pourquoi?

✿ ✿ ✿ ✿ ✿

Guy de Maupassant

Two Stories

In one of the Duhamel selections (from *Les Plaisirs et les jeux*), earlier in this book, there is recounted a childhood experience which leads Duhamel to speculate on its possible influence on the adult life of the child. "Garçon, un bock!" by Guy de Maupassant (1850–1893) gives a tragic example of how a disillusioning event resulted in a wasted life. This is but another illustration of one of Maupassant's favorite themes: single happenings, sometimes even unimportant occurrences, may bring about a reshaping of one's whole life. Also present, as in so many of Maupassant's tales, is the element of human suffering, which may well explain the world-wide popularity of this master of the short story.

The usual themes of Maupassant, the suffering arising from the ironies of life, the catastrophic effect of small incidents, are absent from "Amour." The tale itself is less important than its setting, and it is this setting—and comparable though different settings in a number of his other stories—which bring out his poetic, and least-known, side. For Maupassant has the qualities of a great poet. His is never the poetry of a single line, but rather a poetry of feeling and mood which can only be grasped by reading the complete tale—a poetry of the whole. In "Amour" it is the description of the marshlands in which the two men go hunting that gradually builds up a sense of the poetry of creativeness. These wastelands, primeval as they are, suggest to Maupassant the world as it was at the beginning of time, and there is an obvious relationship between the creation of the world and his own creative urges, described only through this primitive physical setting.

GARÇON, UN BOCK! . . .

Pourquoi suis-je entré, ce soir-là, dans cette brasserie? Je n'en sais rien. Il faisait froid. Une fine pluie, une poussière d'eau[1] voltigeait, voilait les becs de gaz d'une brume transparente, faisait luire les trottoirs que traversaient[2] les lueurs des devantures, éclairant la boue humide et les pieds sales 5 des passants.

Je n'allais nulle part. Je marchais un peu après dîner. Je passai le Crédit Lyonnais, la rue Vivienne,[3] d'autres rues encore. J'aperçus soudain une grande brasserie à moitié pleine. J'entrai, sans aucune raison. Je n'avais pas soif. 10

D'un coup d'œil[4] je cherchai une place où je ne serais point trop serré, et j'allai m'asseoir à côté d'un homme qui me parut vieux et qui fumait une pipe de deux sous, en terre,[5] noire comme un charbon. Six ou huit soucoupes de verre, empilées sur la table devant lui, indiquaient le nombre de bocks[6] qu'il 15 avait absorbés déjà. Je n'examinai pas mon voisin. D'un coup d'œil j'avais reconnu un bockeur, un de ces habitués de brasserie qui arrivent le matin, quand on ouvre, et s'en vont le soir, quand on ferme. Il était sale, chauve du milieu[7] du crâne, tandis que de longs cheveux gras, poivre et sel,[8] tom- 20 baient sur le col de sa redingote. Ses habits trop larges sem-

---

[1] **poussière d'eau,** *mist* (literally, *dust of water*).

[2] **traversaient,** *shone across,* has *lueurs* as subject.

[3] **le Crédit Lyonnais, la rue Vivienne,** a bank and street in the financial quarter of the right bank in Paris.

[4] **D'un coup d'oeil,** *With a glance.*

[5] **une pipe de deux sous, en terre,** *a clay pipe worth two cents.*

[6] **bocks,** properly half-pint glasses of beer; in many cafés the *saucer* (**soucoupe**) indicates the price, and is left until payment is made.

[7] **du milieu,** *on the top.*

[8] **gras, poivre et sel,** *greasy and grizzled* (*pepper-and-salt color*).

blaient avoir été faits au temps où il avait du ventre.[9] On
devinait que le pantalon ne tenait guère[10] et que cet homme
ne pouvait faire dix pas sans rajuster et retenir ce vêtement
mal attaché. Avait-il un gilet? La seule pensée des bottines[11]
et de ce qu'elles enfermaient me terrifia. Les manchettes ef- 5
filoquées étaient complètement noires du bord, comme les
ongles.

Dès que je fus assis à son côté, ce personnage me dit d'une
voix tranquille: «Tu[12] vas bien?»

Je me tournai vers lui d'une secousse[13] et je le dévisageai. 10
Il reprit: «Tu ne me reconnais pas?»

—Non!

—Des Barrets.

Je fus stupéfait. C'était le comte Jean des Barrets, mon
ancien camarade de collège.[14]   15

Je lui serrai la main, tellement interdit[15] que je ne trouvai
rien à dire.

Enfin, je balbutiai: «Et toi, tu vas bien?»[16]

Il répondit placidement: «Moi, comme[17] je peux.»

Il se tut. Je voulus être aimable, je cherchai une phrase: 20
«Et . . . qu'est-ce que tu fais?»

Il répliqua avec résignation: «Tu vois.»

Je me sentis rougir. J'insistai: «Mais tous les jours?»

---

[9] **du ventre,** *a bit of a paunch.*

[10] **le pantalon ne tenait guère,** *his trousers were in danger of slip-
ping down.*

[11] **bottines** = **souliers.**

[12] **Tu,** the intimate form of address here comes as a special shock
since the mere fact of sharing a table does not entitle people to speak
to one another at all.

[13] **d'une secousse,** *with a start.*

[14] **ancien camarade de collège,** *former schoolmate* (*in secondary
school*).

[15] **interdit,** *taken aback.*

[16] **tu vas bien**—note that the (approximately) literal meaning of
this catch-phrase is *"you are getting on well."*

[17] **comme,** *as best.*

Il prononça, en soufflant d'épaisses bouffées de fumée: «Tous les jours c'est la même chose.»

Puis, tapant sur le marbre de la table avec un sou qui traînait,[18] il s'écria: «Garçon, deux bocks!»

Une voix lointaine répéta: «Deux bocks au quatre!»[19]   5
Une autre voix plus éloignée encore lança un «Voilà!»[20]
suraigu. Puis un homme en tablier blanc apparut, portant les deux bocks dont il répandait, en courant, les gouttes jaunes sur le sol sablé.[21]

Des Barrets vida d'un trait[22] son verre et le reposa sur la   10
table, pendant qu'il aspirait la mousse restée en ses moustaches.

Puis il demanda: «Et quoi de neuf?»[23]

Je ne savais rien de neuf à lui dire, en vérité. Je balbutiai: «Mais, rien, mon vieux. Moi je suis commerçant.»   15

Il prononça de sa voix toujours égale:[24] «Et . . . ça t'amuse?»

—Non, mais que veux-tu? Il faut bien faire quelque chose!

—Pourquoi ça?

—Mais . . . pour s'occuper.   20

—A quoi ça sert-il?[25] Moi, je ne fais rien, comme tu vois, jamais rien. Quand on n'a pas le sou, je comprends qu'on travaille.[26] Quand on a de quoi vivre,[27] c'est inutile. A quoi bon travailler? Le fais-tu pour toi ou pour les autres? Si tu le fais pour toi, c'est que ça t'amuse, alors très bien; si tu le fais   25
pour les autres, tu n'es qu'un niais.

Puis, posant sa pipe sur le marbre, il cria de nouveau:

---

[18] **qui traînait,** *which was lying there.*
[19] **au quatre,** *for table number four.*
[20] **Voilà,** *"Here you are!"*
[21] **sol sablé,** *sanded floor.*
[22] **d'un trait,** *in a single gulp.*
[23] **Quoi de neuf,** *What's new?*
[24] **toujours égale,** *monotonous.*
[25] **A quoi ça sert-il,** *What's the good of that.*
[26] **qu'on travaille,** *that one should work* (pres. subj.).
[27] **de quoi vivre,** *enough to live on.*

«Garçon, un bock!» et reprit: «Ça me donne soif de parler.[28] Je n'en ai pas l'habitude. Oui, moi, je ne fais rien, je me laisse aller,[29] je vieillis. En mourant je ne regretterai rien. Je n'aurai pas d'autre souvenir que cette brasserie. Pas de femme, pas d'enfants, pas de soucis, pas de chagrins, rien. Ca vaut 5 mieux.»

Il vida le bock qu'on lui avait apporté, passa sa langue sur ses lèvres et reprit sa pipe.

Je le considérais avec stupeur. Je lui demandai:

—Mais tu n'as pas toujours été ainsi? 10

—Pardon, toujours, dès le collège.[30]

—Ce n'est pas une vie, ça, mon bon. C'est horrible. Voyons, tu fais bien quelque chose, tu aimes quelque chose, tu as des amis.

—Non. Je me lève à midi. Je viens ici, je déjeune, je bois 15 des bocks, j'attends la nuit, je dîne, je bois des bocks; puis, vers une heure et demie du matin, je retourne me coucher, parce qu'on ferme. C'est ce qui m'embête le plus. Depuis dix ans, j'ai bien passé six années sur cette banquette, dans mon coin; et le reste dans mon lit, jamais ailleurs. Je cause quel- 20 quefois avec des habitués.

—Mais, en arrivant à Paris, qu'est-ce que tu as fait, tout d'abord?

—J'ai fait mon droit . . . au café de Médicis.[31]

—Mais après? 25

—Après . . . j'ai passé l'eau[32] et je suis venu ici.

—Pourquoi as-tu pris cette peine?

—Que veux-tu,[33] on ne peut pas rester toute sa vie au quar-

---

[28] **Ça me donne soif de parler,** *Talking makes me thirsty.*

[29] **je me laisser aller,** *I drift.*

[30] **dès le collège,** *since (leaving) school.*

[31] **J'ai fait mon droit . . . au café de Médicis,** *I studied law . . . at the Medicis café,* in the Latin Quarter—i.e., not by attending lectures or studying for his exams.

[32] **j'ai passé l'eau,** *I crossed the river* (to the right bank).

[33] **Que veux-tu.** This very common expression should be translated according to the context—here, *Why not?*

tier latin. Les étudiants font trop de bruit. Maintenant je ne bougerai plus. «Garçon, un bock!»

Je croyais qu'il se moquait de moi. J'insistai.

—Voyons, sois franc. Tu as eu quelques gros chagrin? Un désespoir d'amour, sans doute? Certes, tu es un homme que 5 le malheur a frappé. Quel âge as-tu?

—J'ai trente-trois ans. Mais j'en parais au moins quarante-cinq.

Je le regardai bien en face.[34] Sa figure ridée, mal soignée, semblait presque celle d'un vieillard. Sur le sommet du crâne, 10 quelques longs cheveux voltigeaient[35] au-dessus de la peau d'une propreté douteuse. Il avait des sourcils énormes, une forte[36] moustache et une barbe épaisse. J'eus brusquement, je ne sais pourquoi, la vision d'une cuvette pleine d'eau noirâtre, l'eau où aurait été lavé tout ce poil. 15

Je lui dis: «En effet, tu as l'air plus vieux que ton âge. Certainement tu as eu des chagrins.»

Il répliqua: «Je t'assure que non. Je suis vieux parce que je ne prends jamais l'air. Il n'y a rien qui détériore les gens comme la vie de café. 20

Je ne le pouvais croire. «Tu as bien aussi fait la noce?[37] On n'est pas chauve comme tu l'es sans avoir beaucoup aimé.»

Il secoua tranquillement le front, semant sur son dos les petites choses blanches[38] qui tombaient de ses derniers 25 cheveux: «Non, j'ai toujours été sage.» Et levant les yeux vers le lustre[39] qui nous chauffait la tête: «Si je suis chauve, c'est la faute du gaz. Il est l'ennemi du cheveu.—Garçon, un bock!—Tu n'as pas soif?»

---

[34] **bien en face,** *squarely in the eyes.*

[35] **voltigeaient,** *straggled.*

[36] **forte,** *thick.*

[37] **Tu as bien aussi fait la noce,** *you surely have been living wildly too.*

[38] **petites choses blanches = pellicules,** *dandruff.*

[39] **lustre,** *gas lamp.*

—Non, merci. Mais vraiment tu m'intéresses. Depuis quand as-tu un pareil découragement? Ça n'est pas normal, ça n'est pas naturel. Il y a quelque chose là-dessous.

—Oui, ça date de mon enfance. J'ai reçu un coup,[40] quand j'étais petit, et cela m'a tourné au noir pour jusqu'à la fin.[41]

—Quoi donc?

—Tu veux le savoir? écoute. Tu te rappelles bien le château où je fus élevé, puisque tu y es venu cinq ou six fois pendant les vacances? Tu te rappelles ce grand bâtiment gris, au milieu d'un grand parc, et les longues avenues de chênes, ouvertes vers les quatre points cardinaux![42] Tu te rappelles mon père et ma mère, tous les deux cérémonieux, solennels et sévères.

J'adorais ma mère; je redoutais mon père, et je les respectais tous les deux, accoutumé d'ailleurs à voir tout le monde courbé devant eux. Ils étaient, dans le pays, M. le comte et Mme la comtesse; et nos voisins aussi, les Tannemare, les Ravelet, les Brenneville, montraient pour mes parents une considération supérieure.

J'avais alors treize ans. J'étais gai, content de tout, comme on l'est à cet âge-là, tout plein du bonheur de vivre.

Or, vers la fin de septembre, quelques jours avant ma rentrée au collège, comme je jouais à faire le loup[43] dans les massifs du parc, courant au milieu des branches et des feuilles, j'aperçus, en traversant une avenue,[44] papa et maman qui se promenaient.[45]

Je me rappelle cela comme d'hier. C'était par un jour de grand vent. Toute la ligne des arbres se courbait sous les

---

[40] reçu un coup, *had a shock.*

[41] m'a tourné au noir pour jusqu'à la fin—freely, *gave me a melancholy turn that will remain until my death.*

[42] ouvertes vers les quatre points cardinaux, *leading toward the four points of the compass.*

[43] jouais à faire le loup, *was playing "wolf."*

[44] avenue, *wide path,* as between the oak trees mentioned above.

[45] qui se promenaient, *out for a stroll.*

thicket

rafales, gémissant, semblait pousser des cris, de ces[46] cris sourds, profonds,[47] que les forêts jettent[48] dans les tempêtes.

Les feuilles arrachées, jaunes déjà, s'envolaient comme des oiseaux, tourbillonnaient, tombaient, puis couraient tout le long de l'allée, ainsi que des bêtes rapides.[49]   5

Le soir venait. Il faisait sombre dans les fourrés. Cette agitation du vent et des branches m'excitait, me faisait galoper comme un fou, et hurler pour imiter les loups.

Dès que j'eus aperçu mes parents, j'allai vers eux à pas furtifs, sous les branches, pour les surprendre, comme si 10 j'eusse été un rôdeur véritable.

Mais je m'arrêtai, saisi de peur, à quelques pas d'eux. Mon père, en proie à une terrible colère, criait:

—Ta mère est une sotte; et, d'ailleurs, ce n'est pas de ta mère qu'il s'agit, mais de toi. Je te dis que j'ai besoin de 15 cet argent, et j'entends que tu signes.[50]

Maman répondit, d'une voix ferme:

—Je ne signerai pas. C'est la fortune de Jean,[51] cela. Je la garde pour lui et je ne veux pas que tu la manges encore comme tu as fait de ton héritage.   20

Alors papa, tremblant de fureur, se retourna, et saisissant sa femme par le cou, il se mit à la frapper avec l'autre main de toute sa force, en pleine figure.[52]

Le chapeau de maman tomba, ses cheveux dénoués se répandirent; elle essayait de parer les coups, mais elle n'y 25 pouvait parvenir. Et papa, comme fou, frappait, frappait.

---

[46] de ces, *the sort of.*

[47] profonds, *deep-throated.*

[48] jettent, *utter.*

[49] bêtes rapides, *scampering animals,* such as gophers or squirrels.

[50] j'entends que tu signes, *I intend to see that you sign (the necessary papers).*

[51] la fortune de Jean, undoubtedly her dowry, which, while under the husband's management, never becomes his property and passes on to the children at the mother's death, unless she personally alienates it by signing it over as is requested here.

[52] en pleine figure, *right across the face.*

Elle roula par terre, cachant sa face dans ses deux bras. Alors il la renversa sur le dos pour la battre encore, écartant les mains dont elle se couvrait le visage.

Quant à moi, mon cher, il me semblait que le monde allait finir, que les lois éternelles étaient changées. J'éprouvais le 5 bouleversement qu'on a devant les choses surnaturelles, devant les catastrophes monstrueuses, devant les irréparables désastres. Ma tête d'enfant s'égarait, s'affolait. Et je me mis à crier de toute ma force, sans savoir pourquoi, en proie à une épouvante, à une douleur, à un effarement épouvanta- 10 bles. Mon père m'entendit, se retourna, m'aperçut, et, se rele- vant, s'en vint[53] vers moi. Je crus qu'il m'allait tuer[54] et je m'enfuis comme un animal chassé, courant tout droit devant moi, dans le bois.

J'allai peut-être une heure, peut-être deux, je ne sais pas. 15 La nuit étant venue, je tombai sur l'herbe, épuisé, et je restai là éperdu, dévoré par la peur, rongé par un chagrin ca- pable de briser à jamais[55] un pauvre cœur d'enfant. J'avais froid, j'avais faim peut-être. Le jour vint. Je n'osais plus me lever, ni marcher, ni revenir, ni me sauver encore,[56] crai- 20 gnant de rencontrer mon père que je ne voulais plus revoir.

Je serais peut-être mort de misère et de famine au pied de mon arbre, si le garde[57] ne m'avait découvert et ramené de[58] force.

Je trouvai mes parents avec leur visage ordinaire. Ma 25 mère me dit seulement: «Comme tu m'as fait peur, vilain garçon, j'ai passé la nuit sans dormir.» Je ne répondis point, mais je me mis à pleurer. Mon père ne prononça pas une parole.

Huit jours plus tard, je rentrais au collège. 30

---

[53] s'en vint = vint.
[54] m'allait tuer = allait me tuer.
[55] à jamais, *forever*, as it did.
[56] me sauver encore, *run away any farther.*
[57] garde, *caretaker of the estate.*
[58] de, *by.*

Eh bien, mon cher, c'était fini pour moi. J'avais vu l'autre face des choses, la mauvaise; je n'ai plus aperçu la bonne depuis ce jour-là. Que s'est-il passé dans mon esprit?[59] Quel phénomène étrange m'a retourné les idées? Je l'ignore.[60] Mais je n'ai plus eu de goût pour rien, envie[61] de rien, d'amour   5 pour personne, de désir quelconque, d'ambition ou d'espérance. Et j'aperçois toujours ma pauvre mère, par terre, dans l'allée, tandis que mon père l'assommait.—Maman est morte après quelques années. Mon père vit encore. Je ne l'ai pas revu.—Garçon, un bock! . . .   10

On lui apporta son bock qu'il engloutit d'une gorgée. Mais, en reprenant sa pipe, comme il tremblait, il la cassa. Alors il eut[62] un geste désespéré, et il dit:.«Tiens! c'est un vrai chagrin, ça,[63] par exemple.[64] J'en ai pour un mois[65] à en culotter une nouvelle.»   15

Et il lança à travers la vaste salle, pleine maintenant de fumée et de buveurs, son éternel cri: «Garçon, un bock—et une pipe neuve!»

Expressions for Study

1. Une fine poussière d'eau faisait luire les trottoirs que traversaient les lueurs des devantures.
2. D'un coup d'oeil je cherchai une place où je ne serais point trop serré.
3. Les manchettes étaient complètement noires du bord, comme les ongles.
4. A quoi ça sert-il?
5. Quand on n'a pas le sou, je comprends qu'on travaille.
6. Si tu le fais pour toi, c'est que ça t'amuse, alors très bien.
7. J'ai fait mon droit—au café de Médicis.

---

[59] **Que s'est-il passé dans mon esprit,** *What took place inside me?*
[60] **Je l'ignore,** *I can't say.*
[61] **envie,** *desire.*
[62] **eut** = fit.
[63] **ça**—breaking his pipe, which he had well seasoned.
[64] **par exemple,** *I tell you!*
[65] **J'en ai pour un mois,** *It will take me a month.*

8. J'ai reçu un coup, quand j'étais petit, et cela m'a tourné au noir pour jusqu'à la fin.
9. Ce n'est pas de ta mère qu'il s'agit, mais de toi.
10. J'entends que tu signes.
11. Je serais peut-être mort de misère et de famine, si le garde ne m'avait découvert et ramené de force.
12. Que s'est-il passé dans mon esprit?
13. Quel phénomène étrange m'a retourné les idées? Je l'ignore.
14. Tiens! c'est un vrai chagrin, ça, par exemple.
15. J'en ai pour un mois à en culotter une nouvelle.

Questionnaire

1. Pourquoi l'auteur est-il entré dans cette brasserie-là?
2. Quel temps faisait-il?
3. Que chercha-t-il en entrant?
4. Décrivez son voisin de table.
5. Comment s'appelle-t-il?
6. Où l'auteur l'a-t-il connu?
7. De quoi des Barrets n'a-t-il pas l'habitude?
8. Quel âge a-t-il?
9. Décrivez sa journée.
10. Qu'a-t-il fait en arrivant à Paris?
11. Pourquoi a-t-il quitté le quartier latin?
12. Où fut-il élevé?
13. Qu'a-t-il reçu à l'âge de treize ans?
14. Qu'est-ce que son père demandait à sa mère?
15. Pourquoi celle-ci a-t-elle refusé?
16. Que fit son père alors?
17. Que fit Jean?
18. Où passa-t-il la nuit?
19. Ses parents sont-ils encore en vie?
20. Quel est le "vrai chagrin" dont souffre des Barrets à la fin du conte?

AMOUR[1]

 . . . Je viens de lire dans un fait divers de journal[2] un

---

[1] The absence of the definite article, which one would expect to be used here, conveys the feeling of a broad treatment of the subject rather than a specific instance of it.

[2] **fait divers de journal**, *newspaper item*.

drame de passion. Il l'a tuée, puis il s'est tué, donc il l'aimait. Qu'importe Il ou Elle? Leur amour seul m'importe; il ne m'intéresse point parce qu'il m'attendrit ou parce qu'il m'étonne, ou parce qu'il m'émeut ou parce qu'il me fait songer, mais parce qu'il me rappelle un souvenir de ma 5 jeunesse, un étrange souvenir de chasse où m'est apparu l'Amour comme apparaissaient aux premiers chrétiens des croix au milieu du ciel.

Je suis né avec tous les instincts et les sens de l'homme primitif, tempérés par des raisonnements et des émotions de 10 civilisé. J'aime la chasse avec passion; et la bête saignante, le sang sur les plumes, le sang sur mes mains, me crispent le coeur à le faire défaillir.[3]

Cette année-là, vers la fin de l'automne, les froids arrivèrent brusquement, et je fus appelé par un de mes cousins 15 Karl de Rauville, pour venir avec lui tuer des canards dans les marais, au lever du jour.

Mon cousin, gaillard de quarante ans, roux, très fort et très barbu, gentilhomme de campagne, demi-brute aimable,[4] d'un caractère gai, doué de cet esprit gaulois[5] qui rend 20 agréable la médiocrité, habitait une sorte de ferme-château dans une vallée large où coulait une rivière. Des bois couvraient les collines de droite et de gauche, vieux bois seigneuriaux où restaient des arbres magnifiques et où l'on trouvait les plus rares gibiers à plume[6] de toute cette partie 25 de la France. On y tuait des aigles quelquefois; et les oiseaux de passage, ceux qui presque jamais ne viennent en nos pays trop peuplés,[7] s'arrêtaient presque infaillible-

---

[3] **me crispent le coeur à le faire défaillir,** (*almost*) *overwhelm me to the point were I feel like fainting.*

[4] **demi-brute aimable,** *a likable, half-savage fellow.*

[5] **esprit gaulois,** *coarse wit.* The **esprit gaulois** is as old as French literature. Hard to define in a few words, it is a compound of raucous wit, cutting satire, and less-than-proper vocabulary.

[6] **gibiers à plume,** *feathered game.*

[7] **pays trop peuplés,** *highly populated areas.*

ment dans ces branchages séculaires comme s'ils avaient connu ou reconnu un petit coin de forêt des anciens temps demeuré là pour leur servir d'abri en leur courte étape nocturne.

Dans la vallée, c'étaient de grands herbages séparés par 5 des haies; puis, plus loin, la rivière s'épandait en un vaste marais. Ce marais, la plus admirable région de chasse que j'aie jamais vue, était tout le souci de mon cousin qui l'entretenait comme un parc. A travers l'immense peuple de roseaux[8] qui le recouvrait, le faisait vivant, on avait tracé 10 d'étroites avenues où les barques plates, dirigées avec des perches, passaient, muettes, sur l'eau morte, faisaient fuir les poissons rapides à travers les herbes et plonger les poules sauvages dont la tête noire et pointue disparaissait brusquement. 15

J'aime l'eau d'une passion désordonnée: la mer, bien que trop grande, impossible à posséder, les rivières si jolies mais qui passent, et les marais surtout où palpite toute l'existence inconnue des bêtes aquatiques. Le marais c'est un monde entier sur la terre, monde différent, qui a sa vie 20 propre,[9] ses habitants sédentaires,[10] et ses voyageurs de passage, ses voix, ses bruits et son mystère surtout. Rien n'est plus troublant, plus inquiétant, plus effrayant, parfois, qu'un marécage. Pourquoi cette peur qui plane sur ces plaines basses couvertes d'eau? Sont-ce les vagues 25 rumeurs des roseaux, le silence profond qui les enveloppe dans les nuits calmes, où bien les brumes bizarres, qui traînent sur les joncs comme des robes de mortes,[11] ou bien encore l'imperceptible clapotement, si léger, si doux, et plus terrifiant parfois que le canon des hommes ou que 30

---

[8] **peuple de roseaux,** *dense field of reeds.*

[9] **sa vie propre,** *a life of its own.*

[10] **sédentaires,** *sluggish.*

[11] **qui traînent sur les joncs comme des robes de mortes,** *which drift slowly over the reeds like a lifeless garment.*

le tonnerre du ciel, qui fait ressembler les marais à des pays de rêve, à des pays redoutables cachant un secret inconnaissable et dangereux.

Non. Autre chose s'en dégage,[12] un autre mystère, plus profond, plus grave, flotte dans les brouillards épais, le 5 mystère même de la création peut-être! Car n'est-ce pas dans l'eau stagnante et fangeuse, dans la lourde humidité des terres mouillées sous la chaleur du soleil, que remua, que vibra, que s'ouvrit au jour le premier germe de vie?

J'arrivai le soir chez mon cousin. Il gelait à fendre[13] les 10 pierres.

Pendant le dîner, dans la grande salle dont les buffets, les murs, le plafond étaient couverts d'oiseaux empaillés, mon cousin pareil lui-même à un étrange animal des pays froids, vêtu d'une jaquette en peau de phoque, me 15 racontait les dispositions qu'il avait prises pour cette nuit même.

Nous devions partir à trois heures et demie du matin, afin d'arriver vers quatre heures et demie au point choisi pour notre affût. On avait construit à cet endroit une hutte 20 avec des morceaux de glace pour nous abriter un peu contre le vent terrible qui précède le jour.

Mon cousin se frottait les mains: «Je n'ai jamais vu une gelée pareille, disait-il, nous avions déjà douze degrés sous zéro à six heures du soir.» 25

J'allai me jeter sur mon lit aussitôt après le repas, et je m'endormis à la lueur d'une grande flamme dans ma cheminée.

A trois heures on me réveilla. J'endossai, à mon tour, une peau de mouton et je trouvai mon cousin Karl couvert 30 d'une fourrure d'ours. Après avoir avalé chacun deux

---

[12] **Autre chose s'en dégage,** *Something else emanates from it.*

[13] à **fendre,** *enough to split.* As stated a few paragraphs later, the temperature the previous evening was –12° Centigrade or about 10° above, Fahrenheit.

tasses de café brûlant suivies de deux verres de fine champagne,[14] nous partîmes accompagnés d'un garde et de nos
chiens: Plongeon et Pierrot.[15]

Dès les premiers pas dehors, je me sentis glacé jusqu'aux
os. C'était une de ces nuits où la terre semble morte de 5
froid. L'air gelé devient résistant, palpable tant il fait
mal;[16] aucun souffle ne l'agite; il est figé, immobile; il mord,
traverse, dessèche, tue les arbres, les plantes, les insectes,
les petits oiseaux eux-mêmes qui tombent des branches sur
le sol dur, et deviennent durs aussi, sous l'étreinte du froid. 10

La lune, à son dernier quartier, toute penchée sur le
côté, toute pâle, paraissait défaillante au milieu de
l'espace, et si faible qu'elle ne pouvait plus s'en aller,[17]
qu'elle restait là-haut, saisie aussi, paralysée par la rigueur
du ciel. Elle répandait une lumière sèche et triste sur le 15
monde, cette lueur mourante et blafarde qu'elle nous jette
chaque mois, à la fin de sa résurrection.[18].

Nous allions, côte à côte, Karl et moi, le dos courbé, les
mains dans nos poches et le fusil sous le bras. Nos chaussures enveloppées de laine afin de pouvoir marcher sans 20
glisser sur la rivière gelée ne faisaient aucun bruit; et je
regardais la fumée blanche que faisait l'haleine[19] de nos
chiens.

Nous fûmes bientôt au bord du marais, et nous nous
engageâmes[20] dans une des allées de[21] roseaux secs qui 25
s'avançait à travers cette forêt basse.

---

[14] **fine champagne,** *champagne brandy.*

[15] While it is not necessary to translate these names they may be
rendered as *Loon* (a bird) and *Clown.*

[16] **palpable tant il fait mal,** *it stings so you would swear it was alive.*

[17] **si faible qu'elle ne pouvait plus s'en aller,** *so weak it couldn't
disappear.*

[18] **à la fin de sa résurrection,** *in its dying phase.*

[19] **haleine** is the subject of **faisait.**

[20] **nous nous engageâmes,** *we entered.*

[21] **allées de,** *paths cut in the.*

Nos coudes, frôlant les longues feuilles en rubans,[22] laissaient derrière nous un léger bruit, et je me sentis saisi,[23] comme je ne l'avais jamais été, par l'émotion puissante et singulière que font naître en moi les marécages. Il était mort, celui-là,[24] mort de froid, puisque nous marchions 5 dessus, au milieu de son peuple de joncs desséchés.

Tout à coup, au détour d'une des allées, j'aperçus la hutte de glace qu'on avait construite pour nous mettre à l'abri. J'y entrai, et comme nous avions encore près d'une heure à attendre le réveil des oiseaux errants, je me roulai 10 dans ma couverture pour essayer de me réchauffer.

Alors, couché sur le dos, je me mis à regarder la lune déformée,[25] qui avait quatre cornes[26] à travers les parois vaguement transparentes de cette maison polaire.

Mais le froid du marais gelé, le froid de ces murailles, le 15 froid tombé du firmament me pénétra bientôt d'une façon si terrible, que je me mis à tousser.

Mon cousin Karl fut pris d'inquiétude: «Tant pis si nous ne tuons pas grand'chose aujourd'hui, dit-il, je ne veux pas que tu t'enrhumes; nous allons faire du feu.» Et il 20 donna l'ordre au garde de couper des roseaux.

On en fit un tas au milieu de notre hutte défoncée[27] au sommet pour laisser échapper la fumée; et lorsque la flamme rouge monta le long des cloisons claires de cristal, elles se mirent à fondre, doucement, à peine,[28] comme si 25 ces pierres de glace avaient sué. Karl, resté dehors, me cria: «Viens donc voir!» Je sortis et je restai éperdu d'étonnement. Notre cabane, en forme de cône, avait l'air

---

[22] **feuilles en rubans,** *ribbon-like leaves.*

[23] **saisi,** *overcome.*

[24] **celui-là,** *that particular marsh.*

[25] **déformée,** *out of shape.*

[26] **quatre cornes,** *four tips,* because of the refraction caused by the ice walls.

[27] **défoncée,** *open.*

[28] **à peine,** *imperceptibly.*

d'un monstrueux diamant au coeur de feu poussé soudain sur l'eau gelée du marais. Et dedans, on voyait deux formes fantastiques, celles de nos chiens qui se chauffaient.

Mais un cri bizarre, un cri éperdu, un cri errant, passa, sur nos têtes. La lueur de notre foyer réveillait les oiseaux 5 sauvages.

Rien ne m'émeut comme cette première clameur de vie qu'on ne voit point et qui court dans l'air sombre, si vite, si loin, avant qu'apparaisse à l'horizon la première clarté des jours d'hiver. Il me semble à cette heure glaciale de 10 l'aube, que ce cri fuyant emporté par les plumes d'une bête est un soupir de l'âme du monde!

Karl disait: «Eteignez le feu. Voici l'aurore.»

Le ciel en effet commençait à pâlir, et les bandes de canards traînaient de longues taches rapides,[29] vite ef- 15 facées, sur le firmament.

Une lueur éclata dans la nuit, Karl venait de tirer; et les deux chiens s'élancèrent.

Alors, de minute en minute, tantôt lui et tantôt moi, nous ajustions vivement dès qu'apparaissait au-dessus des 20 roseaux l'ombre d'une tribu volante. Et Pierrot et Plongeon, essoufflés et joyeux, nous rapportaient des bêtes sanglantes dont l'oeil quelquefois nous regardait encore.

Le jour s'était levé, un jour clair et bleu; le soleil apparaissait au fond de la vallée et nous songions à repartir, 25 quand deux oiseaux, le col droit et les ailes tendues, glissèrent brusquement sur nos têtes. Je tirai. Un d'eux tomba presque à mes pieds. C'était une sarcelle au[30] ventre d'argent. Alors, dans l'espace au-dessus de moi, une voix d'oiseau cria. Ce fut une plainte courte, répétée, déchirante; 30 et la bête, la petite bête épargnée se mit à tourner dans le bleu du ciel au-dessus de nous en regardant sa compagne morte que je tenais entre mes mains.

---

[29] **traînaient de longues taches rapides,** *made quickly moving streaks.*
[30] **au,** *with a.*

Karl, à genoux, le fusil à l'épaule, l'oeil ardent, la guettait, attendant qu'elle fût assez proche.

—Tu as tué la femelle, dit-il, le mâle ne s'en ira pas.

Certes, il ne s'en allait point; il tournoyait toujours, et pleurait autour de nous. Jamais gémissement de souffrance ne me déchira le coeur comme l'appel désolé, comme le reproche lamentable de ce pauvre animal perdu dans l'espace.

Parfois, il s'enfuyait sous la menace du fusil qui suivait son vol; il semblait prêt à continuer sa route, tout seul à travers le ciel. Mais ne s'y pouvant décider il revenait bientôt pour chercher sa femelle.

—Laisse-la par terre, me dit Karl, il approchera tout à l'heure.[31]

Il approchait, en effet, insouciant du danger, affolé par son amour de bête, pour l'autre bête que j'avais tuée.

Karl tira; ce fut comme si on avait coupé la corde qui tenait suspendu l'oiseau. Je vis une chose noire qui tombait; j'entendis dans les roseaux le bruit d'une chute. Et Pierrot me la rapporta.

Je les mis, froids déjà, dans le même carnier . . . et je repartis, ce jour-là, pour Paris.[32]

Expressions for Study

1. Je viens de lire un drame de passion.
2. Le sang sur les plumes, le sang sur mes mains me crispent le coeur à le faire défaillir.
3. Autre chose s'en dégage.
4. Il gelait à fendre les pierres.
5. Nous devions partir à trois heures et demie.
6. Je m'endormis à la lueur d'une grande flamme.

---

[31] **tout à l'heure,** *shortly.*

[32] Implied is the thought that, much as he loved to hunt, the scene he had just witnessed had discouraged him from all further hunting then, or at any later time.

7. L'air gelé devient palpable tant il fait mal.
8. La lune . . . si faible qu'elle ne pouvait plus s'en aller.
9. Je regardais la fumée blanche que faisait l'haleine de nos chiens.
10. Nous nous engageâmes dans une de ces allées de roseaux secs.
11. Je me sentis saisi par l'émotion.
12. Tout à coup, j'aperçus la hutte de glace.
13. Je me mis à regarder la lune déformée.
14. Elles se mirent à fondre, à peine.
15. Il approchera tout à l'heure.

Questionnaire

1. Racontez le drame de passion que l'auteur vient de lire.
2. Pourquoi le drame intéresse-t-il l'auteur?
3. Quels sont les deux aspects du caractère de l'auteur?
4. Pourquoi le cousin avait-il invité l'auteur?
5. Le cousin était-il agréable?
6. Que trouvait-on dans ces bois magnifiques?
7. Pourquoi les oiseaux de passage s'arrêtaient-ils dans ces branchages?
8. Quelle région le cousin entretenait-il particulièrement?
9. Par où passaient les barques?
10. Pourquoi l'auteur aime-t-il les marais plus que la mer et les rivières?
11. Quelles sortes d'habitants y a-t-il dans le marais?
12. Quelles sortes de bruits entend-on dans le marais?
13. Quel est ce mystère effrayant qui flotte sur les marécages?
14. Où s'est ouvert le premier germe de vie?
15. A quoi ressemblait le cousin? Pourquoi?
16. Pourquoi avait-on construit une hutte de glace?
17. Comment étaient vêtus les deux chasseurs le matin?
18. Décrivez le froid. Que fait l'air gelé aux petits oiseaux?
19. Quelle impression donnait la lune?
20. Comment étaient les chaussures des chasseurs? Pourquoi?
21. De quelle émotion l'auteur était-il saisi?
22. Quelle impression donnait le marécage?
23. Qu'a fait l'auteur dans la hutte?
24. Pourquoi Karl a-t-il été pris d'inquiétude?
25. Qu'a fait le garde?
26. De quoi la cabane avait-elle l'air?
27. Quel était ce cri bizarre?
28. De quoi ce cri avait-il l'air?

29. Que faisaient les chiens?
30. Qu'est-ce que l'auteur a entendu après avoir tiré?
31. Que faisait le mâle après la mort de la femelle?
32. Qu'a senti l'auteur?
33. Pourquoi l'oiseau revenait-il toujours?
34. Karl a-t-il senti la même émotion? Qu'a-t-il fait?
35. Pourquoi l'auteur est-il reparti pour Paris ce jour-là?
36. Qu'est-ce que l'auteur a compris ce jour-là?

[*Pierre*] Charles Baudelaire

Poèmes en prose

Baudelaire (1821–1867) is one of the greatest of French poets. His *Les Fleurs du mal* (1857) is a collection of poems expressing self-criticism, dissatisfaction with the society of the times, and a deep sense of *ennui*, a word which in Baudelaire is susceptible of many interpretations, but which is best explained as the poet's inability to lift himself out of the crassness of existence into the realm of the ideal.

The prose poems, of which a number of selections are given here, have many of the same themes as the poems themselves; for Baudelaire they have the advantage of freeing him from the technical demands of poetry and thereby allowing a greater freedom of expression. The selections which follow convey a profound sense of social pity. The student who reads carefully will also note the consistent "tone" of Baudelaire's writing. This tone can best be characterized as sepulchral, and because of this the *poèmes* strangely attain powerful sincerity and conviction. Baudelaire well repays attentive reading.

The passages have undergone some abridgment.

I. LE DESESPOIR DE LA VIEILLE

La petite vieille se sentit toute réjouie en voyant ce joli enfant à qui tout le monde voulait plaire; ce joli être, si fragile comme elle, la petite vieille, et, comme elle aussi, sans dents et sans cheveux.

Et elle s'approcha de lui, voulant lui faire des mines agréables.[1]

Mais l'enfant épouvanté se débattait sous les caresses de la bonne femme décrépite.

Alors la bonne vieille se retira dans sa solitude éternelle, et elle pleurait dans un coin, se disant:—«Ah! pour nous, malheureuses vieilles femelles, l'âge est passé de plaire, même aux innocents; et nous faisons horreur aux petits enfants que nous voulons aimer!»   5

II. CHACUN SA CHIMERE[2]

Sous un grand ciel gris, dans une grande plaine pou- 10 dreuse, sans chemins, je rencontrai plusieurs hommes qui marchaient côurbés.

Chacun d'eux portait sur son dos une énorme Chimère, aussi lourde qu'un sac de charbon.

Mais la monstrueuse bête n'était pas un poids inerte; au 15 contraire, elle enveloppait l'homme de ses muscles élasti- ques et puissants; elle s'agrafait avec ses deux vastes griffes à la poitrine de sa monture; et sa tête fabuleuse[3] surmontait le front de l'homme, comme un de ces casques horribles par lesquels les anciens guerriers espéraient ajouter à la 20 terreur de l'ennemi.

Je questionnai l'un de ces hommes, et je lui demandai où ils allaient ainsi. Il me répondit qu'il n'en savait rien, ni lui, ni les autres; mais qu'évidemment ils allaient quelque part, puisqu'ils étaient poussés par un invincible besoin de 25 marcher.

Chose curieuse à noter: aucun de ces voyageurs n'avait

---

[1] **voulant lui faire des mines agréables,** *wanting to be nice to him.*

[2] **Chimère.** Mythologically the Chimera was a monstrous beast com- posed of parts of different animals. Hence the title suggests "Everyman His Monstrous Burden."

[3] **fabuleuse,** *fabled,* as referring to a character drawn from my- thology.

l'air irrité contre la bête féroce suspendue à son cou et à son dos. Tous ces visages fatigués et sérieux ne témoignaient d'aucun[4] désespoir; ils cheminaient avec la physionomie résignée de ceux qui sont condamnés à espérer toujours.

Et pendant quelques instants je m'obstinai à vouloir 5 comprendre ce mystère; mais bientôt l'irrésistible indifférence[5] s'abattit sur moi, et j'en fus plus lourdement accablé qu'ils ne[6] l'étaient eux-mêmes par leurs écrasantes Chimères.

III. LE JOUJOU DU PAUVRE

Je veux donner l'idée d'un divertissement innocent. Il 10 y a si peu d'amusements qui ne soient pas coupables!

Quand vous sortirez le matin avec l'intention décidée de flâner sur les grandes routes, remplissez vos poches de petites inventions à un sol[7]—telles que les forgerons qui battent l'enclume, le cavalier et son cheval dont la queue est un 15 sifflet—et le long des cabarets, au pied des arbres, faites-en hommage aux enfants inconnus et pauvres que vous rencontrerez. Vous verrez leurs yeux s'agrandir démesurément. D'abord ils n'oseront pas prendre; ils douteront de leur bonheur. Puis leurs mains agripperont vivement le cadeau, et 20 ils s'enfuiront comme font les chats qui vont manger loin de vous le morceau que vous leur avez donné.

Sur une route, derrière la grille d'un vaste jardin, au bout duquel apparaissait la blancheur d'un joli château frappé par le soleil, se tenait un enfant beau et frais. 25

Le luxe, et le spectacle habituel de la richesse, rendent ces

---

[4] **ne témoignaient d'aucun,** *showed no.*

[5] **indifférence.** Another key word in Baudelaire. It is synonymous with **ennui,** which he often uses and which suggests the author's helplessness in understanding the real meaning of life or achieving his ideas.

[6] **ne**—A redundant expression, not to be translated.

[7] **inventions à un sol,** *penny trinkets;* **sol** is an archaic form of **sou.**

enfants-là si jolis, qu'on les croirait faits d'une autre pâte[8]
que les enfants de la médiocrité ou de la pauvreté.

A côté de lui, sur l'herbe était un joujou splendide, aussi
frais que son maître. Mais l'enfant ne s'occupait pas de son
joujou préféré, et voici ce qu'il regardait: 5

De l'autre côté de la grille, sur la route, il y avait un autre
enfant, sale, chétif, un de ces marmots-parias.

A travers ces barreaux symboliques séparant deux mondes,
la grande route et le château, l'enfant pauvre montrait à l'enfant riche son propre joujou, que celui-ci examinait avide- 10
ment comme un objet rare et inconnu. Or, ce joujou, que le
petit pauvre, agitait et secouait dans une boîte grillée, c'était
un rat vivant! Les parents, par économie sans doute, avaient
tiré le joujou de la vie elle-même.

Et les deux enfants se riaient l'un à l'autre fraternellement, 15
avec des dents d'une *égale* blancheur.

IV. LES DONS DES FEES

C'était grande assemblée des Fées, pour procéder à la
répartition[9] des dons parmi tous les nouveau-nés, arrivés à la
vie depuis vingt-quatre heures.

Toutes ces antiques et capricieuses Soeurs du Destin,[10]
toutes ces Mères bizarres de la joie et de la douleur, étaient 20
fort diverses: les unes avaient l'air sombre, les autres un air
malin; les unes, jeunes, qui avaient toujours été jeunes; les
autres, vieilles, que avaient toujours été vieilles.

Tous les pères qui ont foi dans les Fées étaient venus,
chacun apportant son nouveau-né dans ses bras.   25

Les Dons, les Facultés,[11] les bons Hasards,[12] les Circonstances invincibles, étaient accumulés à côté du tribunal,

---

[8] **pâte,** *substance.*
[9] **répartition,** *distribution.*
[10] **Soeurs du Destin,** *Fates.*
[11] **Facultés,** *Talents.*
[12] **les bons Hasards,** *Luck.*

comme les prix dans une distribution de prix.[13] Ce qu'il y avait ici de particulier, c'est que les Dons n'étaient pas la récompense d'un effort, mais tout au contraire une grâce accordée à celui qui n'avait pas encore vécu, une grâce pouvant déterminer sa destinée et devenir aussi bien la 5 source de son malheur que de son bonheur.

Aussi[14] furent commises ce jour-là quelques actions qu'on pourrait considérer comme bizarres, si la prudence, plutôt que le caprice, était le caractère distinctif, éternel des Fées.

Ainsi la puissance d'attirer magnétiquement la fortune fut 10 adjugée à l'héritier unique d'une famille très-riche, qui, n'étant doué d'aucun sens de charité, non plus que d'aucune convoitise pour les biens les plus visibles de la vie, devait se trouver plus tard prodigieusement embarrassé de ses millions. 15

Ainsi furent donnés l'amour du Beau et la Puissance poétique au fils d'un sombre gueux qui ne pouvait, en aucune façon, aider[15] les facultés, ni soulager les besoins de sa déplorable progéniture.

J'ai oublié de vous dire que la distribution, en ces cas 20 solennels, est sans appel, et qu'aucun don ne peut être refusé.

Toutes les Fées se levaient, croyant leur corvée accomplie; car il ne restait plus aucun cadeau, aucune largesse à jeter, quand un brave homme, un pauvre petit commerçant, je 25 crois, se leva, et empoignant par sa robe de vapeurs multicolores la Fée qui était le plus à sa portée, s'écria:

«Eh! madame! vous nous oubliez! il y a encore mon petit! Je ne veux pas être venu pour rien.»

La Fée pouvait être embarrassée; car il ne restait plus rien. 30 Cependant elle se souvint à temps d'une loi bien connue, quoique rarement appliquée, dans le monde surnaturel,

---

[13] **distribution de prix,** *distribution of prizes* at the end of the school year for academic excellence. See the beginning of "Les Boeufs."

[14] **Aussi,** *And so,* the usual meaning at the beginning of a sentence.

[15] **aider,** *help develop.*

habité par ces déités impalpables, amies de l'homme,[16] et souvent contraintes de s'adapter à ses passions—je veux parler de la loi qui concède aux Fées, dans un cas semblable à celui-ci, la faculté d'en donner encore un, supplémentaire et exceptionnel, pourvu toutefois qu'elle ait l'imagination 5 suffisante pour le créer immédiatement.

Donc la bonne Fée répondit, avec un aplomb digne de son rang: «Je donne à ton fils . . . je lui donne . . . le *Don de plaire!*»

«Mais plaire comment? plaire. . . ? plaire pourquoi?» 10 demanda opiniâtrément le petit boutiquier, qui était sans doute un de ces raisonneurs[17] si communs, incapables de s'élever jusqu'à la logique de l'Absurde.

«Parce que! parce que!» répliqua la Fée courroucée, en lui tournant le dos; et rejoignant le cortège de ses compagnes, 15 elle leur disait: «Comment trouvez-vous ce petit Français vaniteux, qui veut tout comprendre, et qui ayant obtenu pour son fils le meilleur des lots, ose encore interroger et discuter l'indiscutable?»

V. ASSOMMONS LES PAUVRES

Pendant quinze jours[18] je m'étais confiné dans ma chambre, 20 et je m'étais entouré des livres à la mode dans ce temps-là (il y a seize ou dix-sept ans); je veux parler des livres où il est traité de l'art de rendre les peuples heureux, sages et riches, en vingt-quatre heures. J'avais donc digéré—avalé, veux-je dire—toutes les élucubrations[19] de tous ces entre- 25

---

[16] **amies de l'homme.** As Baudelaire feels it, the gods are, idealistically, meant to help man, but man's perversity prevents them from fulfilling their mission.

[17] **raisonneurs**—perhaps *materialists.* Baudelaire had no faith in the power of the reason to discover truth. This could reside, and more likely so, in the **absurde,** or the irrational.

[18] **quinze jours,** *two weeks.*

[19] **élucubrations,** *great learning.* But Baudelaire is sarcastic; he means "*ravings.*"

preneurs de bonheur public—de ceux qui conseillent à tous les pauvres de se faire esclaves, et de ceux qui leur persuadent qu'ils sont tous des rois détrônés. —On ne trouvera pas surprenant que je fusse[20] alors dans un état d'esprit avoisinant le vertige ou la stupidité.

Il m'avait semblé seulement que je sentais, confiné au fond de mon intellect, le germe obscur d'une idée supérieure à toutes les formules de bonne femme[21] dont j'avais récemment parcouru le dictionnaire.[22] Mais ce n'était que l'idée d'une idée, quelque chose d'infiniment vague.

Et je sortis avec une grande soif. Car le goût passionné des mauvaises lectures engendre un besoin proportionnel du grand air.[23]

Comme j'allais entrer dans un cabaret, un mendiant me tendit son chapeau, avec un de ces regards inoubliables qui culbuteraient les trônes, si l'esprit remuait[24] la matière.

En même temps, j'entendis une voix qui chuchotait à mon oreille, une voix que je reconnus bien; c'était celle d'un bon Ange, ou d'un bon Démon,[25] qui m'accompagne partout.

Or, sa voix me chuchotait ceci: «Celui-là seul est l'égal d'un autre, qui le prouve, et celui-là seul est digne de la liberté, qui sait la conquérir.»

Immédiatement, je sautai sur mon mendiant. D'un seul coup de poing, je lui bouchai un oeil,[26] qui devint, en une seconde, gros comme une balle. Je cassai un de mes ongles à lui briser deux dents, et comme je ne me sentais pas assez fort, étant né délicat et m'étant peu exercé à la boxe, pour assommer rapidement ce vieillard, je le saisis d'une main par

---

[20] **fusse,** imperfect subjunctive of **être,** *was.*

[21] **formules de bonne femme,** *old woman's notions.*

[22] **dont j'avais récemment parcouru le dictionnaire,** *the whole list of which I had recently had the occasion to compile* (from his readings).

[23] **grand air,** *open air.*

[24] **remuait,** *were capable of moving.*

[25] For Baudelaire, good and evil are both living and complementary forces, the one frequently engendering the other.

[26] **je lui bouchai un oeil,** *I closed an eye.*

le collet de son habit, de l'autre, je l'empoignai à la gorge, et je me mis à[27] lui secouer vigoureusement la tête contre un mur. Je dois avouer que j'avais préalablement inspecté les environs d'un coup d'oeil, et que j'avais vérifié que dans cette banlieue déserte je me trouvais, pour un assez long temps, 5 hors de la portée de tout agent de police.

Ayant ensuite, par un coup de pied lancé dans le dos, assez énergique pour briser les omoplates, terrassé ce sexagenaire affaibli, je me saisis d'une grosse branche d'arbre qui traînait à terre, et je le battis avec l'énergie obstinée des 10 cuisiniers qui veulent attendrir un beefsteack.[28]

Tout à coup—ô miracle! ô jouissance du philosophe qui vérifie l'excellence de sa théorie! —Je vis cette antique carcasse se retourner,[29] se redresser avec une énergie que je n'aurais jamais soupçonnée dans une machine si singulière- 15 ment détraquée, et, avec un regard de haine qui me parut de bon augure, le malandrin décrépit se jeta sur moi, me pocha les deux yeux,[30] me cassa quatre dents, et avec la même branche d'arbre me battit dru comme plâtre.[31] —Par mon énergique médication, je lui avais donc rendu l'orgueil 20 et la vie.

Alors, je lui fis force signes pour lui faire comprendre que je considérais la discussion comme finie, et je lui dis: «Monsieur, *vous êtes mon égal!* veuillez me faire l'honneur de partager avec moi ma bourse; et souvenez-vous, si vous êtes 25 réellement philanthrope, qu'il faut appliquer à tous vos confrères, quand ils vous demanderont l'aumône, la théorie que j'ai eu la *douleur*[32] d'essayer sur votre dos.»

Il m'a bien juré qu'il avait compris ma théorie, et qu'il obéirait à mes conseils.   30

---

[27] **je me mis à,** *I began to.*
[28] This English word gets various spellings in French, usually **bifteck.**
[29] **se retourner,** *turn around.*
[30] **me pocha les deux yeux,** *gave me two black eyes.*
[31] **me battit dru comme plâtre,** *beat me black and blue.*
[32] *douleur,* used in the double sense of *sorrow* and *pain.*

Expressions for Study

1. Elle s'approcha de lui, voulant lui faire des mines agréables.
2. Ces visages ne témoignaient d'aucun désespoir.
3. J'en fus plus lourdement accablé qu'ils ne l'étaient eux-mêmes.
4. Remplissez vos poches de petites inventions à un sol.
5. Elle se souvint à temps d'une loi bien connue.
6. Pendant quinze jours je m'étais confiné dans ma chambre.
7. Le goût des mauvaises lectures engendre un besoin proportionnel du grand air.
8. Je lui bouchai un oeil.
9. Je me mis à lui secouer vigoureusement la tête.
10. Tout à coup je vis cette antique carcasse se retourner.

Questionnaire

Le Désespoir de la vieille

1. En quoi l'enfant ressemblait-il à la vieille?
2. Pourquoi l'enfant se débattait-il?
3. Qu'est-ce que la bonne vieille espérait? A-t-elle réussi?

Chacun sa chimère

1. Les hommes savaient-ils où ils allaient? Pourquoi marchaient-ils?
2. Les hommes étaient-ils irrités ou désespérés?
3. A quoi sont condamnés les hommes?
4. Qu'est-ce que le poète a essayé de faire? A-t-il réussi? Pourquoi?
5. Que représentent les chimères? Qu'est-ce qui est plus lourd qu'une chimère?

Le Joujou du pauvre

1. Qu'est-ce que l'auteur vous conseille de faire?
2. Pourquoi les enfants pauvres s'enfuiront-ils avec le cadeau?
3. Décrivez l'enfant riche. Et l'enfant pauvre.
4. Qu'est-ce que l'enfant riche pensait du joujou du pauvre?
5. Le rat était-il un joujou cher?
6. Les enfants étaient-ils jaloux l'un de l'autre? Et les hommes, le sont-ils?

Les Dons des fées

1. Pour qui étaient les dons? Etaient-ce des récompenses?
2. Les dons sont-ils toujours une source de bonheur?

3. Les fées sont-elles logiques?
4. Le riche héritier sera-t-il content de son don? Pourquoi?
5. Qu'arrive-t-il si le fils d'un gueux a la puissance poétique?
6. Quelle loi rare la fée a-t-elle appliquée?
7. Pourquoi le petit boutiquier n'était-il pas content du don de son fils?
8. Baudelaire critique-t-il ou admire-t-il les Français? Prouvez-le.

Assommons les pauvres

1. Indiquez deux façons de rendre les pauvres heureux?
2. Que pense l'auteur de ces élucubrations?
3. Comment le regard d'un mendiant pourrait-il culbuter un trône?
4. Que croyiez-vous que l'auteur allait faire au mendiant?
5. Qu'est-ce qu'il lui a fait en réalité?
6. Qu'est-ce que le mendiant a fait à l'auteur?
7. L'auteur est-il content d'avoir été battu? Pourquoi?
8. Indiquez deux biens que l'auteur a faits au mendiant?
9. Quels sont les deux sens du mot "douleur" ici?

Honoré de Balzac

Jésus-Christ¹ en Flandre²

The most extensive collection of tales and novels which French literature has to offer is that which Honoré de Balzac (1799–1850) wrote, and which, in mid-career, he decided to present under one general title, *La Comédie humaine*. He envisaged the collection as the social history of his times, and particularly the decades 1830–1850, for he had a strong belief in the power of the physical and social milieu to shape people's lives.

Predominantly realistic, most of Balzac's novels have a dramatic somberness about them. Still, the range of his talents went far beyond realism and often investigated the mystical. "Jésus-Christ en Flandre" was written in 1831, rather at the beginning of the author's productive period. It is a kind of parable, but a parable which could easily be misread. Balzac recognized the nobility of the simple faith such as possessed by the poor travelers in the storm-tossed boat; if the learned and the wealthy are denied this faith, this lack is not to be taken as evidence for an indictment of learning and wealth; instead, the inescapable conclusion forced upon us should perhaps be that retention of the simple virtues in modern society is difficult and hazardous.

---

¹ The *st* in the single word **Christ** are pronounced but they are silent in **Jésus-Christ** as is the final *s* of **Jésus**.

² **Flandre**, *Flanders*, the old and still used name for an area which lies roughly in northwest France and extends into Belgium.

257

A une époque assez indéterminée[3] de l'histoire, les relations entre l'île de Cadzant et les côtes de la Flandre étaient entretenues par une barque destinée au passage des voyageurs. Capitale de l'île, Middelbourg,[4] comptait à peine deux ou trois cents feux.[5] La riche Ostende était un havre inconnu. Néan- 5 moins, le bourg d'Ostende, composé d'une vingtaine de maisons et de trois cents cabanes, jouissait d'[6] un gouverneur, d'un couvent, d'un bourgmestre,[7] enfin de tous les organes d'une civilisation avancée. Dite d'âge en âge par les conteurs, cette chronique a reçu de chaque siècle une teinte différente. 10

La barque qui servait à passer[8] les voyageurs de l'île de Cadzant à Ostende allait quitter le village. La nuit approchait, les feux affaiblis du soleil couchant permettaient à peine d'apercevoir les côtes de Flandre et de distinguer dans l'île les passagers attardés. La barque était pleine, un 15 cri s'éleva:

—Qu'attendez-vous? Partons!

En ce moment, un homme apparut[9] à quelques pas de la jetée; le pilote, qui ne l'avait entendu ni venir ni marcher, fut assez surpris de le voir. Ce voyageur semblait s'être levé 20 de terre tout à coup. Etait-ce un voleur? était-ce quelque homme de police? Quand il arriva sur la jetée, sept personnes placées debout à l'arrière de la barque s'empressèrent de s'asseoir sur les bancs, afin de s'y trouver seules et de ne pas laisser l'étranger se mettre avec elles. Ce fut une pensée 25 instinctive et rapide, une de ces pensées d'aristocratie qui viennent au coeur des gens riches.

Quatre de ces personnages appartenaient à la plus haute

---

[3] While the time of the story is not precisely known, there are sufficient indications to place it in the Middle Ages, perhaps the fourteenth century.

[4] Middelbourg is today in Holland; Ostend is a city in Belgium.

[5] **feux,** *hearths.* Such words help to "date" the time of the action.

[6] **jouissait d',** *enjoyed, was important enough to have.*

[7] **bourgmestre,** *burgomaster,* equivalent to *mayor.*

[8] **passer,** *transport.*

[9] **apparut,** *suddenly appeared.*

noblesse des Flandres. D'abord un jeune cavalier,[10] accompagné de deux beaux lévriers, faisait retentir ses éperons dorés et frisait de temps en temps sa moustache avec impertinence, en jetant des regards dédaigneux au reste de l'équipage. Une demoiselle qui ne parlait qu'à sa mère ou à 5
un évêque, leur parent sans doute. Ces personnes faisaient grand bruit et conversaient ensemble comme si elles eussent été[11] seules dans la barque. Néanmoins, auprès d'elles se trouvait un homme très important dans le pays, un gros bourgeois de Bruges,[12] enveloppé dans un grand manteau. 10
Son domestique, armé jusqu'aux dents, avait mis près de lui deux sacs pleins d'or. A côté d'eux se trouvait encore un homme de science,[13] docteur à l'université de Louvain, flanqué de son clerc.[14] Ces gens, qui se méprisaient les uns les autres, étaient séparés de l'avant par le banc des rameurs. 15

Lorsque le passager en retard mit le pied dans la barque, il jeta un regard rapide sur l'arrière, n'y vit pas de place, et alla en demander une à ceux qui se trouvaient sur l'avant du bateau. Ceux-là étaient de pauvres gens. A l'aspect d'un homme à[15] la tête nue, dont l'habit n'avait aucun ornement, 20
tous le prirent pour un bourgmestre bon et doux comme quelques-uns de ces vieux Flamands dont la nature et le caractère nous ont été si bien conservés par les peintres du pays.[16]

Les pauvres passagers accueillirent alors l'inconnu par des 25
démonstrations respectueuses. Un vieux soldat donna sa place sur le banc à l'étranger, s'assit au bord de la barque. Une jeune femme, mère d'un petit enfant, et qui paraissait

---

[10] **cavalier,** *knight.*
[11] **eussent été = auraient été.**
[12] **Bruges,** a city in Belgium, as is Louvain, next mentioned.
[13] **homme de science,** *man of learning.*
[14] **clerc,** *clerk, assistant.*
[15] **à,** *with.*
[16] The reference may be to two Flemish painters, the Van Eycks of the fifteenth century. Local citizens were used as models in religious paintings.

appartenir à la classe ouvrière d'Ostende, se recula pour faire assez de place au nouveau venu. L'étranger les remercia par un geste plein de noblesse. Puis il s'assit entre cette jeune mère et le vieux soldat. Derrière lui se trouvaient un paysan et son fils, âgé de dix ans. Une pauvre femme, vieille et ridée, 5 était à l'extrémité de la barque. Un des rameurs, vieux marinier, qui l'avait connue belle et riche, l'avait fait entrer, *pour l'amour de Dieu.*[17]

—Grand merci, Thomas,[18] avait dit la vieille; je dirai pour toi ce soir deux *Pater* et deux *Ave*[19] dans ma prière. 10

Le patron regarda la campagne muette, jeta la chaîne dans son bateau, prit la barre, resta debout; puis, après avoir contemplé le ciel, il dit d'une voix forte à ses rameurs, quand ils furent en pleine mer:[20]

—Ramez, ramez fort, et dépêchons! 15

Ces paroles, dites en termes de marine, espèce de langue intelligible seulement pour des oreilles accoutumées au bruit des flots, imprimèrent aux rames un mouvement précipité; mouvement unanime, différent de la manière de ramer précédente, comme le trot d'un cheval l'est de son galop.[21] Le beau 20 monde[22] assis à l'arrière prit plaisir à voir tous ces bras nerveux,[23] ces visages bruns, ces muscles et ces différentes forces humaines agissant de concert pour leur faire traverser le détroit. Loin de déplorer cette misère, ces gens se montrèrent[24] les rameurs en riant des expressions grotesques. 25

---

[17] The expression is italicized because it was apparently a common saying among religious people.

[18] As will be seen, this Thomas resembles doubting Thomas, one of the Apostles.

[19] *Pater, Ave,* the *Lord's Prayer* and the *Hail Mary.*

[20] en pleine mer, *on the open sea.*

[21] The distinction is too detailed, and unessential, to be entered into here. Perhaps your instructor can illustrate for you.

[22] Le beau monde, *The upper crust.*

[23] nerveux, *sinewy.*

[24] se montrèrent, *pointed out to each other.*

A l'avant, le soldat, le paysan et la vieille contemplaient les mariniers avec cette espèce de compassion naturelle aux gens qui connaissent les rudes angoisses et les fiévreuses fatigues du travail. Puis, habitués à la vie en plein air, tous avaient compris, à l'aspect du ciel, le danger qui les mena- 5 çait, tous étaient donc sérieux. La jeune mère berçait son enfant, en lui chantant une vieille hymne d'Eglise pour l'endormir.

—Si nous arrivons, dit le soldat au paysan, le bon Dieu aura mis de l'entêtement à nous laisser en vie.[25]   10

—Ah! il est le maître, répliqua la vieille; mais je crois que son bon plaisir est de nous appeler près de lui.[26]

La mer faisait entendre un murmure sourd, assez semblable à la voix d'un chien quand il ne fait que gronder.[27] Après tout, Ostende n'était pas loin. Il y eut un moment où, 15 sur la barque, chacun se tut[28] et contempla la mer et le ciel, soit par pressentiment, soit[29] pour obéir à cette mélancolie religieuse qui nous saisit presque tous à l'heure de la prière, à la chute du jour. La mer jetait une lueur blanche mais changeante et semblable aux couleurs de l'acier. Le ciel était 20 généralement grisâtre. Le vent s'éleva tout à coup vers le couchant, et le patron, qui ne cessait de consulter la mer, s'écria:

—Hau! hau![30]

A ce cri, les matelots s'arrêtèrent aussitôt et laissèrent 25 nager[31] leurs rames.

---

[25] **aura mis de l'entêtement à nous laisser en vie,** *will have stubbornly persisted in keeping us alive.*

[26] **près de lui,** *to him, home;* i. e., *to have us die.*

[27] **il ne fait que gronder,** *he does nothing but growl.*

[28] **se tut,** *fell silent.*

[29] **soit . . . soit,** *either . . . or.*

[30] **Hau** is properly a hunting term used when the deer has been driven into the water. Its sense here is perhaps *We're finished! We're going to sink!*

[31] **nager,** *float.*

—Le patron a raison, dit froidement Thomas quand la barque, portée en haut d'une énorme vague, redescendit comme au fond de la mer.

A ce moment extraordinaire, à cette colère soudaine de l'Océan, les gens de l'arrière devinrent pâles et jetèrent un cri 5 terrible:

—Nous périssons!

—Oh! pas encore, leur répondit tranquillement le patron.

En ce moment, les nuages se déchirèrent[32] sous l'effort du vent, précisément au-dessus de la barque. La lueur du cré- 10 puscule permit de voir les visages. Les passagers, nobles ou riches, mariniers et pauvres, restèrent un moment surpris à l'aspect du dernier venu. Ses cheveux d'or retombaient en boucles nombreuses sur ses épaules, en montrant une figure sublime de douceur. Il ne méprisait pas la mort, il était cer- 15 tain de ne pas périr. Mais, si d'abord les gens de l'arrière oublièrent un instant la tempête dont l'implacable fureur les menaçait, ils revinrent bientôt à leurs sentiments d'égoïsme et aux habitudes de leur vie.

—Est-il heureux, ce stupide bourgmestre, de ne pas 20 s'apercevoir du danger que nous courons tous! Il est là comme un chien, et mourra sans agonie, dit le docteur.

A peine avait-il prononcé cette phrase assez judicieuse, que[33] la tempête déchaîna sa fureur.

—Oh! mon pauvre enfant! mon pauvre enfant! . . . Qui 25 sauvera mon enfant? s'écria la mère.

—Vous-même, répondit l'étranger.

Le son de cette voix pénétra le coeur de la jeune femme, il y mit un espoir; elle entendit cette suave parole malgré l'orage, malgré les cris poussés par les passagers. 30

—Sainte Vierge de Bon-Secours, qui êtes à Anvers,[34] je vous promets une statue si vous me tirez de là! s'écria le bourgeois à genoux sur ses sacs d'or.

---

[32] **se déchirèrent,** *were torn apart.*

[33] **A peine . . . que,** *No sooner . . . than.*

[34] **Anvers,** *Antwerp,* the great port in Belgium.

—La Vierge n'est pas plus à Anvers qu'ici, lui répondit le docteur.

—Elle est dans le ciel, répliqua une voix qui semblait sortir de la mer.

—Qui donc a parlé? 5

—C'est le diable! s'écria le domestique, il se moque de[35] la Vierge d'Anvers.

—Laissez donc votre sainte Vierge,[36] dit le patron aux passagers. Videz-moi[37] l'eau de la barque. —Et vous autres, reprit-il en s'adressant aux matelots, ramez ferme! 10

Puis, debout à son gouvernail, le patron continua de regarder alternativement sa barque, la mer et le ciel.

—Il se moque toujours de tout,[38] le patron, dit Thomas à voix basse.

—Dieu nous laissera-t-il mourir avec ces misérables? de- 15 manda l'orgueilleuse jeune fille au beau cavalier.

—Non, non, noble demoiselle . . . Ecoutez-moi! Et, lui parlant à l'oreille: —Je sais nager, n'en dites rien! Je vous prendrai par vos beaux cheveux, et vous conduirai douce-ment au rivage; mais je ne puis sauver que vous. 20

La demoiselle regarda sa vieille mère. La dame était à genoux et demandait quelque absolution à l'évêque, qui ne l'écoutait pas. Le chevalier lut dans les yeux de la demoiselle un faible setiment de piété filiale, et lui dit:

—Soumettez-vous aux volontés de Dieu! S'il veut appeler 25 votre mère à lui, ce sera sans doute pour son bonheur . . . en l'autre monde, ajouta-t-il d'une voix encore plus basse.

—Et pour le nôtre en celui-ci, pensa-t-il.

La demoiselle écouta les intérêts de son amour parlant par la bouche du bel aventurier. L'évêque bénissait les flots, et 30 leur ordonnait de se calmer. Loin de songer aux pouvoirs de

---

[35] **il se moque de,** *a lot he cares about.*

[36] **Laissez donc votre sainte Vierge,** *Stop talking about your holy Virgin.*

[37] **Videz-moi,** *Bail out for me.*

[38] **Il se moque toujours de tout,** *He isn't afraid of anything.*

la sainte Eglise, et de consoler ces chrétiens en les exhortant
à se confier à Dieu, l'évêque mêlait des regrets mondains aux
saintes paroles du bréviaire. La lueur qui éclairait ces pâles
visages permit de voir leurs diverses expressions quand la
barque, enlevée dans les airs par une vague, puis rejetée au 5
fond de l'abîme, puis secouée comme une feuille frêle, parut
près de se briser. Ce fut alors des cris horribles, suivis d'affreux silences.

L'attitude des personnes assises à l'avant du bateau con-
trasta singulièrement avec celle des gens riches ou puissants. 10
La jeune mère serrait son enfant chaque fois que les vagues
menaçaient; mais elle croyait à l'espérance que lui avait jetée
au cœur la parole[39] dite par l'étranger; chaque fois, elle tournait ses regards vers cet homme. Vivant par la parole divine,
par la parole d'amour échappée à cet homme, la naïve[40] 15
créature attendait avec confiance l'exécution de cette espèce
de promesse, et ne redoutait presque plus le péril. Le soldat
ne cessait de contempler cet être singulier, jaloux de se montrer tranquille et calme autant que ce courage supérieur.
Puis son admiration devint un fanatisme instinctif, un amour 20
sans bornes, une croyance en cet homme, semblable à
l'enthousiasme que les soldats ont pour leur chef. La pauvre
vieille disait à voix basse:

—Ah! pécheresse infâme que je suis! ai-je souffert assez
pour expier les plaisirs de ma jeunesse? Ah! j'ai eu tort. 25
—O mon Dieu! mon Dieu! laissez-moi finir mon enfer sur
cette terre de malheur.

—Ah! sont-elles heureuses, ces belles dames, d'être auprès
d'un évêque, d'un saint homme! reprit la vieille, elles auront
l'absolution de leurs péchés.   30

L'étranger se tourna vers elle, et son regard charitable la
fit tressaillir.

—Ayez la foi, lui dit-il, et vous serez sauvée.

_____

[39] **parole** is the subject of **avait jetée**.
[40] **naïve,** *simple*.

—Que Dieu vous récompense,[41] mon bon seigneur, lui répondit-elle. Si vous dites vrai, j'irai pour vous et pour moi en pèlerinage à Notre-Dame de Lorette,[42] pieds nus.

Les deux paysans, le père et le fils, restaient silencieux, résignés et soumis à la volonté de Dieu.

Ainsi, d'un côté, les richesses, l'orgueil, la science, la débauche, le crime, toute la société humaine; mais aussi, de ce côté seulement, les cris, la terreur, mille sentiments divers combattus par des doutes affreux; là, seulement, les angoisses de la peur.

Puis, au-dessus de ces existences, un homme puissant, le patron de la barque ne doutant de rien, se faisant sa propre providence, enfin, défiant l'orage et luttant avec la mer corps à corps.

A l'autre bout de la barque, des faibles! . . . la mère berçant un petit enfant qui souriait à l'orage; une vieille fille, maintenant livrée à d'horribles remords; un soldat, sans autre récompense que sa vie mutilée pour prix d'un dévouement infatigable; heureux quand il racontait sa vie à des enfants qui l'admiraient; enfin, deux paysans, gens de peine et de fatigue, le travail incarné, le labeur dont vivait le monde. Ces simples créatures étaient insouciantes de la pensée et de ses trésors, ayant la foi d'autant plus robuste, qu'[43] elles n'avaient jamais rien discuté ni analysé; natures où la conscience était restée pure.

Quand la barque, conduite par la miraculeuse adresse[44] du pilote, arriva presque en vue d'Ostende, à cinquante pas du rivage, elle en fut repoussée par la tempête, et chavira soudain. L'étranger au[45] lumineux visage dit alors à ce petit monde de douleur:

---

[41] **Que Dieu vous récompense,** *May God reward you.*

[42] A famous shrine in Italy, practically on the Adriatic coast. Legend has it that the Virgin was carried to it on the waves.

[43] **ayant la foi d'autant plus robuste, qu',** *having faith all the stronger since.*

[44] **adresse,** *skill.*

[45] **au,** *with the.*

—Ceux qui ont la foi seront sauvés; qu'ils me suivent![46]

Cet homme se leva, marcha d'un pas ferme sur les flots. Aussitôt la jeune mère prit son enfant dans ses bras et marcha près de lui sur la mer. Le soldat se dressa soudain en disant: —Ah! nom d'une pipe[47] je te suivrais au diable . . .   5

Puis, sans paraître étonné, il marcha sur la mer. La vieille pécheresse, croyant à la toute-puissance de Dieu, suivit l'homme et marcha sur la mer. Les deux paysans se dirent: —Puisqu'ils marchent sur l'eau, pourquoi ne ferions-nous pas comme eux?   10

Ils se levèrent et coururent après eux en marchant sur la mer. Thomas voulut les imiter; mais sa foi chancelant, il tomba plusieurs fois dans la mer, se releva; puis, après trois épreuves, il marcha sur la mer. L'audacieux pilote s'était attaché comme un rémora[48] sur le plancher de sa barque.   15 L'avare avait eu la foi et s'était levé; mais il voulut emporter son or, et son or l'emporta au fond de la mer. Se moquant du charlatan et des imbéciles qui l'écoutaient, au moment où il vit l'inconnu proposant aux passagers de marcher sur la mer, le savant se prit à[49] rire et fut englouti par l'Océan. La   20 jeune fille fut entraînée dans l'abîme par son amant. L'évêque et la vieille dame allèrent au fond, lourds de crimes peut-être, mais plus lourds encore d'incrédulité, lourds de dévotion, légers de vraie religion.

La troupe fidèle qui marchait sur l'eau entendait autour   25 d'elle les horribles sifflements de la tempête. Ces fidèles apercevaient dans le lointain, sur le rivage, une petite lumière faible par la fenêtre d'une cabane de pêcheur. Chacun, en marchant courageusement vers cette lueur, croyait entendre son voisin criant: "Courage!" Et cependant, attentif à son   30 danger, personne ne disait mot. Ils arrivèrent ainsi chez le

---

[46] **qu'ils me suivent!** *let them follow me!*

[47] **nom d'une pipe,** a euphemism or substitute for a strong oath.

[48] **rémora,** *remora,* the sucking fish.

[49] **se prit à,** *began to.*

pêcheur. Quand ils furent tous assis, ils cherchèrent en vain leur guide lumineux. Assis sur le haut d'un rocher, au bas duquel la tempête jeta le pilote attaché sur sa planche, l'HOMME descendit; puis il dit au pilote étendant une main sur sa tête: —Bon pour cette fois-ci, mais n'y revenez plus.[50] 5

Il prit le marin sur ses épaules et le porta jusqu'à la cabane du pêcheur. Il frappa pour le malheureux, afin qu'on lui ouvrît la porte, puis le Sauveur disparut. En cet endroit fut bâti, pour les marins, le couvent de la *Merci,* où se vit long-temps l'empreinte que les pieds de Jésus-Christ avaient, 10 dit-on, laissée sur le sable. En 1793, lors de l'entrée des Fran-çais en Belgique,[51] des moines emportèrent cette précieuse relique, l'attestation de la dernière visite que Jésus ait faite à la terre.

Expressions for Study

1. Middelbourg comptait à peine deux ou trois cents feux.
2. Ostende, composé d'une vingtaine de maisons, jouissait d'un gouverneur.
3. Un homme apparut à quelques pas de la jetée.) wharf, dock
4. Ce voyageur semblait s'être levé de terre tout à coup.
5. Sept personnes s'empressèrent de s'asseoir.
6. Il dit quand ils furent en pleine mer: dépêchons!
7. Le beau monde prit plaisir à voir tous ces bras nerveux.
8. Ces gens se montrèrent les rameurs.
9. Le bon Dieu aura mis de l'entêtement à nous laisser en vie.
10. Son bon plaisir est de nous appeler près de lui.
11. . . . semblable à la voix d'un chien quand il ne fait que gronder.
12. Chacun se tut.
13. Chacun contempla le ciel, soit par pressentiment, soit pour obéir à cette mélancolie religieuse.
14. Le vent s'éleva tout à coup.
15. Les matelots laissèrent nager leurs rames.
16. Le patron a raison.

---

[50] **n'y revenez plus,** *don't do it again,* i.e., *have faith the next time.*
[51] That is, during the wars of the French Revolution.

17. A peine avait-il prononcé cette phrase, que la tempête déchaîna sa fureur.
18. La Vierge n'est pas plus à Anvers qu'ici.
19. Il se moque de la Vierge.
20. Laissez donc votre sainte Vierge.
21. Videz-moi l'eau de la barque.
22. Ramez ferme!
23. Il se moque toujours de tout.
24. Je ne puis sauver que vous.
25. Elle croyait à l'espérance que lui avait jetée au coeur la parole dite par l'étranger.
26. Que Dieu vous récompense.
27. Le patron, se faisant sa propre providence . . .
28. . . . ayant la foi d'autant plus robuste, qu'elles n'avaient jamais rien discuté.
29. Qu'ils me suivent!
30. Le savant se prit à rire.
31. Bon pour cette fois-ci, mais n'y revenez plus.

Questionnaire

1. Comment allait-on de l'île aux côtes de la Flandre?
2. Quels étaient, à cette epoque, les organes d'une civilisation avancée?
3. A quelle heure se passe cette scène?
4. Pourquoi le pilote a-t-il été surpris de voir l'homme?
5. Pourquoi les sept personnes n'ont-elles pas laissé l'étranger se mettre avec elles?
6. Décrivez le jeune cavalier.
7. Les riches s'estimaient-ils les uns les autres?
8. Comment les pauvres gens ont-ils accueilli l'étranger?
9. Comment l'étranger a-t-il eu une place?
10. Pour qui les pauvres gens ont-ils pris l'étranger?
11. La vieille femme avait-elle payé sa place? Pourquoi?
12. Comment le mouvement des rames a-t-il changé?
13. Pourquoi le patron a-t-il dit "ramez fort"?
14. Quel danger les menaçait?
15. Qu'est-ce que les pauvres gens avaient compris? Pourquoi?
16. Le beau monde a-t-il compris aussi?
17. Le beau monde a-t-il de la compassion pour les rameurs?
18. La vieille était-elle révoltée contre la mort?
19. Pourquoi les gens de l'arrière ont-ils crié? Pourquoi n'avaient-ils pas crié plus tôt?

20. Qu'est-ce qui a permis de voir la figure de l'inconnu?
21. Pourquoi les gens riches ont-ils dit que l'inconnu était heureux?
22. Quel effet a eu la voix de l'étranger sur la mère?
23. Qu'est-ce que le riche bourgeois a promis à la Sainte Vierge?
24. Le docteur de l'université croit-il en la Sainte Vierge?
25. La patron croit-il en la Sainte Vierge? Quelle est sa solution pratique?
26. Comment savez-vous que la jeune fille est orgueilleuse?
27. Que propose le cavalier à la jeune fille?
28. Que pense la demoiselle en regardant sa mère?
29. Quel est l'argument subtil du beau cavalier?
30. La demoiselle est-elle révoltée par cette proposition?
31. L'évêque faisait-il son devoir de chrétien? Avait-il une grande foi?
32. Pourquoi la jeune mère ne redoutait-elle plus le péril?
33. Pourquoi le soldat ne cessait-il pas de contempler l'étranger?
34. Pourquoi la vieille enviait-elle les belles dames?
35. Quelles étaient les trois attitudes des gens dans la barque?
36. Le patron croyait-il à la providence?
37. Quel était le seul bonheur du soldat?
38. Que symbolisaient les deux paysans?
39. Pourquoi la foi des gens simples était-elle robuste?
40. Les gens qui suivent l'étranger le font-ils tous pour les mêmes raisons?
41. Thomas a-t-il pu marcher sur la mer? Connaissez-vous un autre Thomas qui lui ressemble?
42. L'avare a-t-il pu marcher sur la mer? Pourquoi?
43. Pourquoi le savant a-t-il été englouti?
44. Quelle est, pour Balzac, la différence entre religion et dévotion?
45. Le pilote a-t-il été englouti?
46. L'HOMME condamne-t-il l'attitude du pilote? Et Balzac?
47. Balzac se moque-t-il de la foi?

✿ ✿ ✿ ✿ ✿

Eve Curie

La Découverte du radium

The popular conception of the scientist as one devoted in his labors, immune to worldly attractions, simple in his personal tastes, and working for the good of humanity finds full justification in at least one person, Marie Curie (1867–1934), who, in collaboration with her husband Pierre, was the discoverer of radium. The severe physical hardships under which she carried out her scientific research in Paris (only touched upon in the excerpt given here), joined with her natural spirit of self-sacrifice, have contributed to the creation of an almost legendary picture. One of the few women to have received the Nobel prize for work in science, she is the only person to have received it twice, first in physics, for the discovery of radium (an award shared with her husband), and later in chemistry, for the isolation of that element.

Her biography, by her daughter Eve, a concert pianist, was published in 1935 simultaneously in many countries.

Although the discovery of radium was an addition to the field of pure science, its subsequent application in the field of medicine has given it a humanitarian significance. Ironically, she herself and her elder daughter, Irene, also a Nobel prize winner in physics, both died (the latter in 1956) from the effects of overexposure to radiation.

Less well known is the fact that the discovery of radium was one of the essential steps in the development of nuclear physics, the medical applications of artificial radioactive isotopes having today largely replaced those of radium.

Background

Madame Curie was born Marya Sklodowska in Warsaw, Poland, when the country was totally incorporated with Russia. Her father, a professor of physics, communicated to her and her older sister Bronia their love of scientific learning.

In addition to educational excellence, France represented individual freedom; Marya went to Paris as soon as her savings permitted, sometime after her sister Bronia.

Une jeune mariée tient sa maison, lave sa petite fille et met ses casseroles au feu . . . et dans le pauvre laboratoire de l'Ecole de Physique, une savante accomplit la découverte la plus importante de la science moderne.

❖   ❖   ❖

Deux licences,[1] le concours d'agrégation,[2] une étude sur 5 l'aimantation des aciers trempés: tel est, à la fin de 1897, le bilan de l'activité de Marie qui, à peine remise de ses couches,[3] retourne au travail.

L'étape suivante, dans le développement logique de sa carrière, c'est le doctorat.[4] Ici quelques semaines d'indécision. 10 Il s'agit de choisir un thème de recherches qui fournisse une matière féconde, originale. Marie, passant en revue les plus récents travaux de physique, cherche un sujet de thèse.

---

[1] **licences,** roughly equivalent to our master's degrees—in physics and in chemistry.

[2] **concours d'agrégation,** a difficult *competitive examination* entitling the successful candidate to a position as **professeur de lycée,** and roughly equivalent to our Ph.D.

[3] **remise de ses couches,** *recovered from childbirth*—her first child, Irene, later Mme Joliot-Curie, was born on September 12, 1897, and died in Paris in March 1956. She and her husband continued the work of the Institut du Radium.

[4] **doctorat,** the **doctorat d'état** requires usually some eight to ten years of independent research after the **agrégation,** and has no American equivalent. It involves a university appointment at professorial rank in the state educational system.

Dans ce débat capital, les avis de Pierre comptent beaucoup. Il est le chef de laboratoire de Marie, son «patron». Et c'est un physicien plus âgé et bien plus experimenté qu'elle. A côté de son époux, elle se regarde un peu comme une apprentie.   5

Et cependant, le caractère de la Polonaise, sa nature intime, ont dû grandement influer sur le choix de ce sujet. Marie porte en elle, depuis l'enfance, la curiosité et l'audace des explorateurs. C'est cet instinct qui l'a poussée, jadis, à quitter Varsovie pour découvrir Paris et la Sorbonne, qui lui 10 a fait préférer une chambre solitaire du quartier latin au douillet appartement des Dluski.[5] Dans les courses en forêt, elle prend toujours le sentier non battu, la piste sauvage.

Elle est comme un voyageur songeant à un grand départ. Le voyageur, penché sur la mappemonde, repère dans une 15 lointaine contrée un nom étrange qui excite son imagination et décide soudain d'aller là, et nulle part ailleurs. Marie, feuilletant les comptes rendus des dernières études expérimentales, s'arrête aux travaux[6] du physicien français Henri Becquerel,[7] publiés l'année précédente. Pierre et elle les con- 20 naissent déjà. Elle les relit, les étudie avec son soin coutumier.

Après la découverte des rayons X par Roentgen,[8] Henri Poincaré[9] avait eu l'idée de rechercher si des rayons semblables aux rayons X n'étaient pas émis par les corps «fluorescents», sous l'action de la lumière. Attiré par le même 25 problème, Henri Becquerel avait examiné les sels d'un «métal rare», *l'urane*.[10] Mais au lieu de trouver le phé-

---

[5] **Dluski,** the married name of her elder sister Bronia who had preceded her to Paris and married a Polish doctor there. See *note* 28.

[6] **travaux.** This must always be translated as *researches* or *work*, and never designates published works.

[7] **Henri Becquerel** (1812–1908), French physicist who discovered the phenomenon of radioactivity.

[8] **W. Conrad Roentgen** (1845–1923), German scientist.

[9] **Henri Poincaré** (1854–1921), French mathematician.

[10] **urane,** *oxide of uranium,* or simply *uranium.*

nomène prévu, il en avait observé un autre, tout différent, incompréhensible: les sels d'urane émettaient *spontanément,* sans action préalable de la lumière, des rayons d'une nature inconnue. Un composé d'urane, placé sur une plaque photographique entourée de papier noir, impressionnait celle-ci 5 à travers le papier. Et, comme les rayons X, ces étonnants rayons «uraniques» déchargeaient un électroscope en rendant conducteur l'air ambiant.

Henri Becquerel s'était assuré que ces propriétés ne dépendaient pas d'une insolation[11] préliminaire et qu'elles persistaient lorsque le composé d'urane était maintenu longue- 10 ment dans l'obscurité. Il avait découvert le phénomène auquel Marie Curie devait donner plus tard le nom de *radioactivité.* Mais l'origine de ce rayonnement demeurait une énigme. 15

Les rayons de Becquerel intriguent les Curie au plus haut point. D'où peut provenir l'énergie, minime il est vrai, que dégagent constamment les composés d'urane, sous forme de radiations? Voilà un excellent thème de recherches, une thèse de doctorat! Le sujet tente Marie d'autant plus que 20 le champ d'exploration est vierge: les travaux de Becquerel sont récents et, dans les laboratoires d'Europe, personne, à sa connaissance, n'a encore approfondi l'étude des rayons uraniques. Comme point de départ, et pour toute[12] bibliographie, il existe les communications présentées à l'Aca- 25 démie des Sciences[13] au cours de l'année 1896. Cela va être passionnant de se lancer à l'aventure,[14] dans un domaine inconnu!

❖   ❖   ❖

---

[11] **insolation,** *exposure to sunlight.*
[12] **toute** = **seule.**
[13] **Académie des Sciences,** one of the five Académies forming the Institut de France.
[14] **à l'aventure,** *haphazardly.*

Il ne reste plus qu'à trouver un local où Marie puisse monter ses expériences[15]—et ici commencent les difficultés. Plusieurs démarches de Pierre auprès du directeur de l'Ecole de Physique aboutissent à un assez médiocre résultat: la libre disposition est accordée à Marie d'un atelier vitré, situé au 5 rez-de-chaussée des bâtiments de l'Ecole. C'est une pièce encombrée, suintante de vapeur, qui sert de magasin et de salle de machines. Aménagement[16] technique rudimentaire. Confort: néant.

La jeune femme ne se décourage pas. Privée d'une instal- 10 lation électrique adéquate et de tout ce qui constitue le matériel de départ[17] des recherches scientifiques, elle trouve le moyen de faire fonctionner ses appareils dans ce réduit.

Ce n'est pas facile. Les instruments de précision ont des ennemis sournois: l'humidité, les changements de tempéra- 15 ture. Le climat de ce petit atelier, fatal aux électromètres sensibles, n'est pas excellent non plus pour la santé de Marie . . . Mais ceci, n'est-ce pas, n'a aucune importance! Lorsqu'elle a trop froid, la physicienne se venge en notant dans son carnet de travail les degrés centigrades qu'indique 20 le thermomètre. Le 6 février 1898, nous trouvons ainsi, parmi les formules et les chiffres: «Température dans cylindre 6°25.»[18]

Six degrés, c'est peu, vraiment! Marie pour marquer son blâme, a ajouté dix petits points d'exclamation. 25

Le premier soin de la candidate au doctorat est de mesurer le «pouvoir d'ionisation» des rayons de l'uranium—c'est-à-dire leur pouvoir de rendre l'air conducteur de l'électricité et de décharger un électroscope. L'excellente méthode qu'elle emploie—méthode qui sera la clé du succès de ses expéri- 30 ences—a été jadis inventée pour l'étude d'autres phénomènes

---

[15] **monter ses expériences,** *set up her experiments.*
[16] **Aménagement,** *Installation, Set-up.*
[17] **matériel de départ,** *indispensable starting equipment.*
[18] **6°25,** *43°F.*

braquer = *to aim*, *to point* [handwritten annotation]

par deux physiciens qu'elle connaît bien: Pierre et Jacques Curie.[19]

Au bout de quelques semaines, premier résultat: Marie acquiert la certitude que l'intensité de ce rayonnement surprenant est proportionnelle à la quantité d'uranium con- 5 tenue dans les échantillons examinés et que le rayonnement qui peut être mesuré avec précision, n'est influencé ni par l'état de combinaison chimique de l'uranium, ni par les circonstances extérieures, telles que «l'éclairement» ou la température. 10

Constatations bien peu[20] sensationnelles pour le profane mais, pour le savant, captivantes. Il arrive tant de fois, en physique, qu'un phénomène inexplicable puisse être rattaché, après de brèves investigations, à des lois précédemment connues et, de ce fait, perde aussitôt son intérêt pour le cher- 15 cheur! Ainsi, dans les romans policiers mal faits, si l'on nous apprend au chapitre trois que la femme d'apparence fatale, qui pourrait bien avoir commis le crime, n'est en réalité qu'une honnête bourgeoise et mène une vie sans secrets, nous nous sentons bien découragés et nous cessons aussitôt de lire. 20

Ici, rien de tel. Plus Marie pénètre dans l'intimité des rayons de l'uranium, plus ils lui apparaissent insolites, d'une essence inconnue. Ils ne sont semblables à rien. Ils ne sont affectés par rien. Malgré leur très faible puissance, ils ont une extraordinaire «personnalité». 25

Tournant et retournant le mystère dans sa tête, braquée vers la vérité, Marie presse et bientôt peut affirmer que l'incompréhensible rayonnement est une propriété *atomique*. Et elle se pose une question: bien que le phénomène n'ait été observé qu'avec l'uranium, rien ne prouve que l'uranium 30 soit le seul élément chimique capable de le provoquer. Pourquoi d'autres corps ne posséderaient-ils pas le même pouvoir? C'est peut-être *par hasard* que les rayons ont été

---

[19] **Pierre et Jacques Curie,** her husband and his brother.
[20] **bien peu,** *far from.*

d'abord découverts dans l'uranium, auquel ils sont restés liés dans l'esprit des physiciens. Il faut, maintenant, les chercher ailleurs.

Aussitôt pensé, aussitôt fait! Abandonnant l'étude de l'uranium, Marie entreprend l'examen de *tous les corps*[21] chimiques connus. Et le résultat ne se fait pas attendre.[22] Les composés d'un autre corps, le *thorium*, émettent, eux aussi, des rayons spontanés, semblables à ceux de l'uranium, et d'une intensité analogue. La jeune femme avait vu clair: le phénomène n'est nullement l'apanage du seul uranium[23] et il devient nécessaire de lui donner une dénomination distincte. Madame Curie propose le nom de *radioactivité*. Les corps tels que l'uranium et le thorium, doués de cette «radiance» particulière, s'appelleront des *radio-éléments*.

La radioactivité intrigue tellement la physicienne qu'elle ne se lasse pas d'étudier—toujours par la même méthode— les matières les plus diverses. Curiosité, féminine et merveilleuse curiosité, première vertu du savant, que Marie possède au plus haut point! Au lieu de borner ses observations aux composés simples, sels et oxydes, elle a soudain envie de puiser dans la collection de minéraux de l'Ecole de Physique et de faire subir à divers échantillons, au hasard, pour s'amuser, cette espèce de visite douanière qu'est l'épreuve de l'électromètre. Pierre l'approuve et choisit avec elle les fragments veinés, durs ou friables, aux formes baroques,[24] qu'elle s'est mis en tête d'examiner.

L'idée de Marie est simple—simple comme les trouvailles du génie. Au «palier»[25] de travail où Madame Curie se trouve, des centaines de chercheurs seraient restés «en panne» pour des mois, peut-être des années. Ayant passé en revue les corps chimiques connus et découvert—comme l'a fait

---

[21] corps = corps simples, *elements* (corps composé, *compound*).
[22] ne se fait pas attendre, *is not long in appearing.*
[23] du seul uranium = de l'uranium seul(ement).
[24] aux formes baroques, *oddly shaped.*
[25] palier, lit. *platform* or *landing*—in educational theory a plateau.

Marie—le rayonnement du thorium, ils eussent[26] continué de se demander en vain d'ou provenait la radioactivité mystérieuse. Marie, elle aussi, s'interroge et s'étonne. Mais sa surprise se traduit en actes féconds. Elle a épuisé les possibilités évidentes: à présent elle se tourne vers l'insondé, 5 l'inconnu.

Elle sait d'avance ce que va lui apprendre l'examen des minéraux, ou plutôt elle croit le savoir. Les échantillons qui ne recèlent ni uranium, ni thorium, se révéleront totalement «inactifs». Les autres, contenant de l'uranium ou du thorium, 10 seront radioactifs.

Les faits confirment ces prévisions. Rejetant les minéraux inactifs, Marie s'attache aux autres, et mesure leur radioactivité. Ici, coup de théâtre:[27] cette radioactivité se révèle *beaucoup plus forte* que celle que l'on pouvait normalement 15 prévoir d'après la quantité d'uranium ou de thorium contenue dans les produits examinés!

—Ce doit être une erreur d'expérience . . . pense la jeune femme—car, devant un phénomène inattendu, le doute est la première réaction du savant. 20

Marie recommence ses mesures, sans s'émouvoir, avec les mêmes produits. Elle les recommence dix fois, vingt fois. Et il lui faut bien se rendre à l'évidence: les quantités d'uranium et de thorium qui se trouvent dans les minéraux ne suffisent nullement à justifier l'intensité exceptionnelle du rayonne- 25 ment qu'elle observe.

D'où vient cette radioactivité excessive, anormale? Une seule explication est possible: les minéraux doivent contenir, en petite quantité, une substance *beaucoup plus fortement radioactive* que l'uranium et le thorium. 30

Mais quelle substance, puisque dans ses expériences précédentes, Marie a déjà examiné *tous les éléments chimiques connus?*

---

[26] **eussent** = auraient.
[27] **coup de théâtre,** *sensation!* She is about to discover the first trace of radium.

La savante répond à la question avec la sûreté et la magnifique audace des très grands esprits. Elle émet une hypothèse hardie: les minéraux recèlent certainement une
matière radioactive qui est, en même temps, un élément
inconnu à ce jour—*un corps nouveau!*   5

Un corps nouveau! Hypothèse fascinante, tentante . . .
mais hypothèse. Jusqu'ici, la substance puissamment radioactive n'existe que dans l'imagination de Marie et dans celle
de Pierre. Mais elle y existe bien! Marie, un jour, dira à
Bronia[28] d'une voix contenue, ardente: 10

—Tu sais, le rayonnement que je ne pouvais m'expliquer
vient d'un élément chimique inconnu . . . L'élément est là;
il ne reste qu'à le trouver! Nous en sommes sûrs! Des physiciens auxquels nous en avons parlé croient à une erreur d'expérience, nous conseillent d'être prudents. Mais je suis per- 15
suadée que je ne me trompe pas!

Minutes uniques, d'une vie unique. Les profanes se font
du chercheur et de sa découverte une idée romanesque qui
est totalement fausse. «L'instant de la découverte» n'existe
pas toujours. Les travaux d'un savant sont trop ténus[29] pour 20
que, dans le cours de son pénible travail, la certitude de la
réussite crépite soudain comme un éclair et l'éblouisse de ses
feux. Marie, debout devant ses appareils, n'a peut-être pas
éprouvé l'ivresse subite du triomphe. L'ivresse s'est répandue
sur plusieurs jours de labeur décisif, enfiévrés par une ma-   25
gnifique espérance. Mais il a dû être bien exaltant, le moment
où, ayant vérifié par un raisonnement rigoureux de son cerveau qu'elle tenait la piste[30] d'une matière inconnue, Marie a
confié ce secret à son aînée,[31] à son alliée. Sans qu'aucune
parole attendrie fût échangée, les deux soeurs ont dû revivre, 30
en une enivrante bouffée de souvenirs, les années d'attente,

---

[28] **Bronia,** her sister Mme Dluska, whose letters and souvenirs provided much of the material for Eve's biography of her mother.
[29] **ténus,** *tenuous, long-drawn-out,* from the adjective **ténu.**
[30] **tenait la piste,** *was on the (right) track.*
[31] **son aînée** = Bronia.

les sacrifices mutuels, leur âpre vie d'étudiantes, pleine de rêve et de foi.

Il y a quatre ans à peine, Marie écrivait:

La vie n'est facile pour aucun de nous. Mais quoi,[32] *il faut avoir de la persévérance, et surtout de la confiance en soi.* 5
Il faut croire que l'on est doué pour quelque chose, et que, cette chose, il faut donc l'atteindre coûte que coûte.

Cette «chose» c'était de jeter la Science sur une voie insoupçonnée.

En une communication à l'Académie, présentée par le 10
professeur Lippmann et publiée aux *Comptes Rendus* de la séance du 12 avril 1898, «Marie Sklodowska-Curie» annonce la présence probable dans les minerais[33] de pechblende d'un corps nouveau, doué d'une radioactivité puissante:

. . . *Deux minéraux d'uranium: la pechblende (oxyde* 15
d'urane) et la chalcolite (phosphate de cuivre et d'uranyle) sont beaucoup plus actifs que l'uranium lui-même. Ce fait est très remarquable et porte à croire que ces minéraux peuvent contenir un élément beaucoup plus actif que l'uranium . . .

C'est la première étape de la découverte du radium. 20

❁   ❁   ❁

Par le pouvoir de son intuition, Marie s'est démontré à elle-même que la substance inconnue *doit être*. Elle en décrète l'existence. Il reste à forcer son incognito. Il faut maintenant vérifier l'hypothèse par l'expérience, isoler la matière.
Il faut pouvoir publier: «Elle est là. Je l'ai vue.» 25

Pierre Curie a suivi avec un intérêt passionné les progrès rapides des expériences de sa femme. Sans se mêler directement au travail, il a fréquemment aidé Marie de ses re-

---

[32] **quoi,** *what of it.*

[33] **minerai,** *ore.* The phrasing in the following quotation is not rigorously scientific, because it suggests that **pechblende = oxyde d'urane** (which should be called **oxyde d'uranium**). **Pechblende** was important because of its exceptional radioactivity, but is only one of numerous ores containing uranium oxide.

marques, de ses conseils. Devant le caractère stupéfiant des résultats obtenus, il décide d'abandonner momentanément son étude sur les cristaux et de joindre ses efforts à ceux de Marie pour saisir la substance nouvelle.

Ainsi, lorsque l'immensité d'une tâche pressante suggère, 5 exige une collaboration, un grand physicien apparaît aux côtés de la physicienne—un physicien qui est le compagnon de sa vie.

Trois ans plus tôt, l'amour a uni cet homme et cette femme exceptionnels. L'amour et peut-être une prescience mysté- 10 rieuse, un infaillible instinct de l'équipe.[34]

❄   ❄   ❄

Les forces de combat sont maintenant doublées. Dans le petit atelier humide de la rue Lhomond, deux cerveaux, quatre mains cherchent le corps inconnu. Et dorénavant, dans l'oeuvre des Curie, il sera impossible de distinguer la 15 part de chacun. Nous savons que Marie, ayant choisi comme sujet de thèse l'étude des rayons de l'uranium, a découvert que d'autres substances étaient, elles aussi, radioactives. Nous savons qu'à la suite d'examens de minéraux, elle a pu an- noncer l'existence d'un élément chimique nouveau, puissam- 20 ment radioactif, et que c'est l'importance capitale de ce résultat qui a poussé Pierre Curie à interrompre des re- cherches toutes différentes pour tenter d'isoler l'élément. A présent—mai ou juin 1898—commence une association dans l'effort qui durera huit années et sera brutalement détruite 25 par un accident mortel.[35]

Nous ne pouvons pas et nous ne devons pas rechercher ce qui, durant ces huit années, revient à[36] Marie, et ce qui revient à Pierre. Ce serait ce que les époux n'ont pas voulu.

---

[34] **infaillible instinct de l'équipe,** *infallible team spirit.*

[35] **accident mortel,** Pierre was killed on April 19, 1906, when knocked down and run over by a team and wagon as he was crossing a Paris street.

[36] **revient à,** *can be credited to.*

Le génie personnel de Pierre Curie nous est connu par l'oeuvre originale qu'il a accomplie avant la collaboration. Le génie de sa femme nous apparaît dans l'intuition première de la découverte, dans ce foudroyant départ. Il nous réapparaîtra solitaire, ce génie, lorsque, veuve, Madame Curie 5 portera sans fléchir le poids d'une science nouvelle et que, de recherches en recherches, elle la conduira à son épanouissement[37] harmonieux. Nous avons donc les preuves formelles que, dans cette magnifique alliance d'un homme et d'une femme, l'échange fut égal. 10

Qu'une[38] telle certitude suffise à notre curiosité, à notre admiration. Ne séparons plus deux êtres pleins d'amour dont les écritures alternent et se mêlent sur les pages des carnets de travail couvertes de formules, deux êtres qui signeront ensemble presque toutes leurs publications scientifiques. Ils 15 écriront: «*Nous* avons trouvé . . . *Nous* avons observé . . .», et, contraints quelquefois par les faits de distinguer leurs rôles, ils emploieront cette formule émouvante:

Certains minéraux contenant de l'uranium et du thorium (pechblende, chalcolite, uranite) sont très actifs au point de 20 *vue de l'émission des rayons de Becquerel. Dans un travail antérieur, l'un de nous a montré que leur activité est même plus grande que celle de l'uranium et du thorium et a émis l'opinion que cet effet était dû à quelque autre substance très active renfermée en petite quantité dans ces minéraux* 25 . . . [Pierre et Marie Curie, *Comptes Rendus* du 18 juillet 1898]

✿   ✿   ✿

Les Curie recherchent la «substance très active» dans un minerai d'urane, la pechblende. A l'état brut, la pechblende

---

[37] **épanouissement,** the first fully successful isolation of the pure element was achieved by Mme Curie in 1911, the year in which she received the Nobel prize alone—the first time it had ever been given twice to one person; she had earlier (1903) shared the prize with her husband and Becquerel.

[38] **Qu',** *Let.*

s'est révélée quatre fois plus radioactive que l'oxyde d'urane pur qu'elle contient. Mais la composition de ce minerai est connue d'une manière assez précise . . . Il faut que l'élément nouveau s'y trouve en quantités bien faibles pour avoir échappé jusqu'ici à l'attention des savants, à la rigueur des 5 analyses chimiques!

D'après leurs calculs—calculs «pessimistes», comme ceux des vrais physiciens, et qui, entre deux probabilités, s'arrêtent toujours à la moins souriante—Pierre et Marie estiment que le minerai doit recéler au maximum un pour cent 10 de la substance nouvelle. Ils se disent que c'est bien peu . . . Quelle consternation serait la leur s'ils savaient que l'élément radioactif inconnu ne figure même pas, dans la pechblende, pour *un millionième!*

Patiemment, ils commencent leur prospection, en em- 15 ployant une méthode de leur invention, basée sur la radioactivité: ils séparent, par les procédés ordinaires de l'analyse chimique, tous les corps dont est constituée la pechblende, puis ils mesurent la radioactivité de chacun des produits obtenus. Par éliminations successives, ils voient peu à peu la radio- 20 activité «anormale» se réfugier dans certaines portions du minerai. Plus leur travail progresse, plus ils restreignent le champ de la recherche. C'est exactement la technique qu'emploient les policiers lorsqu'ils fouillent, un à un, les immeubles d'un quartier pour dépister et arrêter un malfaiteur. 25

Mais ici, il n'y a pas qu'un[39] malfaiteur: la radioactivité se concentre principalement dans *deux* fractions chimiques de la pechblende. Pour M. et Mme Curie, c'est le signe de l'existence de deux corps nouveaux distincts. Dès juillet 1898, ils sont en mesure d'annoncer la découverte d'une de ces deux 30 substances.

—Il faut que tu «lui» trouves un nom! a dit Pierre à sa jeune femme.

---

[39] **il n'y a pas qu'un,** *there is not only one.* This construction, adding **pas** to **ne . . . que,** is neither clear nor elegant but is of fairly current use.

Celle qui fut Mlle Sklodowska réfléchit un moment en silence. Puis, son coeur s'élançant vers sa patrie rayée de la carte du monde,[40] elle songe, vaguement, que l'événement scientifique sera publié en Russie, en Allemagne, en Autriche —chez les oppresseurs—et elle répond timidement:

—Si nous l'appelions le «polonium»?[41]

Dans les *Comptes Rendus* de juillet 1898, on lit:

. . . *Nous croyons que la substance que nous avons retirée de la pechblende contient un métal non encore signalé, voisin du bismuth par ses propriétés analytiques. Si l'existence de ce nouveau métal se confirme, nous proposons de l'appeler polonium, du nom du pays d'origine de l'un de nous.*

Le choix de ce nom prouve qu'en devenant une Française et une physicienne, Marie n'a pas renié les enthousiasmes de sa jeunesse.[42] Autre chose encore nous le prouve: avant même que la note pour l'Académie des Sciences: «*Sur une substance nouvelle radioactive contenue dans la pechblende*» ait paru aux *Comptes Rendus,* Marie en avait envoyé le manuscrit dans son pays natal, à ce Joseph Boguski qui dirige le laboratoire du Musée de l'Industrie et de l'Agriculture où elle tenta jadis ses premières expériences. La communication fut publiée à Varsovie dans une «mensuelle de photographie» appelée *Swiatlo,*[43] presque en même temps qu'à Paris.

❊   ❊   ❊

---

[40] **rayée de la carte du monde.** Except for brief moments of partial independence, Poland was partitioned between Russia, Germany, and Austria from the late eighteenth century until its independence was restored in 1919.

[41] **polonium.** In some scientific texts this is recognized as a separate element (atomic number 84), but it is more generally regarded as one of the forms (an isotope) of radium, *radium F*. It is relatively inactive and unimportant.

[42] **enthousiasmes de sa jeunesse.** Like all her fellow countrymen she was ardently patriotic.

[43] **Swiatlo** [Polish], *Light.*

La vie ne s'est pas modifiée dans le logement de la rue de la Glacière. Marie et Pierre travaillent encore plus que de coutume, voilà tout. Lorsque sont venues les chaleurs de l'été, Marie a trouvé le temps d'acheter, aux Halles, des paniers de fruits et, comme à l'habitude, elle a mis en pots 5 les confitures pour l'hiver, selon des recettes en usage dans la famille Curie. Puis elle a fermé les volets de ses fenêtres, qui donnent sur des feuillages rissolés, elle a enregistré à la gare d'Orléans les deux bicyclettes et, ainsi que des milliers d'autres jeunes parisiennes, elle est partie en vacances avec 10 son mari et sa fille.

Le ménage a loué une maison de paysans à Auroux, en Auvergne.[44] Quel soulagement de respirer de l'air pur, après l'atmosphère nocive de la rue Lhomond![45] Les Curie font des excursions à Mende, au Puy, à Clermont, au Mont-Dore. Ils 15 montent et descendent des côtes, ils visitent des grottes, ils se baignent dans les rivières. Chaque jour, seuls dans la campagne, ils parlent de ce qu'ils appellent leurs «nouveaux métaux», le polonium et *l'autre*—celui qui reste à découvrir. En septembre, ils retrouveront l'atelier humide, les minéraux 20 ternes. Et, avec une ardeur fraîche, ils reprendront leurs recherches.

Un chagrin altère pour Marie l'enivrement du travail: les Dluski sont sur le point de quitter Paris. Ils ont décidé de s'établir en Pologne et de construire à Zakopane, dans les 25 montagnes des Carpathes, un sanatorium destiné aux tuberculeux. Les adieux de Marie et de Bronia sont très tristes. Marie perd son amie, sa protectrice. Pour la première fois, elle a le sentiment de l'exil.

Marie à Bronia, 2 décembre 1898:   30

. . . *Tu ne peux pas imaginer le vide que tu as laissé. Avec*

---

[44] **Auvergne,** a mountainous region in southeastern France; Vichy is its most famous city.

[45] **rue Lhomond,** a sepulchrally quiet street back of the Pantheon in Paris, location of their laboratory.

vous deux, j'ai perdu tout ce à quoi je tenais à Paris, à part mon mari et mon enfant. Il me semble maintenant que Paris n'existe plus, en dehors de notre logement et de l'Ecole où nous travaillons.

Demande à Mme Dluska[46] si la plante verte que vous avez 5 *laissée doit être arrosée, et combien de fois par jour. A-t-elle besoin de beaucoup de chaleur et de soleil?*

Nous nous portons bien, malgré le mauvais temps, la pluie et la boue. Irène devient une grande gamine. Elle est très difficile à nourrir et, à part le tapioca au lait, elle ne veut 10 *presque rien manger régulièrement, même pas les oeufs. Ecris-moi ce qui convient comme menus aux personnes de cet âge . . .*

❊   ❊   ❊

Quelques notes, tracées pas Mme Curie en cette mémorable année 1898, nous paraissent dignes d'être citées, malgré leur 15 caractère prosaïque—ou peut-être à cause de ce caractère.

Celles-ci se trouvent dans la marge d'un livre appelé: «La Cuisine bourgeoise», en regard d'une recette de gelée de groseilles:

J'ai pris huit livres de fruits et le même poids de sucre 20 *cristallisé. Après une ébullition de dix minutes, j'ai passé le mélange à travers un tamis assez fin. J'ai obtenu quatorze pots de très bonne gelée, non transparente, qui a pris[47] parfaitement.*

Dans un cahier d'écolier couvert de toile grise, où la jeune 25 mère a inscrit, jour après jour, le poids de sa petite Irène, son régime et l'apparition de ses dents à lait, on lit à la date du 20 juillet 1898, une semaine après la publication de la découverte du polonium:

Irène fait[48] «merci» avec la main . . . elle marche mainte- 30

---

[46] **Mme Dluska,** Bronia's mother-in-law. All the **vous** in this letter are to be taken as plural, Bronia being addressed as **tu.**

[47] **pris,** *set, jelled.*

[48] **fait,** *can say.*

*nant très bien à quatre pattes. Elle dit: «Gogli, gogli, go.»
Elle reste toute la journée au jardin (Sceaux)*[49] *sur un tapis.
Elle se roule, se lève, s'asseoit . . .*

Du 15 août, à Auroux:

Irène a percé sa septième dent, en bas, à gauche. Elle se 5
*tient debout une demi-minute toute seule. Depuis trois jours
on la baigne dans la rivière. Elle crie, mais aujourd'hui
(quatrième bain) elle s'est arrêtée de crier et elle a joué
en tapant dans l'eau.*

Elle joue avec le chat et court après lui en poussant des 10
*cris de guerre. Elle n'a plus peur des étrangers. Elle chante
beaucoup. Elle monte sur la table, quand elle est sur sa
chaise . . .*

Trois mois plus tard, le 17 octobre, Marie note avec
fierté: 15

Irène marche très bien, et ne marche plus à quatre pattes.

Et le 5 janvier 1899:

Irène a quinze dents!

❉   ❉   ❉

Entre ces deux notes—celle du 17 octobre 1898 où Irène
ne marche plus à quatre pattes et celle du 5 janvier 1899 où 20
elle a quinze dents—et peu après la note sur les pots de confitures, on trouve une note encore, digne de remarque.

Elle a été rédigée par Marie et Pierre Curie, et par un
collaborateur appelé G. Bémont. Destinée à l'Académie des
Sciences, et publiée dans les *Comptes Rendus* de la séance 25
du 26 décembre 1898, elle annonce l'existence dans le pechblende d'un deuxième élément chimique radioactif.

Voici quelques lignes de cette communication:

. . . Les diverses raisons que nous venons d'énumérer nous

---

[49] **Sceaux,** attractive southern suburb of Paris with large public park
(gardens).

*portent à croire que la nouvelle substance radioactive ren-
ferme un élément nouveau, auquel nous proposons de donner
le nom de* RADIUM.

    *La nouvelle substance radioactive renferme certainement
une très grande proportion de baryum:*[50] *malgré cela la radioactivité est considérable. La radioactivité du radium doit
donc être énorme.*

5

Expressions for Study

1. Il s'agit de choisir un thème de recherches qui fournisse une matière féconde, originale.
2. Il est le chef de laboratoire de Marie, son "patron", et c'est un physicien bien plus expérimenté qu'elle.
3. D'où peut provenir l'énergie, minime il est vrai, que dégagent constamment les composés d'urane?
4. Il ne reste plus qu'à trouver un local où Marie puisse monter ses expériences.
5. C'est une pièce encombrée, suintante de vapeur, qui sert de magasin et de salle de machines.
6. Ce climat n'est pas excellent non plus pour la santé de Marie—mais ceci, n'est-ce pas, n'a aucune importance!
7. Il arrive tant de fois qu'un phénomène inexplicable puisse être rattaché à des lois précédemment connues et, de ce fait, perde aussitôt son intérêt pour le chercheur!
8. Le résultat ne se fait pas attendre.
9. Le phénomène n'est nullement l'apanage du seul uranium.
10. Elle a soudain envie de faire subir à divers échantillons, au hasard, cette espèce de visite douanière qu'est l'épreuve de l'électromètre.

---

[50] **barium,** an inert metal which remained inseparably united with radium until Mme Curie succeeded in isolating a decigram of pure radium in 1902 and established the latter's atomic weight (225). In practice, *radium* means radium chloride or bromide, but a practicable method of isolating the pure metal was established in 1911—see *note* 37, above. The illness which caused Mme Curie's death on July 6, 1934, was brought on by constant exposure to radiation, as was that of her daughter in 1956.

11. Elle aussi s'interroge et s'étonne; mais sa surprise se traduit en actes féconds.

12. Il lui faut bien se rendre à l'évidence.

13. Les minéraux recèlent certainement une matière radioactive qui est, en même temps, un élément inconnu à ce jour—*un corps nouveau!*

14. Les profanes se font du chercheur et de sa découverte une idée romanesque.

15. Les travaux d'un savant sont trop ténus pour que, dans le cours de son pénible travail, la certitude de la réussite crépite soudain comme un éclair et l'éblouisse de ses feux.

16. Dorénavant, dans l'oeuvre des Curie, il sera impossible de distinguer la part de chacun.

17. Il nous réapparaîtra solitaire, ce génie, lorsque, veuve, Madame Curie portera sans fléchir le poids d'une science nouvelle. . . .

18. et que, de recherches en recherches, elle la conduira à son épanouissement harmonieux.

19. Quelle consternation serait la leur s'ils savaient que l'élément radioactif inconnu ne figure même pas, dans la pechblende, pour *un millionième!*

Questionnaire

1. Avez-vous jamais étudié la physique?
2. La chimie?
3. Quels diplômes a Mme Curie?
4. Qu'est-ce qu'il s'agit de choisir maintenant?
5. Comment Pierre peut-il aider Marie?
6. Où est-elle née?
7. Comment s'appelle son beau-frère? sa soeur aînée?
8. Qu'a découvert Roentgen? Becquerel?
9. Quel est le local qu'elle a trouvé pour monter ses expériences?
10. La pièce était-elle chauffée?
11. Quel est le premier soin de la candidate?
12. Qu'est-ce qu'elle entreprend d'examiner ensuite?
13. Qu'est-ce qui l'étonne en examinant la pechblende?
14. Quelle hypothèse émet-elle?
15. Que fait Pierre alors?
16. Qu'annoncent les Curie en juillet 1898?
17. Où vont-ils cet été-là pour leurs vacances?
18. Qu'y font-elles?
19. Marie est née en 1867—quel âge avait-elle alors?

20. Que vont faire les Dluski?
21. Qui est Irène?
22. Quand est-elle née?
23. Qu'est-ce que les Curie annoncent en décembre 1898?
24. Qu'est-ce qui a causé la mort de Pierre Curie, et quand? de Marie?
25. Qui est l'auteur du livre?

Vocabulary

Abbreviations

adj., adjective
adv., adverb
art., article
cond., conditional
conj., conjunction
def., definite
f., feminine
fut., future
imperf., imperfect
indef., indefinite
indic., indicative
interj., interjection
ir., irregular
m., masculine

n., noun
p. def., past definite
pers., person
pl., plural
p. p., past participle
prep., preposition
pres., present
pro., pronoun
sing., singular
subj., subjunctive
v., verb
—, repeats word defined

*does not admit elision or linking

A

a (*third pers. pres. indic. of* **avoir**), has; **il y —**, there is, there are, ago (*with expressions of time*)

à, *prep.,* to, at, with, for, by, in

abaisser, to lower

abattre, *v. ir.,* **s'—,** to swoop down

abîme, *m.,* abyss, depth

abîmer, s'—, to sink

aborder, to accost, to approach

aboutir, to end

abri, *m.,* shelter; **à l'— de,** sheltered from, in the shelter of; **mettre à l'—,** to shelter

abriter, to shelter

absolument, *adv.,* absolutely

accablement, *m.,* distress

accabler, to overwhelm

accompagner, to accompany

accomplir, to accomplish

accord, *m.,* agreement; **d'—,** agreed

accorder, to grant

accoutumer, to accustom

accrocher, to catch

accroissement, *m.*, increase

accroupir, to crouch

accueillir, *v. ir.*, to greet, to welcome

acheter, to buy

achever, to finish, to complete

acier, *m.*, steel; — trempé, tempered steel

acquérir, *v. ir.*, to acquire

acquier–, *ir. stem of* acquérir

acrobatie, *f.*, acrobatics

activité, *f.*, activity; en —, active

actuel(le), *adj.*, present

actuellement, *adv.*, now, at present, at this moment

addition, *f.*, bill

adieu, *m.*, farewell, good-by

adjoindre, *v. ir.*, to join

adjoint, *p. p.. of* adjoindre, joined

adjuger, to adjudicate, to award

adjurer, to beseech

admettre, *v. ir.*, to admit

admis, *p. p. and ir. stem of* admettre

adoucir, to soften

adresse, *f.*, skill

adroit, *adj.*, clever

aérien(ne), *adj.*, aerial

affaiblir, to weaken

affaire, *f.*, affair, business; homme d'—s, businessman; se tirer d'—, to get along, to get out of difficulty

affairement, *m.*, bustle, business

affamé, *adj.*, starving

affectueux(-use), *adj.*, affectionate

affermir, to make firm

affichage, *m.*, posting; tableau d'—, score board

affiche, *f.*, poster

afficher, to post, to display

affliger, to afflict

affoler, to drive mad (crazy); s'—, to be driven mad

affranchir, to free

affreux(-use), *adj.*, terrible, awful, frightening

affût, *m.*, carriage, lying-in-wait, hiding place

afin de, *prep.*, in order to; — que, *conj.*, in order that

agaçant, *adj.*, annoying

agacer, to annoy

âgé, *adj.*, aged

agent, *m.*, — de police, policeman

agir, to act; s'— de, to be a question of

agitation, *f.*, agitation, disturbance, movement

agiter, to shake, to disturb, to move; s'—, to stir, to move about, to thrash around, to be excited

agneau, *m.*, lamb

agonie, *f.*, agony, intense suffering, death throes

agrafer, to fasten

agrandir, to enlarge

agrégation, *f.*, university degree (approximately the American doctorate)

agricole, *adj.*, agricultural; comice —, country fair

agripper, to grip, to seize

ahuri, *adj.*, dumbfounded

ai, *first pers. sing. pres. indic. of* avoir, have

aide, *f.*, aid

aider, to aid, to help

aie, aient, *pres. subj. forms of* avoir, have

aigle, *m.*, eagle

aigu, *adj.*, shrill

aiguille, *f.,* needle, hand (of watch)

aiguisé, *adj.,* sharp

aile, *f.,* wing, brim

ailleurs, *adv.,* elsewhere; **d'—,** besides, anyhow, furthermore; **nulle part —,** nowhere else

aimable, *adj.,* kind, amiable, likable

aimantation, *f.,* magnetization

aimer, to love, to like; **— mieux,** to prefer

aîné, *adj.,* elder, eldest

ainsi, *adv.,* thus, so; **— que,** just as

air, *m.,* air, manner; **grand —,** open air

aisance, *f.,* ease, leisure

aise, *f.,* ease, leisure; *adj.,* glad

aisé, *adj.,* easy

aisément, *adv.,* easily

ait, *third pers. sing. pres. subj. of* **avoir,** has

ajouter, to add

ajuster, to adjust, to aim

aliment, *m.,* food

alimentation, *f.,* food

allée, *f.,* path, pathway

Allemagne, *f.,* Germany

allemand, *m. n. and adj.,* German

aller, *v. ir.,* to go; **s'en —,** to go away, to leave

allié(e), *n. m. and f.,* ally

allô, *interj.,* hello (*telephone*)

allonger, to lengthen, to stretch out

allons, *interj.,* come now, come on, really now, *etc.*

allumer, to light; **s'—,** to light up

allumette, *f.,* match

allumeur, *m.,* lighter

allure, *f.,* behavior, speed, attitude; **à toute —,** at full speed

alors, *adv.,* then

altéré, *adj.,* parched, thirsty

altérer, to alter, to change

alterner, to alternate

amant, *m.,* lover

ambiant, *adj.,* surrounding

âme, *f.,* soul, mind

aménagement, *m.,* setup, arrangement

amender, s'—, to do better

amener, to lead, to bring about, to bring

amer, amère, *adj.,* bitter

ami(e), *n. m. and f.,* friend

amical, *adj.,* friendly

amitié, *f.,* friendship

amortir, to deaden

amour, *m.,* love; *adj.,* darling

amuser, to amuse; **s'—,** to amuse oneself, to have a good time

an, *m.,* year; **bon —, mal —,** year in, year out

analogue, *adj.,* similar, analogous

ananas, *m.,* pineapple

anatomiser, to analyze, to break down

ancêtre, *m.,* ancestor

ancien(ne), *adj.,* old, former

âne, *m.,* donkey

anéantir, to annihilate, to crush

ange, *m.,* angel

anglais(e), *n. and adj.,* English

Angleterre, *f.,* England

angoisse, *f.,* anguish

animal(-aux), *m.,* animal(s)

anneau, *m.,* ring

année, *f.,* year

annonce, *f.,* announcement

annoncer, to announce

anormal, *adj.,* abnormal

antérieur, *adj.,* previous, anterior

antique, *adj.*, ancient

Anvers, Antwerp

août, *m.*, August

apaiser, to appease, to calm

apanage, *m.*, attribute, appanage

apercevoir, *v. ir.*, to see; s'— de, to perceive, to notice, to see

apercevr–, *fut. stem of* apercevoir

aperçoi–, *ir. stem of* apercevoir

aperçu–, *p. p. and ir. stem of* apercevoir

apéritif(ive), *adj.*, aperitive

aplomb, *m.*, nerve, coolness, calm

apparaiss–, *ir. stem of* apparaître

apparaître, *v. ir.*, to appear (suddenly)

appareil, *m.*, apparatus, mechanism

apparemment, *adv.*, apparently

apparition, *f.*, (sudden) appearance, something ethereal

appartenir, *v. ir.*, to belong

appartien–, *ir. stem of* appartenir

apparu–, *p. p. and ir. stem of* apparaître

appauvrir, to impoverish

appel, *m.*, call, appeal

appeler, to call, to ask for; s'—, to be named

appétissant, *adj.*, appetizing

applaudir, to applaud

applaudissement, *m.*, applause

appliquer, to apply, to put

apporter, to bring

apprendre, *v. ir.* to learn, to teach, to inform

apprenti(e), *n. m. and f.*, apprentice

appri–, *ir. stem of* apprendre

apprivoiser, to tame

approcher, to approach, to bring near; s'— de, to approach

approfondir, to investigate, to fathom, to go deeply into

approvisionnement, *m.*, provisioning, supplying

appuyer, to lean, to rest, to emphasize

âpre, *adj.*, sharp, severe, harsh

après, *prep.*, after; d'—, from, according to

après-midi, *m.*, afternoon

arabe, *m. n. and adj.*, Arab, Arabic

arbre, *m.*, tree

arbuste, *m.*, bush, shrub

ardent, *adj.*, ardent, enthusiastic, burning

argent, *m.*, money, silver

argenté, *adj.*, silvery

argileuse, *adj.*, clay

aristocratie, *f.*, aristocracy

arme, *f.*, weapon, arm

armer, to arm

armoire, *f.*, clothes chest, clothes closet

arracher, to tear, to snatch, to pull up

arranger, to arrange; s'—, to manage

arrêter, to stop, to arrest

arrière, *m.*, rear; — magasin, rear shop

arrivée, *f.*, arrival

arriver, to arrive, to happen; (en) — à, to get to the point of, to succeed in, to come up to

arrondi, *adj.*, rounded

arroser, to water, to wash down

arrosoir, *m.*, watering can

as (*second pers. sing. pres. indic. of* avoir) have; qu'est-ce que tu as? what's wrong?

ascension, *f.*, ascension

aspect, *m.,* sight
aspirer, to suck
asseoir, *v. ir.,* to seat; **s'—,** to sit down
assey–, *ir. stem of* **asseoir**
assez, *adv.,* rather, quite sufficiently, enough
assi–, *ir. stem of* **assesoir**
assidûment, *adv.,* assiduously
assieds, *pres. indic. of* **asseoir**
assiéger, to besiege
assister, to assist; **— à,** to witness, to attend, to be present at
assoir–, *fut., cond. stem of* **asseoir**
assombrir, s'—, to sadden
assommer, to stun, to strike
assorti, *adj.,* matched
assortiment, *m.,* assortment
assourdir, to deafen
astre, *m.,* star, planet
astuce, *f.,* cleverness
atelier, *m.,* workshop
atroce, *adj.,* atrocious
attardé, *adj.,* late
atteign–, *ir. stem of* **atteindre**
atteindre, *v. ir.,* to hit, to attain, to reach
atteint, *p. p. of* **atteindre,** to be stricken
attelage, *m.,* team
attendre, to wait for, to expect; **s'— à,** to expect; **se faire —,** to be late in coming
attendri, *adj.,* touching, emotional
attendrir, to move, to touch (the heart), to make tender
attente, *f.,* expectation, waiting
atterré, *adj.,* crushed, dumbfounded
atterrer, to dumbfound, to crush
attestation, *f.,* testimony
attirer, to draw, to attract
attrayant, *adj.,* attractive

attrister, to sadden
au (*contraction of* à *and* **le**), in the, to the, at the
aube, *f.,* dawn
auberge, *f.,* inn
aubergiste, *m.,* inn-keeper
aucun, *pro.,* any; **ne . . . —,** no, none
audace, *f.,* daring, audacity
au-dehors, *adv.,* out, outside
au-delà (**de**), *adv.,* beyond
au-dessous, *adv.,* under, beneath, underneath
au-dessus, *adv.,* above
augmenter, to increase
augure, *m.,* augury, omen
aujourd'hui, *adv.,* today
aumône, *f.,* alms
auparavant, *adv.,* previously
auprès (**de**), *prep.,* near, with, among
auquel, *pro.,* to which
aur–, *fut., cond. stem of* **avoir**
aurore, *f.,* dawn
auspice, *m.,* sign
aussi, *adv.,* also, so, therefore, consequently
aussitôt, *adv.,* immediately
autant, *adv.,* as much, as well; **d'— plus que,** all the more . . . since
auteur, *m.,* author
automne, *m.,* autumn
autour (**de**), *prep.,* around
autre, *adj.,* other; **d'— part,** on the other hand
autrefois, *adv.,* formerly
autrement, *adv.,* otherwise
Autriche, *f.,* Austria
auxquels *pro.,* to whom
av–, *stem first and second pers. pl. pres. indic., imperf. indic. of* **avoir**

avaler, to swallow

avaleur, *m.,* swallower

avance, d'—, *adv.,* in advance, beforehand

avancer, to project, to advance

avant, *prep.* **— que, — de,** before; **en —,** ahead, in front, forward, fore part

avant-bras, *m.,* forearm, prow

avare, *m.,* miser; *adj.,* miserly, stingy

Ave (Maria), Hail Mary

avec, *prep.,* with

avènement, *m.,* advent

avenir, *m.,* future

aventure, *f.,* adventure; **à l'—,** blindly, at random, haphazardly

aventurer, to adventure, to venture

aventurier, *m.,* adventurer

averse, *f.,* shower

avertir, to warn

avertisseur, *m.,* warning signal

aveugle, *m.,* blind man; *adj.,* blind

avide, *adj.,* greedy, eager

avis, *m.,* opinion

aviser, to notice, to inform, to consult; **s'— de,** to consider, to think of

avocat, *m.,* lawyer

avoir, *v. ir.,* to have; **— faim, froid, raison, soif, tort, peur,** to be hungry, cold, right, thirsty, wrong, afraid; **— lieu,** to take place; **— envie,** to desire; **y —,** to be

avoisiner, to border on

avons, *first pers. pl. pres. indic. of* **avoir,** have

avouer, to admit, to confess

ay–, *ir. stem of* **avoir**

azur, *m.,* blue

B

baccalauréat, *m.,* baccalaureate, bachelor's degree

bacon, *m.,* **oeufs—,** bacon and eggs

badiner, to trifle

bagatelle, *f.,* trifle

bague, *f.,* ring

baie, *f.,* bay, bay window

baigner, se —, to bathe, to swim

bâiller, to yawn

baiser, to kiss

baisser, to lower

balai, *m.,* broom

balayer, to sweep

balbutier, to stammer

ballant, *adj.,* swinging

balle, *f.,* bullet

ballon, *m.,* balloon, ball

banc, *m.,* bench, seat; **char à —s,** cart with facing seats

banlieue, *f.,* suburb

banquette, *f.,* seat

banquier, *m.,* banker

baobab, *m.,* baobab (giant African tree)

baragouiner, to cripple (a language)

baraquement, *m.,* barracks

barbe, *f.,* beard

barbu, *adj.,* heavily bearded

baroque, *adj.,* odd, strange, quaint

barque, *f.,* boat

barre, *f.,* tiller

barreau, *m.,* bar

barrière, *f.,* barrier

bas, *m.,* stocking

bas(se), *adj.,* low, lower part, bottom; **en —,** down below; **là-—,** yonder, over there

basculer, to rock

bataille, *f.,* battle

batailleur, *adj.*, combative

bateau, *f.*, boat

batelier, *m.*, boatman

bâtiment, *m.*, building

bâtir, to build

bâton *m.*, stick

batterie, *f.*, battery; mettre en —, to set up ready to fire

battre, *v. ir.*, to beat; — des mains, to clap hands; — dru comme plâtre, to beat black and blue; — la campagne, to sound off

bavarder, to gossip

béant, *adj.*, gaping

béatitude, *f.*, blessedness, beatitude

beau (x), *adj.*, beautiful, handsome; faire —, to be good weather; elegant society

beaucoup, *adv.*, much, very much

beaumonde, *m.*, elegant society, "upper crust"

beauté, *f.*, beauty

bec, *m.*, jet

Belgique, *f.*, Belgium

bélître, *m.*, fool

belle, *adj.*, beautiful; vous nous la donnez —, that's a lot of fine talk

belles-lettres, *f.*, literature

bénédiction, *f.*, blessing

bénir, to bless

béquille, *f.*, crutch

bercer, to rock

berger (-ère), *n. m. and f.*, shepherd(ess)

besogne, *f.*, (hard) work, task

besoin, *m.*, need

bestial, *adj.*, animal-like

bête, *f.*, animal, creature, fool; *adj.* stupid

beurre, *m.*, butter

biais, *adj.*, bias, to one side

bibelot, *m.*, curio, trinket

bicyclette, *f.*, bicycle

bien, *m.*, goods, possessions, wealth; *adv.*, well, indeed, very (much); ou —, or else; — que, although; eh —, well!; vouloir —, to be willing; — entendu, of course

bienfait, *m.*, benefit

bien-portant, *adj.*, healthy

bientôt, *adv.*, soon

bienveillance, *f.*, kindness, benevolence

bienveillant, *adj.*, kindly, benevolent

bijou, *m.*, jewel

bilan, *m.*, balance sheet

bille, *f.*; roulement à —s, ball-bearing mechanism (mounting)

billet, *m.*, note

bismuth, *m.*, bismuth

bivouaquer, to camp

bizarre, *adj.*, strange, eccentric

blafard, *adj.*, wan, pale

blâme, *m.*, disapproval

blanc(he), *adj.*, white; houille blanche, water power (white coal)

blancheur, *f.*, whiteness

blason, *m.*, heraldry, coat of arms

blé, *m.*, wheat

blesser, to wound, to hurt

blessure, *f.*, wound, hurt

bleu, *adj.*, blue

bock, *m.*, stein of beer

bockeur, *m.*, beer drinker

boeuf, *m.*, ox, cow, cattle, beef

boire, *v. ir.*, to drink

bois, *m.*, wood

boisson, *f.*, drink, drinking

boîte, *f.*, box

bol, *m.*, bowl, stadium

bombe, *f.,* shell
bon, ne, *adj.,* kind, good; — **an, mal an,** year in, year out
bond, *m.,* bound, leap
bondir, to bound, to leap, to jump
bonheur, *m.,* happiness, luck; **par —,** luckily
bonhomie, *f.,* familiarity, geniality
bonjour, *m.,* good day
bonne, *adj.,* kind, good
bonne, *f.,* (house)maid
bonsoir, *m.,* good evening
bonté, *f.,* kindness
bord, *m.,* edge, brim, side, bank; **à —,** on board
borgne, *adj.,* one-eyed
borne, *f.,* limit, border
borner, to limit
botte, *f.,* boot
bottine, *f.,* shoe, boot
bouc, *m.,* he-goat; **barbe de —,** goatee
bouche, *f.,* mouth
boucher, *m.,* butcher
boucher, to close
boucherie, *f.,* butchery, butcher shop
boucle, *f.,* earring
boue, *f.,* mud
bouffée, *f.,* puff, surge
bouger, to budge, to stir
bouillant, *adj.,* boiling, hot-tempered
bouilli, *adj.,* boiled; **cuir —,** soft leather
bouillir, *v. ir.,* to boil
bouillon, *m.,* bouillon, broth, light soup
boule, *f.,* ball
boulet, *m.,* cannon ball, projectile
bouleversement, *m.,* upheaval, confusion
bouleverser, to upset

bourg (silent **g**), *m.,* town
bourgeois, *m.,* bourgeois, middle-class citizen
bourgmestre, *m.,* burgomaster, mayor
bourru, *adj.,* gruff
bourse, *f.,* purse
bousculer, to jostle
bout, *m.,* end, bit
bouteille, *f.,* bottle
boutique, *f.,* shop
boutiquier, *m.,* shopkeeper
bouton, *m.,* bud
boxe, *f.,* boxing
bramin, *m.,* Brahmin
branchage, *m.,* branches
branle, *m.,* **se mettre en —,** to start
braquer, to aim, to point
bras, *m.,* arm; **— de chemise,** shirtsleeves; **— -dessus, — -dessous,** arm in arm; **avant- —,** forearm; **lever les — au ciel,** to throw up one's arms
brasserie, *f.,* tavern, pub, beer-shop
brave, *adj.,* (*preceding noun*) good, fine; (*after noun*) brave
bref(ève), *adj.,* brief
bréviaire, *m.,* breviary, prayer book
bribe, *f.,* **— à —,** bit by bit
brillant, *adj.,* brilliant
briller, to shine
brindille, *f.,* shoot, sprig
brise, *f.,* breeze
briser, to break
broder, to embroider
broderie, *f.,* embroidery
brouillard, *m.,* fog
brouille, *f.,* quarrel
broyer, to crush
bruit, *m.,* noise

brûler, to burn
brume, *f.*, fog, haze, mist
brun(ette), *adj.*, brown
brusquement, *adv.*, suddenly
brut, *adj.*, raw, rough
bruyant, *adj.*, noisy
bu–, *p. p. and ir. stem of* boire
buffet, *m.*, buffet, sideboard
bureau, *m.*, office, bureau, desk
but, *m.*, goal, aim, target
butiner, to loot, to plunder
buveur, *m.*, drinker

C

C', ce, *pro.*, it, he, she, they, this,
that
ça, *familiar contraction of* cela;
— y est, (now) I'm in for it,
you did it! it worked! comme
ci comme —, so so
çà, *adv.*, here, hither; — et là,
here and there
cabane, *f.*, cabin
cabaret, *m.*, inn, tavern
cabriolet, *m.*, two-wheel carriage
cachemire, cashmere
cacher, to hide
cadavre, *m.*, corpse, cadaver
cadeau, *m.*, gift
cahier, *m.*, notebook
cahot, *m.*, jolting, jolt
cahute, *f.*, hut
caillou, *m.*, pebble, stone
caissière, *f.*, cashier
calcul, *m.*, calculation
camomille, *f.*, camomille tea, herb
tea
campagne, *f.*, country, countryside; battre la —, to sound off
canaille, *f.*, low-lifer
canapé, *m.*, sofa
canard, *m.*, duck

cantonade, *f.*, wing; à la —, off-
stage
capitonnage, *m.*, padding
capacité, *f.*, capacity, talent
caprice, *m.*, caprice, whim
car, *conj.*, for
carafe, *f.*, decanter
cardinal(aux), *adj.*, cardinal;
quatre points cardinaux, four
points of the compass
carnet, *m.*, notebook
carnier, *m.*, game bag
carosse, *m.*, carriage
Carpathes, des —, Carpathian
carré, *adj.*, square
carreau(x), *m.*, windowpane
carrière, *f.*, career
cartable, *m.*, satchel
carte, *f.*, map, card
cas, *m.*, case
caserne, *f.*, barracks
casque, *m.*, helmet
casquette, *f.*, cap
casser, to break; col cassé, wing
collar
casserole, *f.*, pot, pan
castor, *m.*, beaver
casus belli (*Latin*), reason for
war
cauchemar, *m.*, nightmare
cause, *f.*, cause, case; à — de, because of; prendre fait et —
pour, to support; mettre en —,
to concern
causer, to chat, to cause
cavalier, *m.*, horseman
ce, *pro.*, this, that, he, she, they;
— qui, — que, what, that
which; — que c'est que, what
is
ceci, *pro.*, this
céder, to yield
cela, *pro.*, that

célèbre, *adj.*, famous

celle(s), *pro.*, that, the one(s);
— -ci, the latter; — -là, the
former, that one, *etc.*,

celui, *pro.*, this *or* that one; — -là,
that one

cendre, *f.*, ash

cent, *m.*, (one) (a) hundred;
pour —, per cent

centaine, *f.*, (about a) hundred

cependant, *adv.*, however, meanwhile

cerceuil, *m.*, coffin

cercle, *m.*, circle

certes, *adv.*, certainly

cerveau, *m.*, brain

cervelle, *f.*, brains

ces, *adj.*, these, those

cesser, to cease, to stop

c'est-à-dire, that is to say, i. e.

cet, cette, *adj.*, this, that

ceux, *pro.*, those, the latter

chacun, *pro.*, each one

chagrin, *m.*, grief, sorrow

chaîne, *f.*, chain, cable

chair, *f.*, flesh

chaise, *f.*, chair

chaland, *m.*, customer

chaleur, *f.*, heat

chaleureux(-use), *adj.*, warm,
hearty

chambre, *f.*, chamber, room; robe
de —, dressing gown; — à
coucher, bedroom

champ, *m.*, field

chance, *f.*, luck, chance; ne pas
avoir de —, to be unfortunate

chanceler, to totter, to stumble

changement, *m.*, change

chanson, *f.*, song

chant, *m.*, song, singing, anthem

chanter, to sing

chapeau, *m.*, hat

chapitre, *m.*, chapter, score

chaque, *adj.*, each

char, *m.*, — à bancs, cart with
facing seats

charbon, *m.*, coal

charge, *f.*, office

charger, to load, to be in charge
of, to commission

charlatan, *m.*, charlatan

charrette, *f.*, cart

charrue, *f.*, plough

chasse, *f.*, hunt, hunting

chasser, to hunt, to drive out

chasseresse, *f.*, huntress

chasseur, *m.*, hunter

chat, *m.*, cat

château, *m.*, chateau, castle

chaton, *m.*, kitten

chaud, *adj.*, warm, hot

chaudron, *m.*, caldron

chauffer, to warm, to heat; faire
—, to get up steam on

chausser, to put on, to wear, to
cover

chaussure, *f.*, boot

chauve, *adj.*, bald

chavirer, to capsize

chef, *m.*, leader, chief

chef-d'oeuvre, *m.*, masterpiece

chemin, *m.*, path, way, road; en
—, on the way

cheminée, *f.*, chimney

cheminer, to go forward

chemise, *f.*, shirt; bras de —,
manches de —, shirtsleeves

chêne, *m.*, oak

chenille, *f.*, caterpillar

cher(ère), *adj.*, dear

chercher, to seek, to look for

chercheur, *m.*, researcher

chéri, *adj.*, dear, beloved

chétif, *adj.*, sickly

cheval(-aux), *m.*, horse(s); à —, on horseback
chevaleresque, *adj.*, chivalrous
chevalier, *m.*, chevalier, noble
chevet, *m.*, head (of bed)
cheveu(x), *m.*, hair
cheville *f.*, ankle
chez, *prep.*, with, among, to (at) the home of, in
chic, *adj.*, chic, stylish
chien, *m.*, dog
chiffre, *m.*, figure
chimère, *f.*, fancy, illusion
chimique, *adj.*, chemical
Chine *f.*, China
chinois, *adj.*, Chinese
choc, *m.*, shock
choeur, *m.*, chorus
choisir, to choose, to select
choix, *m.*, choice
chope, *f.*, beer mug
choquer, to shock
chose, *f.*, thing; **quelque** —, something; **grand'** —, very much, much
chrétien, *adj.*, Christian
chronique, *f.*, chronical
chronomètre, *m.*, chronometer, timepiece
ch . . tt, *interj.*, shh!
chuchoter, to whisper
chut, *interj.*, hush! silence!
chute, *f.*, fall
ci, *adv.*, here; **comme** — **comme ça**, so so
ciel, *m.*, sky, heaven; **lever les bras au** —, to throw up one's arms
cierge, *m.*, candle
cigale *f.*, cricket, grasshopper
cimetière *m.*, cemetry
cinq, *adj.*, five

cinquante, *adj.*, fifty
circonspect, *adj.*, careful
circulation, *f.*, circulation, traffic
cirer, to wax
cirque, *m.*, circus
cité, *f.*, city, community
citoyen, *m.*, citizen
citron, *m.*, lemon
civilisé, *adj.*, civilized
clair, *adj.*, *adv.*, clear, clearly
clameur, *f.*, racket, call
clapotement, *m.*, splashing.
claquer, to flutter, to snap, to slam
clarté, *f.*, clarity, light
clé, clef, *f.*, key; **mot-** —, keyword
clerc, *m.*, clerk
cloison, *f.*, partition, wall
coeur, *m.*, heart; **tenir à** —, to be close to one's heart; **de bon** —, heartily
coiffer, to wear (on the head)
coin, *m.*, corner, angle
col, *m.*, collar; — **-cassé**, wing collar; **faux-** —, detachable collar
colère, *f.*, anger
colèrique, *adj.*, easily angered
collectionner, to collect
collège, *m.*, (secondary) school
coller, to stick
collet, *m.*, collar
colline, *f.*, hill
colorer, to color
combattre, *v. ir.*, to combat
combinaison, *f.*, combination
comble, *m.*, climax, height
combler, to overwhelm
comice, — **agricole**, county fair
comité, *m.*, committee
commander, to comand, to order
comme, *prep.*, as, how, like, as much as; — **il faut**, properly; — **ci** — **ça**, soso

comment, *adv.*, how

commerçant, *m.*, merchant, businessman

commettre, *v. ir.*, to commit

commi–, *ir. stem of* commettre

commissaire, *m.*, policeman

commissariat, *m.*, police station

commissionaire, *m.*, commission agent

commode, *adj.*, convenient

communauté, *f.*, community

communication, *f.*, communication, (learned) paper

commutateur, *m.*, light-switch

compagne, *f.*, compagnon, *m.*, companion; — de route, travelling companion

comparse, *m.*, ally, supernumerary, silent witness

compenser, to compensate

compère, *m.*, friend, companion

complémentaire, *adj.*, supplementary

compliquer, to complicate

complot, *m.*, plot

composé, *adj.*, compound

composer, to compose

comprendre, *v. ir.*, to understand

compren–, *ir. stem of* comprendre

compri–, *ir. stem of* comprendre

compte, *m.*, count, account; — rendu, report; en fin de —, when all was said and done; rendre —, to recount; se rendre —, to realize, to test; tenir — de, to pay attention to; trouver juste son —, to make everything perfect

compter, to count, to consider

comptoir, *m.*, counter

comte, *m.*, count (*title*).

comté, *m.*, county

comtesse, *f.*, countess

concentrer, to concentrate

concert, *m.*, concert; de —, together, in concert

concevoir, *v. ir.*, to conceive

concitoyen, *m.*, fellow citizen

conclure, *v. ir.*, to conclude

conçoit, *pres. indic.*, of concevoir

concorder, to agree

concours, *m.*, competition

conçu–, *p. p. and ir. stem of* concevoir

concurrence, *f.*, competition; faire — à, to compete with

condamner, to condemn

condisciple, *m.*, fellow scholar

conduire, *v. ir.*, to conduct, to lead, to drive

conduis–, *ir. stem of* conduire

conduit, *p. p. of* conduire

conférence, *f.*, lecture

confiance, *f.*, trust, confidence

confidence, *f.*, secret

confier, to entrust, to confide

confiture, *f.*, preserves

conflit, *m.*, conflict

conformer, to shape

confort, *m.*, comfort

confrère, *m.*, colleague

congé, *m.*, leave

conglutiner, to stick together

conjurer, to ward off

connais–, *ir. stem of* connaître

connaissance, *f.*, acquaintance, knowledge

connaître, *v. ir.*, to know

connu–, *p. p. and ir. stem of* connaître

conquérir, to conquer

conquête, *f.*, conquest

conseil, *m.*, advice, counsel

conseiller, to advise

conseiller, *m.,* adviser

conserver, to keep, to preserve, to hold

conserves, *f. pl.,* preserves

consigner, to put down

constamment, *adv.,* constantly

constatation, *f.,* evidence

constater, to remark, to realize

construire, *v. ir.,* to construct, to build

contempler, to contemplate

contenir, *v. ir.,* to contain, to restrain

contenu, *p. p. of* **contenir**

conteur, *m.,* teller of tales

contien–, *ir. stem of* **contenir**

continu, *adj.,* continuous

contraint, *p. p. of* **contraindre,** to constrain, to force

contraire, *m.,* contrary; **au —,** on the contrary

contre, *prep.,* against; **par —,** on the other hand

contrecoup, *m.,* recoil

contrée, *f.,* region, country

convaincre, *v. ir., to* convince

convenable, *adj.,* suitable

convenir, *v. ir.* to agree, to be suitable *or* proper

convien–, *ir. stem of* **convenir**

convier, to invite

convin–, *ir. stem of* **convenir**

convoitise, *f.,* covetousness

coquette, *adj.,* coquettish

corbeau, *m.,* crow

corbeille, *f.,* basket

corde, *f.,* cord, rope

corne, *f.,* peak, horn

corps, *m.,* body

corriger, to correct

corrompre, to corrupt

cortège, *m.,* procession

corvée, *f.,* duty, task

côte, *f.,* coast, hill; **— à —,** side by side, alongside

côté, *m.,* side, part; **à —,** beside; **de —,** aside; **de ce —,** in this regard

cotonnade, *f.,* cotton material

cou, *m.,* neck

couchant, *adj.,* setting sun, West; **soleil —,** sunset

couche, *f.,* layer

couché, *adj.,* lying down

coucher, to lay; **se —,** to go to bed, to lie down; **chambre à —,** bedroom

couches, *f., pl.,* childbirth

coude, *m.,* elbow, bend

coudée libre, elbow room

coudoyer, se —, to rub elbows

couler, to flow, to run, to pour

couleur, *f.,* color

coulisse, *f.,* wing (of stage)

couloir, *m.,* passageway, hallway

coup, *m.,* blow, shot; **— de pied,** kick; **— d'oeil,** glance; **— de theâtre,** (sensational) surprise; **— de vent,** gust of wind; **d'un —,** all at once; **tout d'un —,** suddenly; **— de foudre,** thunderclap; **— de téléphone,** telephone call

coupable, *adj.,* guilty (one)

coupe, *f.,* cup

couper, to cut, to cut off

cour, *f.,* court, courtyard; **faire la — à,** to court

couramment, *adv.,* fluently

courant, *m.,* current; **mettre au —,** to inform; **— d'air,** draft

courbe, *f.,* curve

courber, to bend

courir, *v. ir.,* to run, to run about

couronne, *f.*, crown, wreath

couronner, to crown

courroucer, to anger

cours, *m.*, course, class

course, *f.*, race, racing, trip, expedition; en —s, on errands

court, *adj.*, short

court, *pres. indic. of* courir, to run

courtier, *m.*, broker

couru–, *ir. stem of* courir

coussin, *m.*, cushion, pillow

coûter, to cost; coûte que coûte, cost what it may

coutume, *f.*, custom; de —, customarily

coutumier, *adj.*, customary

couvent, *m.*, monastery, convent

couvercle, *m.*, cover

couvert, *m.*, cover, place setting

couvert, *p. p. of* couvrir; à voix —e, in a low voice

couverture, *f.*, cover, blanket

couvre-pied, *m.*, small blanket

craign–, *ir. stem of* craindre

crain–, *ir. stem of* craindre

craindre, *v. ir.*, to fear

crainte, *f.*, fear

crâne, *m.*, cranium, head

cravate, *f.*, necktie

crayon, *m.*, pencil

créancier, *m.*, creditor

crèche, *m.*, crib, child welfare

créer, to create

crème, crème, *f.*, cream; fromage à la —, cream cheese

créole, *m.*, creole

crêpe, *f.*, mourning band, mourning veil

crépiter, to crackle

crépuscule, *m.*, twilight

creux(-use), *adj.*, hollow

crever, to burst, to take out

crevette, *f.*, shrimp

cri, *m.*, cry, shout

crier, to shout, to yell, to screech, to protest, to cry out

crisper, to clench, to constrict

cristal(-aux), *m.*, crystal

crissement, *m.*, scratching

croire, *v. ir.*, to believe, to think

croiser, to pass by, to cross

croissant, *m.*, roll (for breakfast)

croître, *v. ir.*, to grow

croix, *f.*, cross

croy–, *ir. stem of* croire

croyance, *f.*, belief

cru–, *p. p. and ir. stem of* croire

cruche, *f.*, pitcher

cuir, *m.*, leather; — bouilli, soft leather

cuire, *v. ir.*, to cook

cuisine, *f.*, kitchen, cooking

cuisinier, *m.*, cook

cuisinière, *f.*, stove

cuivre, *m.*, copper

culbuter, to upset, to knock over

culotter, to put on, to season, to "break in," (*pipe*)

cultivateur, *m.*, farmer

cuvette, *f.*, basin

D

d', de, *prep.*, of, by, from, with, in, for, some, any

d'abord, *adv.*, at first, first of all; tout —, right at first, right away

daigner, to deign

d'ailleurs, *adv.*, besides, furthermore, anyhow

dame, *f.*, lady

dame, *interj.*, good lord!

dans, *prep.*, in, into

darder, to point

date, *f.*, date; de longue —, well in advance

Dauphin, *m.*, Dauphin, Crown Prince

davantage, *adv.*, more

débarquement, *m.*, disembarkment, landing

débat, *m.*, discussion, debate, struggle

débattre, *v. ir.*, to discuss; se —, to struggle

débauche, *f.*, debauchery

débile, *adj.*, sickly, weak

débitant, *m.*, shopkeeper, merchant, barkeeper, tavern keeper

débiter, to give

déborder, to overflow

debout, *adv.*, standing

début, *m.*, beginning

décerner, to confer

déchaîner, to unleash, to unchain

décharge, *f.*, discharge; à la — de, in favor of

décharger, to discharge

déchiffrer, to decipher

déchirant, *adj.*, piercing, heart-rending

déchirer, to tear, to rend

décider, to decide

décoiffé, *adj.*, tousled, rumpled

décoloré, *adj.*, pale

déconcerté, *adj.*, disconcerted

décor, *m.*, decoration

décourager, to discourage

découvert, *p. p. of* découvrir

découverte, *f.*, discovery

découvri–, *ir. stem of* découvrir

découvrir, *v. ir.*, to discover

décret, *m.*, decree

décréter, to decree

décrire, *v. ir.*, to describe

décriv–, *ir. stem of* décrire

déçu, *p. p. of* décevoir, to deceive, to disappoint

dédaigner, to disdain

dédaigneux(-use), *adj.*, disdainful

dedans, *adv.*, inside

défaillant, *adj.*, weak

défaillir, *v. ir.*, to sink (emotionally), to weaken

défaire, *v. ir.*, to undo

défait, *p. p. of* défaire

défaite, *f.*, defeat

défaut, *m.*, defect, fault

défavorable, *adj.*, unfavorable

défendre, to forbid, to defend

défiance, *f.*, distrust

défier, to defy, to challenge

défilé, *m.*, procession, passing

defiler, to pass by, to file by

défini, *adj.*, definite

définir, to define

définitif(-ive), *adj.*, definite; en définitif, definitely

défoncer, to break down

déformer, to be misshapen

défricher, to clear

défunt, *adj.*, deceased

dégagé, *adj.*, free and easy

dégagement, *m.*, removal

dégager, to free, to give off

déguiser, to disguise

dehors, *adv.*, outside; en — de, beside

déjà, *adv.*, already

déjeuner, to lunch

dejeuner, *m.*, lunch, breakfast; petit —, breakfast

délaisser, to abandon, to leave

délibéré, *adj.*, deliberate

délicatesse, *f.*, delicacy

délice, *m.*, —s, *f. pl.*, delight

delínquant, *m.*, delinquent

demander, to ask, to request; se

—, to wonder; — **la parole**, to ask for the floor

démarche, *f.*, step, gait

démarrer, to start

déménager, to move (*household effects*)

démesuré, *adj.*, enormous, extreme

demeure, *f.*, dwelling

demeurer, to dwell, to live, to remain, to leave

demi, *adj.*, **à —,** half

démoder, se —, to go out of fashion

demoiselle, *f.*, young lady

démolir, to demolish

démonstration, *f.*, demonstration, show of feeling

démontrer, to demonstrate

dénomination, *f.*, name, designation

dénoncer, to reveal

dénouer, to undo

dénoûment, dénouement, *m.*, ending, denouement

dent, *f.*, tooth; — **à lait,** baby tooth

départ, *m.*, departure, beginning, separation; **matériel de —,** necessary starting equipment

dépêcher, se —, to hasten

dépense, *f.*, expenditure

dépenser, to spend

dépister, to hunt out

dépit, *m.*, spite

déplacer, to displace, to change position, to be out of place; **se —,** to travel

déplaire, *v. ir.*, to displease

déplais–, *ir. stem of* **déplaire**

déplaisant, *adj.*, unpleasant

déplier, to unfold

déployer, to unfold, to deploy

dépourvu, *adj.*, deprived

depuis, *prep.*, from, for, beginning with

député, *m.*, deputy, representative

déranger, to disturb; **se —,** to put oneself out

dérivatif, *m.*, outlet, reflection

dernier(-ière), *adj.*, last, remaining; **dernier venu,** late-comer

dérobée: à la — stealthily, slyly

dérouler, to take place

derrière, *m., and prep.*, behind

des, of the, some, any, from the

dès, *prep.*, from, as early as; — **que,** as soon as; — **l'abord,** right off

désabusement, *m.*, disillusionment

désarroi, *m.*, disarray

descendre, to descend, to put up, to stop (at a hotel)

désert, *m.*, desert

déspéré, *adj.*, desperate

désespérer, to despair

désespoir, *m.*, despair, disappointment

désoeuvrement, *m.*, lack of anything to do

désoler, to desolate

désordonné, *adj.*, wild

désormais, *adv.*, henceforth

dessécher, to dry up

dessin, *m.*, design, sketch, drawing

dessiner, to design, to draw

dessous, *adv.*, **là- —,** underneath; **bras dessus, bras —,** arm in arm

dessus, *adv.*, on top; **bras —, bras dessous,** arm in arm

destin, *m.*, destiny, fate, lot

destiné, *adj.*, destined

détonner, to sound, to resound

détour, *m.,* turn

détourner, to turn aside, to turn away

détraquer, to be in poor condition

détresse, *f.,* distress

détroit, *m.,* strait(s)

détrôner, to dethrone

détruire, *v. ir.,* to destroy

deuil, *m.,* mourning

deux, *adj.,* two

deuxième, *adj.,* second

devais(-it), *imperf. forms of* **devoir,** must, was to, had to

devancer, to precede

devant, *prep.,* in front of, in the face of

devanture, *f.,* shop window

devenir, *v. ir.,* to become

devenu, *p. p. of* **devenir**

deviens (**-nt, -nnent**), *forms of the present of* **devenir**

devin–, *ir. stem of* **devenir**

deviner, to guess

dévisager, to stare in one's face

deviser, to chat

dévisser, to unscrew

devoir, *v. ir.,* to owe, to have to; *m.,* duty; **se faire un —,** to think necessary

dévotement, *adv.,* reverently

dévoué, *adj.,* devoted

dévouement, *m.,* devotion

devr–, *fut. and cond. stem of* **devoir**

dextre, *m.,* right hand

diable, *m.,* devil

diamant, *m.,* diamond

diantre, *m.,* the devil!

dicter, to dictate

Dieu, *m.,* God

difficile, *m.,* difficult, hard to live with

digérer, to digest

digne, *adj.,* worthy, dignified

diligence, *f.,* diligence, stagecoach

dimanche, *m.,* Sunday

dire, *v. ir.,* to say, to tell, to recount; **à vrai —,** to tell the truth; **c'est-à- —,** i.e., that is to say; **vouloir —,** to mean; **— vrai,** to tell the truth

diriger, to direct; **se —,** to go

dis–, *ir. stem of* **dire**

discours, *m.,* speech, discourse

discuter, to discuss

disparais–, *ir. stem of* **disparaître**

disparaître, *v. ir.,* to disappear

disparition, *f.,* disappearance

disparu–, *p. p. and ir. stem of* **disparaître**

disposer, to disposer; **se — à,** to get ready to

disposition, *f.,* disposition, arrangement

disputer, to dispute; **se —,** to argue

dissimuler, to hide

dissiper, se —, to disappear

distinguer, to distinguish

distraction, *f.,* absent-mindedness

distraire, *v. ir.,* to amuse

distrait, *adj.,* absent-minded, distraught

dit, *p. p., pres. indic., and p. def. of* **dire**

dites, *second pers. pl. pres. indic. of* **dire,** say, tell; **— donc,** say!

divers, *adj.,* different; **fait —,** news item

diurne, *adj.,* during the day

divertissement, *m.,* amusement

diviser, to divide

dix, *adj.,* **ten**

dizaine, *f.,* about ten

doctorat, *m.,* doctorate

dois(-it, -ivent), *forms of the*

pres. indic. of **devoir,** must, etc.

doigt, *m.,* finger; **— du pied,** toe

domestique, *m.,* servant

dominer, to dominate

dommage, *m.,* pity

don, *m.,* gift

donc, *conj.,* therefore, thus, so, then

donnée, *f.,* fact, datum

donner, to give; **— sur,** to have a view on, to overlook; **— ses huit jours,** to give notice; **— de la tête,** (not to know) which way to turn; **vous nous la donnez belle,** that's a lot of fine talk

dont, *pro.,* of which, of whom, on which

doré, *adj.,* gilded, golden

dorénavant, *adv.,* henceforth

dormir, to sleep; **— sur les deux oreilles,** to sleep soundly

dors, *ir. pres. indic. of* **dormir,** am sleeping

dortoir, *m.,* dormitory

dos, *m.,* back

dossier, *m.,* back (of seat)

doter, to endow

douanier(-ière), *n. m. and f.,* customs officer; **visite douanière,** customs inspection

doubler, to line

douce, *adj.,* fresh, gentle, sweet, soft

doucement, *adv.,* slowly, gently

douceur, *f.,* gentleness, kindness

douer, to endow, to be gifted

douillet, *adj.,* soft, comfortable

douleur, *f.,* grief, suffering, pain

douleureux(-use), *adj.,* sad, painful

doute, *m.,* doubt; **sans —,** perhaps, no doubt, of course

douter, to doubt

douteux(-use), *adj.,* doubtful, dubious

doux(-uce), *adj.,* pleasing, gentle, sweet, soft

douze, *adj.,* twelve

drame, *m.,* drama

drap, *m.,* cover

drapeau, *m.,* pennant

dresser, to raise, to stand, to straighten up

droit, *m.,* law, right; *adj. and adv.,* straight, right

droite, *f.,* right (hand)

drôle, *adj.,* funny

dru, *adj.,* thick; **battre — comme plâtre,** to beat black and blue

du (*contraction of* **de** *and* **le**), of the, from the, some, any

dû, due, *p. p. of* **devoir**

dubitatif(-ive), *adj.,* doubtful

duquel, *pro.,* of which, from which

dur, *adj.,* hard, harsh

durant, *prep.,* during

durer, to last

E

eau, *f.,* water

ébat, *m.,* amusement

éblouir, to dazzle

ébullition, *f.,* boiling

écart: à l'—, to one side, removed, remote

écarter, to remove, to separate, to go away

échafaudage, *m.,* scaffolding

échange, *m.,* exchange

échanger, to exchange

échantillon, *m.*, sample

échapper, s'— de, to escape

échauffer, to heat, to excite; s'—, to get heated

échec, *m.*, chess

éclair, *m.*, flash of lightning

éclairement, *m.*, lighting

éclairer, to light (up), to enlighten, to clarify

éclat, *m.*, stroke, clap, burst

éclatant, *adj.*, striking, bright, overt, more than evident

éclater, to burst, to burst forth, to break out; — de rire, to burst into laughter

éclore, *v. ir.*, to hatch, to come out

écolier(-ière), *n. m. and f.*, student, scholar

école, *f.*, school

écouler, s'—, to slip by, to pass (of time)

écouter, to listen (to)

écran, *m.*, screen

écraser, to crush

écrier, s'—, to exclaim

écrire, *v. ir.*, to write

écrit, *p. p. of* écrire

écriteau, *m.*, card, sign

écriture, *f.*, (hand)writing

écriv–, *ir. stem of* écrire

écrivain, *m.*, writer

écureuil, *m.*, squirrel

écurie, *f.*, stable

éditeur, *m.*, publisher

effacer, to erase, to efface, to disappear

effarement, *m.*, bewilderment

effarer, to frighten

effectuer, to carry out

effet, *m.*, effect, collateral; en —, in fact

effiloqué, *adj.*, threadbare

effleurer, to graze, to touch lightly

effluve, *m.*, emanation

effondrement, *m.*, collapse

effrayer, to frighten

effroi, *m.*, fright, terror

effroyable, *adj.*, frightful

égal(-aux), *adj.*, equal, even

également, *adv.*, likewise

égaler, to equal

égalité, *f.*, equality

égard, *m.*, consideration

égarer, s'—, to be bewildered

église, *f.*, church

effondrer, s'—, to fall in

égorgement, *m.*, slaughter

égorger, to kill

eh bien, *interj.*, well!

élan, *m.*, outburst, enthusiasm

élancer, s'—, to rush forth, to be launched

élargir, to enlarge; — les épaules, to square one's shoulders

eh! oui, *interj.*, yes indeed!

électro-vibreur, *m.*, electrovibrator

élève, *m. and f.*, pupil

élevé, *adj.*, reared; gens bien —s, well-bred people

élever, to raise

élite, *m.*, educated person

elle, *pro.*, she, it, her

elles, *pro.*, they, them

elliptique, *adj.*, elliptical

éloge, *m.*, praise

éloigné, *adj.*, distant

éloigner, to remove; s'—, to go away

élu, *p. p. of* élire, to elect

élucubration, *f.*, great learning, "raving" (*sarcastic*)

embarcation, *f.*, boat

embarquer, to put on board

embaumer, to make fragrant

embêter, to annoy

embrasser, to embrace

embûche, *f.*, ambush

émettre, *v. ir.*, to emit, to give off, to offer

émis, *p. p. of* émettre

émission, *f.*, emission, giving off

emmener, to take (along)

émouvant, *adj.*, soul-stirring

émouvoir, s'—, *v. ir.*, to move, to touch (the heart)

émeu–, *ir. stem of* émouvoir

empailler, to stuff

empaqueté, *adj.*, wrapped

empêcher, to prevent, to keep (from)

empiler, to pile (up)

employer, to use

empoigner, to seize

empoisonner, to poison

emporter, to carry away, to take, to carry off, to win out, to be the stronger; s'—, to become angry, to carry along

empreinte, *f.*, imprint

empresser, to hasten, to be in a hurry; s'— de, to hasten

emprisonner, to imprison

emprunter, to borrow

ému–, *p. p. and ir. stem of* émouvoir

en, *pro. and prep.*, in, like, of it, of them, about it, from it, as a, like a, of him

encadrer, to frame

enceinte, *f.*, enclosure, place

enclume, *f.*, anvil

encombrant, *adj.*, bothersome

encombrer, to crowd, to clutter

encore, *adv.*, again, still, yet, further; — une fois, once again

encre, *f.*, ink

endiablé, *adj.*, feverish, frantic

endimanché, *adj.*, "dolled up"

endormir, to put to sleep; s'—, to go to sleep

endosser, to put on

endroit, *m.*, place; à l'—, straight, right

enfance, *f.*, childhood

enfant, *m. f.*, child; jardin d'—s, kindergarten

enfer, *m.*, hell

enfermer, to enclose, to contain, to close up

enfiévré, *adj.*, (made) feverish

enfin, *adv.*, finally, after all, in short, at least

enfler, to arch

enforcer, to bury, to sink

enfuir, s'—, to flee

engager, to engage; s'—, to enter

engloutir, to gulp down, to engulf

engourdissement, *m.*, numbness

engraisser, to grow fat

engueuler, to make a fool of

énigme, *f.*, mystery, riddle, enigma

enivrement, *m.*, enthusiasm

enivrer, to intoxicate, to enrapture

enjamber, to straddle

enlever, to take off, to raise

ennemi, *m.*, enemy

ennui, *m.*, boredom, vexation, annoyance

ennuyer, to bore, to annoy, to bother; s'—, to be bored

ennuyeux(-use), *adj.*, boring

enorgueillir, to fill with pride

énorme, *adj.*, enormous

énormément, *adv.*, enormously

enquérir, s'—, *v. ir.*, to inquire

enquête, *f.*, inquiry

enragé, *adj.*, enraged, mad

enrayer, s'—, to get out of order

enregistrer, to check

enrhumé, *adj.*, être —, to have a cold

enrichir, to enrich

enrouer, to make hoarse

enrouler, to roll up

ensabler, to fill with sand

ensanglanter, to bloody

enseigner, to teach

ensemble, *adj. and adv.*, together; *m.*, whole, ensemble, group

ensoleillé, *adj.*, sunny

ensuite, *adv.*, next, then

entasser, to pile up

entendre, to hear, to intend, to listen (to); s'—, to come to an agreement

entendu, bien —, of course

enterrement, *m.*, burial

entêtement, *m.*, stubborness, persistance

entier(-ière), *adj.*, entire, complete; tout entier, completely

entonner, to intone

entourer, to surround

entraîner, to lead (to), to carry along, to drag off, to pull down

entre, *prep.*, between, among

entrée, *f.*, entrance

entreprendre, *v. ir.*, to undertake

entrepreneur, *m.*, purveyor

entrer, to enter

entretenir, *v. ir.*, to keep up, to maintain

entretien, *m.*, conversation, upkeep

entrevoir, *v. ir.*, to glimpse

envahir, to invade, to take over

envelopper, to wrap, to envelope

envers, *prep.*, toward; à l'—, backwards

envie, *f.*, envy, desire; avoir — de, to desire

envier, to envy

environ, *prep.*, about; *m.*, environs, neighboring region

envoi, *m.*, dedication

envoler, s'—, to fly away

envoyer, *v. ir.*, to send

épais(se), *adj.*, thick

épaissir, to thicken

épandre, to spread

épanouir, to beam, to rejoice

épanouissement, *m.*, blossoming, flowering

épargner, to spare

épaule, *f.*, shoulder; élargir les —s, to square one's shoulders; hausser les —s, to shrug one's shoulders

épeler, to spell

éperdu, *adj.*, dazed, wild

éperon, *m.*, spur

éphémère, *adj.*, ephemeral, transient

épice, *f.*, spice

épine, *f.*, thorn

épingle, *f.*, pin

époque, *f.*, era, epoch

épouser, to marry

épousseter, to dust

épouvantable, *adj.*, terrible, frightful

épouvante, *f.*, fear, terror

épouvanter, to frighten

époux, *m.*, husband

épreuve, *f.*, test, trial, attempt

éprouver, to experience, to feel

épuiser, to exhaust

équilibre, *m.*, balance, balancing

équipage, *m.*, crew

équipe, *f.*, team

ère, *f.*, era

errer, to wander

es, *second pers. sing. pres. indic. of* être, are

escamoter, s'—, to disappear

escamoteur, *m.*, juggler, sleight of hand artist

esclavage, *m.*, slavery

esclave, *m.*, slave

espace, *m.*, space

espagnol, *m.*, Spanish

espèce, *f.*, kind, species

espérance, *f.*, hope

espérer, to hope

espoir, *m.*, hope

esprit, *m.*, mind, wit, spirit; **faire de l'—**, to be clever

essai, *m.*, attempt, effort

essayer, to try, to test, to try out

essouflé, *adj.*, out of breath

essoufler, to wind, to take one's breath away

essuyer, to wipe

est, *third pers. sing. pres. indic. of* être, is; **c'— -à-dire**, that is to say

estomac, *m.*, stomach

estrade, *f.*, platform

et, *conj.*, and

ét–, *ir. stem of* être

étable, *f.*, stable, cowshed

établir, to establish

établissement, *m.*, establishment

étage, *m.*, floor, story

étape, *f.*, stage, step, stay

état, *m.*, state

Etats-Unis, *m.*, United States

été, *p. p. of* être, been, gone

été, *m.*, summer

éteign–, *ir. stem of* éteindre

éteindre, *v. ir.*, to extinguish, to fade away, to be extinct

éteint, *p. p. of* éteindre

étendre, to extend, to stretch (out)

étendu, *adj.*, extensive

êtes, *second pers. pl. of* être, are

étinceler, to sparkle

étincelle, *f.*, spark

étirer, to stretch

étoile, *f.*, star

étonnement, *m.*, astonishment

étonner, to astonish

étouffée: à l'—, slowly (pressure) cooked

étouffer, to stifle

étrange, *adj.*, strange, odd

étranger (-gère), *adj.*, foreign, strange; *n. m. and f.*, foreigner, stranger

étrangler, to strangle

être, *v. ir.*, to be; **s'en —**, to go; *m.*, (human) being; **—s**, people

étreinte, *f.*, grip, grasp

étroit, *adj.*, narrow

étude, *f.*, study

étudiant(e), *n. m. and f.*, student

étudier, to study

eu–, *p. p. and ir. stem of* être

euphorie, *f.*, ecstasy

eux, *pro.*, they, them

évaluer, to evaluate

évanouir, s—, to faint, to vanish

évasion, *f.*, escape

éveiller, to awaken, to be active

événement, *m.*, event

éventer, to fan

évêque, *m.*, bishop

évidemment, *adv.*, evidently, of course, obviously

évocateur, *adj.*, evocative, descriptive

évoluer, to evolve, to transform gradually

exact, *adj.*, exact, true

examen, *m.,* examination |

exaucer, to heed, to attend to

exciter, to excite

exclamation, *f.,* exclamation; **point d'—,** exclamation mark

exécutant, *m.,* participant

exemplaire, *m.,* copy

exemple, *m.,* example; **par —,** upon my word, *etc.,* for example

exercer, to exercise; **s'—,** to try

exhorter, to exhort, to urge

exiger, to require, to demand

expédier, to send, to ship off

expérience, *f.,* experience, experiment

expérimenté, *adj.,* experienced

expérimenter, to test

expier, to expiate

explication, *f.,* explanation

expliquer, to explain

explorateur, *m.,* explorer

exprès, *adv.,* purposely

exprimer, to express

extraordinaire, *adj.,* extraordinary; **par —,** completely out of the ordinary

extrêmement, *adv.,* extremely

extrémité, *f.,* extreme, end

F

fabrication, *f.,* manufacture

fabriquer, to make, to manufacture

face, *f.,* face; **bien en —,** squarely in the eyes; **en — (de),** opposite

facétieux, *adj.,* facetious, trick-playing

fâché, *adj.,* sorry

fâcher, to anger, to embroil

facile, *adj.,* easy, light

façon, *f.,* manner, fashion

faculté, *f.,* faculty, talent

faible, weakness, weakling; *adj.,* weak, slight

faiblesse, *f.,* weakness

faillir, *v. ir.,* to fail; (*followed by infinitive*) almost

faim, *f.,* hunger; **avoir —,** to be hungry

faire, *v. ir.,* to make, to do, to cause; **— beau,** to be fine weather; **— hommage,** to give a gift; **— froid,** to be cold; **— des manières,** to put on airs; **— mal à,** to hurt; **— semblant de,** to pretend; **— de l'esprit,** to be clever; **n'avoir que —,** to have nothing to do (with); **— pitié,** to be pitiful; **— sombre,** to be dark; **— chauffer,** to get up the steam on; **— concurrence,** to compete with; **— la noce,** to live wildly; **— peur à,** to frighten; **— feu,** to fire; **— perdre le nord à,** to confuse; **se —,** to happen, to take place; **se — attendre,** to be long in coming; **se — un devoir,** to undertake, to think necessary; **— sa mauvaise tête,** to act up

fais–, *ir. stem of* **faire**

faisceau, *m.,* bundle, cluster, pencil (of light)

fait, *p. p. and pres. indic. of* **faire**

fait, *m.,* fact, deed; **au —,** in fact; **tout à —,** completely; **— divers,** news item; **prendre — et cause pour,** to support; **en — de,** as for

faites, *second pers. pl. pres. indic. of* **faire,** do, are doing

fallait, *imperf. indic. of* **falloir,** was necessary

falloir, *v. ir.,* to be necessary

fallu–, *p. p. and ir. stem of* **falloir**

famille, *f.,* family

fanatisme, *m.,* fanaticism

fangeux(-use), *adj.,* muddy, slimey

fantasque, *adj.,* whimsical, odd

farce, *f.,* farce, prank

fardeau, *m.,* burden

fasciner, to fascinate

fass–, *pres. subjunc. stem of* **faire**

fastes, *m.,* records

fatras, *m.,* jumble

faucon, *m.,* falcon

faudr–, *fut. and cond. stem of* **falloir**

faufilé, *adj.,* thinly streaked

fausse, *adj.,* false

faut (il), *pres. indic. of* **falloir,** it is necessary, it takes, one (I, we, etc.,) must; **il ne —** jamais, one must never; **il nous —,** we need; **comme il —,** proper(ly)

faute, *f.,* fault, mistake

fauteuil, *m.,* armchair

faux(-usse), *adj.,* false; **faux-col,** detachable collar

favoriser, to favor, to heed

fébrile, *adj.,* feverish

fécond, *adj.,* fertile, fruitful

fédératif, *adj.,* federal

fée, *f.,* fairy

feign–, *ir. stem of* **feindre,** to pretend

féliciter, to congratulate

femme, *f.,* woman, wife

fendre, se —, to cleave

fenêtre, *f.,* window

fente, *f.,* slot

fer, *m.,* iron; **— à repasser,** to iron

fer–, *fut. and cond. stem of* **faire**

ferme, *adj.,* firm, hard; *f.,* farm; *verbal interj.,* shut up!

fermer, to close

fermeture, *f.,* closing

fermier, *m.,* farmer

féroce, *adj.,* ferocious

fête, *f.,* feast, celebration

feu(x), *m.,* fire(s), light(s), hearth(s); **faire feu,** to fire

feuillage, *m.,* foliage

feuille, *f.,* leaf

feuillet, *m.,* sheet (of paper)

feuilleter, to leaf through

fi–, *ir. stem of* **faire**

ficelle, *f.,* string, cord

fidèle, *adj.,* faithful

fier, *adj.,* proud

fierté, *f.,* pride

fièvre, *f.,* fever

fiévreux(-use), *adj.,* feverish

figer, to freeze, to congeal

figure, *f.,* face; **en pleine —,** right across the face

figurer, to figure, to appear; **se —,** to imagine

fil, *m.,* wire

filet, *m.,* net

filial, *adj.,* filial

filiale, *f.,* branch

fille, *f.,* girl

fillette, *f.,* little girl

fils, *m.,* son

fin, *f.,* end, aim; **en — de compte,** when all was said and done

fine champagne, *f.,* liquor brandy

finir, to finish

fiole, *f.,* phial, small flask

firmament, *m.,* firmament, heaven

fixement, *adv.,* fixedly

fixer, to stare at

flacon, *m.,* flask, bottle

flamand, *adj., and n.,* Flemish

flamboyer, to flame
flamme, *f.*, flame
flanc, *m.*, side, body
flâner, to loaf, to stroll idly around
flanquer, to flank
flatteur(-use), *adj.*, flattering; *m.*, flatterer
fléchir, to bend
fleur, *f.*, flower
fleurette, *f.*, small flower
fleuri, *adj.*, flowery
fleurir, to flower, to flourish
fleuve, *m.*, river
flot, *m.*, wave, flood
flotte, *f.*, fleet
flotter, to float
fluette, *adj.*, delicate, thin
foi, *f.*, faith; **ma —,** upon my word
foie, *m.*, liver
foire, *f.*, fair
fois, *f.*, time; **à la —,** at one and the same time; **encore une —,** once again
fol(le), *adj.*, mad, crazy, wild
follement, *adv.*, madly
fonction, *f.*, function
fonctionnaire, *m.*, government employee
fonctionner, to function
fond, *m.*, back, rear, background, bottom, depth, heart; **à —,** thoroughly; **au —,** basically
fondement, *m.*, foundation
fonder, to base, to found, to establish
fondre, to melt, to cast
fonte, *f.*, casting
font, *third pers. pl. pres. indic. of* faire
force, *f.*, strength, force; *adj.*, much, a great quantity of; **à — de,** by virtue of; **de —,** by force

forêt, *f.*, forest
forgeron, *m.*, blacksmith
formel(le), *adj.*, precise, definitive
formule, *f.*, formula
fort, *adj.*, strong; *adv.*, very, hard, strongly, loudly; *m.*, fort
fortune, *f.*, fortune; **— de pot,** pot luck
fou, *adj.*, crazy (person), mad
foudre, *f.*, lightning, thunder; **coup de —,** thunderclap
foudroyant, *adj.*, stunning, striking
foudroyer, to strike down
fougue, *f.*, impetuousness
fougueux, *adj.*, impetuous
fouiller, to search
foulard, *m.*, kerchief
foule, *f.*, crowd
fouler, to trample
fourmi, *f.*, ant
fournir, to furnish
fourré, *m.*, thicket
fourrure, *f.*, fur
foyer, *m.*, hearth, home, fire
fracas, *m.*, racket, much noise
frais(-aîche), *adj.*, fresh, cool, clean, youthful
franc(-che), *adj.*, frank
français, *adj. and n.*, French
franchir, to cross
franchise, *f.*, frankness
frapper, to strike, to knock; **— dans les mains,** to clap hands
frayeur, *f.*, fright
frêle, *adj.*, frail
frémir, to tremble, to flutter
frémissement, *m.*, trembling
fréquement, *adv.*, frequently
frère, *m.*, brother
friable, *adj.*, friable, easily crushed
friandise, *f.*, dainty, titbit

fricassé, *adj.,* cut in pieces (and fried)

fripé, *adj.,* crushed

friser, to curl

froid, *m.,* cold; **faire —,** to be cold (*of weather*); **avoir —,** to be cold (*of a person or animal*)

froisser, to ruffle

frôler, to brush, to graze

fromage, *m.,* cheese; **— à la crême,** cream cheese

froncer les sourcils, to frown

fronde, *f.,* sling

front, *m.,* forehead, brow

frotter, to rub

frustrer, to frustrate; **— de,** to do out of

fu–, *ir. stem of* **être**

fugitif(-ive), *adj.,* fugitive, fleeting

fuir, *v. ir.,* to flee

fulgurant, *adj.,* overpowering

fumée, *f.,* smoke

fumer, to smoke

funérailles, *f.,* funeral, death ceremony

funeste, *adj.,* unfortunate, sad

furent, *third pers. p. def. of* **être**

fureur, *f.,* fury

furtif, *adj.,* furtive

fusil, *m.,* gun

fuy–, *ir. stem of* **fuir**

G

gage, *m.,* pledge; **mettre en —,** to pawn

gagner, to gain, to win, to reach, to improve, to be ahead

gaieté, *f.,* gayety

gaillard, *adj.,* vigorous (person)

gamin(e), *n.,* youngster

Gange, *m.,* Ganges (*river in India*)

gant, *m.,* glove

garçon, *m.,* boy, bellboy

garde, *n. m. and f.,* guard; **prendre —,** to pay attention, to take care

garder, to keep, to look after; **— à vue,** to keep in sight; **se — de,** to be careful not to

gardien, *m.,* guardian

gare, *f.,* station, depot

gaspiller, to waste

gastronomie, *f.,* gastronomy (*art of making or selecting good food*)

gâter, to spoil

gauche, *adj.,* left, awkward

gaulois, *adj. and n.,* Gallic

gaz, *m.,* gas

géant, *adj. and n.,* giant, gigantic

gelée, *f.,* jelly, frost, freeze; **oeufs en —,** jellied eggs

geler, to freeze

gémir, to groan

gémissement, *m.,* groan, grief

gênant, *adj.,* bothersome

gêne, *f.,* uneasiness, trouble

gêner, to bother, to disturb

génie, *m.,* genius

genou(x), *m.,* knee(s)

genre, *m.,* kind, genus, form (*literary*), type, style, affectation

gens, *m.,* people; **— bien élevés,** well-bred people

gentil(le), *adj.,* nice

gentilhomme, *m.,* gentleman

géographe, *m.,* geographer

géographie, *f.,* geography

géomètre, *m.,* geometrician

gerbe, *f.,* sheaf

gérer, to govern

germer, to grow

geste, *m.*, gesture, action
gibecière, *f.*, game bag
gibier, *m.*, game; — à **plume**,
  game bird
gigantesque, *adj.*, gigantic
gilet, *m.*, vest, waistcoat
glace, *f.*, mirror, ice, ice cream
glacé, *adj.*, chilled
glacer, to chill
glaner, to glean
glisser, to slip
globe, *m.*, glass globe, glass jar
gloire, *f.*, glory, reputation
gloussement, *m.*, clucking, chuck-
  ling (sound)
glouton, *m.*, glutton
golfe, *m.*, gulf
gorge, *f.*, throat
gorgée, *f.*, swallow
gosier, *m.*, throat, gullet
gosse, *m.*, youngster
gourmander, to scold, to chide
goût, *m.*, taste
goûter, to taste, to enjoy
goutte, *f.*, drop
gouvernail, *m.*, tiller
gouverneur, *m.*, governor
grâce, *f.*, grace, favor; — à,
  thanks to
graine, *f.*, seed
grand, *adj.*, large, tall, great;
  — **merci**, many thanks; —
  repas, banquet; — **air**, open air
grand'chose, *f.*, much
grandement, *adv.*, greatly
grandeur, *f.*, grandeur, greatness
grandir, to grow, to increase, to
  grow up
grand'mère, *f.*, grandmother
grand'route, *f.*, highway
granit, *m.*, granite
gras, *adj.*, greasy, fat
gratter, to scratch

gratuit, *adj.*, free
grave, *adj.*, grave, serious
graver, to engrave
graviter, to gravitate
gré, *m.*, liking; **bon** — **mal**—,
  whether they liked it or not
Grèce, *f.*, Greece
grelot, *m.*, small bell
grenouille, *f.*, frog
grief, *m.*, complaint
griffe, *f.*, claw
grillade, *f.*, fried slice
grille, *f.*, ironwork gate
grillé, *adj.*, openwork
gris, *adj.*, gray
grisâtre, *adj.*, grayish
grognement, *m.*, groan, grumbling
gronder, to grumble, to growl
gros(se), *adj.*, big, heavy, fat
groseille, *f.*, red currant
grossier(-iere), *adj.*, coarse, fat,
  crass
grotte, *f.*, grotto
grouiller, to swarm
gruau, *m.*, gruel, oatmeal
grue, *f.*, crane
guère, ne . . . —, *adv.*, scarcely,
  hardly
guérison, *f.*, cure
guerre, *f.*, war
guerrier, *m.*, warrior
guêtre, *f.*, legging
guetter, to watch
gueule, *f.*, mouth, muzzle
gueux, *m.*, beggar
gui, *m.*, mistletoe
guise, en — **de**, by way of, as a

H

habile, *adj.*, clever
habiller, to dress

habit, *m.*, clothing, clothes, suit

habitant, *m.*, inhabitant

habitation, *f.*, inhabitation

habiter, to inhabit, to live in

habitude, *f.*, custom, habit; d'—, à l'—, ordinarily, usual

habitué, *m.*, habitué, frequenter, steady customer

habituer, to accustom

*haie, *f.*, hedge

*haine, *f.*, hatred

*haïr, *v. ir.*, to hate

*hais(-it), *pres. indic. forms of* haïr

haleine, *f.*, breath

*haleter, to pant

*Halles, *f.*, Central Market

*halte, *f.*, halt

*hanter, to haunt

*hardi, *adj.*, bold

*hasard, *m.*, chance, luck; au —, at random; à tout —, taking a chance, at random

*hâte, *f.*, haste, hurry; à la —, hastily

*hau, *interj.*, pull!

*hausser, to raise, to shrug; — les épaules, to shrug one's shoulders

*haut, *adj.*, high, loud; *adv.*, loudly; *m.*, top, crest, above; — parleur, loud-speaker; à voix —e, in a loud voice; de —, tall, high

*hautain, *adj.*, haughty

*hauteur, *f.*, height

*havre, *m.*, harbor

héberger, to shelter, to harbor

herbage, *m.*, grass land

herbe, *f.*, grass

*hérisser, to bristle

héritier(-ière), *n.*, heir

heure, *f.*, hour, time, o'clock, tout à l'—, presently, a while ago

heureux(-use), *adj.*, happy, fortunate, lucky

*heurter, to hit; se —, to encounter

hier, *adv.*, yesterday

hippique, *adj.*, equine, horse

*hisser, to hoist

histoire, *f.*, story, history

hiver, *m.*, winter

*hocher, to shake, to nod

*holà, *interj.*, hey there!

hommage, *m.*, homage; faire —, to give a gift

homme, *m.*, man; — d'affaires, businessman

honnête, *adj.*, honest

*honte, *f.*, shame

honteux(-use), *adj.*, ashamed, shameful

hôpital, *m.*, hospital

*hors, *prep.*, — de, out of, outside of

hors d'oeuvres, *m.*, hors d'oeuvre, appetizer

hospitalier(-ière), *adj.*, hospitable

hôte, *m.*, host, guest

hôtel, *m.*, hotel; mansion, public building; maître d'—, head waiter

hôtelier, *m.*, hotel keeper, inn keeper

*houille, *f.*, coal; — blanche, water power

*hourra, *interj.*, hurrah!

huile, *f.*, oil

*huit, *adj.*, eight; — jours, a week; donner ses — jours, to give notice

*huitaine, *f.*, week

humeur, *f.*, humor, temperament

humilier, to humiliate

°hurlement, *m.*, yell
°hurler, to howl
°hutte, *f.*, hut

I

ici, *adv.*, here
idée, *f.*, idea
ignorant, *m.*, ignorant (person), ignoramus
ignorer, to be unaware of, not to know
il, *pro.*, he, it, there; — y a; there is, there are, ago (*with expressions of time*)
île, *f.*, island
illustre, *adj.*, illustrious
îlot, *m.*, islet
ils, *pro.*, they
image, *f.*, picture, image
imiter, to imitate
immeuble, *m.*, building
immobile, *adj.*, motionless
immuable, *adj.*, unchanging, immutable
imparfait, *adj.*, imperfect
impassible, *adj.*, impassive
impatiemment, *adv.*, impatiently
impénitent, *adj.*, impenitent, relentless
impiété, *f.*, impiousness
implacable, *adj.*, relentless, implacable
importer, to be of importance, to matter; qu'importe? what difference does it make; n'importe, no matter
importuner, to annoy
imposture, *f.*, imposture, charlatanry, trickery
impressionant, *adj.*, impressive

impressioner, to impress, to make an impression
imprévu, *adj.*, unforeseen (happening)
imprimer, to print, to impart, to fix
improviser, to improvise
impuissance, *f.*, powerlessness, impotence
inaccoutumé, *adj.*, unaccustomed
inattendu, *adj.*, unexpected
inaugurer, to display, to wear (for the first time)
incarné, *adj.*, incarnate
incendie, *m.*, fire
incliner, to bow
incognito, *m.*, unknown nature
incommoder, to inconvenience
inconnaissable, *adj.*, unknowable
inconnu, *adj. and n.*, unknown (thing *or* person)
inconvenance, *f.*, indecorousness
incrédulité, *f.*, unbelief
incroyable, *adj.*, unbelievable
Inde(s), *f.*, India
indescriptible, *adj.*, indescribable
indéterminé, *adj.*, indeterminate
indice, *m.*, indication
indigène, *m.*, native inhabitant
indigeste, *adj.*, indigestible
indiquer, to indicate
indiscutable, *adj.*, indiscussible
individu, *m.*, individual
inexplicable, *adj.*, unexplainable
infailliblement, *adv.*, without fail
infâme, *adj.*, infamous
infatigable, *adj.*, indefatigable, tireless
infini, *adj.*, infinite
infirmerie, *f.*, clinic
infirmière, *f.*, nurse
infliger, to inflict

influent, *adj.,* influential
influer (**sur**), to influence
infranchissable, *adj.,* uncrossable
infructueux(-use), *adj.,* fruitless
ingénieur, *m.,* engineer
inhabituel (**le**), *adj.,* unusual
injurier, to insult
innombrable, *adj.,* countless
inoubliable, *adj.,* unforgettable
inouï, *adj.,* unheard of
inquiet(-iète), *adj.,* disturbed, anxious
inquiétant, *adj.,* disturbing
inquiéter, to worry
inquiétude, *f.,* anxiety, worry
inscription, *f.,* inscription; — **publicitaire,** advertisement
inscrire, *v. ir.,* to inscribe
insensé, *adj.,* foolish, mad
insensible, *adj.,* unfeeling, unaware
insensiblement, *adv.,* gradually, imperceptibly
insolation, *f.,* insulation
insolite, *adj.,* unfathomed
insouciant, *adj.,* carefree, unconcerned
insoupçonné, *adj.,* unsuspected
insoutenable, *adj.,* unbearable
installation, *f.,* beginning
instantanément, *adv.,* instantly
instituteur, *m.,* teacher
instruction, *f.,* education, instruction
instruire, *v. ir.,* to instruct, to learn, to educate
instruis–, *ir. stem of* **instruire**
insuffisant, *adj.,* insufficient, inadequate
intarissable, *adj.,* inexhaustible
interdire, *v. ir.,* to forbid
interdit, *adj.,* speechless

intéressant, *adj.,* interesting
intérêt, *m.,* interest
intérieur, *m.,* home, interior
interloqué, *adj.,* speechless
intermède, *m.,* interlude
interroger, to question
interrompre, to interrupt
interrupteur, *m.,* (electric light) switch
intervint, *past def. of* **intervenir,** to intervene
intime, *adj.,* intimate, inner
intimité, *f.,* intimacy, inner secret
intrigué, *adj.,* intrigued
introduire, *v. ir.,* to put in, to introduce
inutile, *adj.,* useless
invincible, *adj.,* unconquerable, invincible, irresistible
invité, *m.,* guest
invraisemblable, *adj.,* improbable
ir–, *fut. and cond. stem of* **aller**
irrespectueux, *adj.,* disrespectful
isoler, to isolate
issue, *adj.,* issued
ivresse, *f.,* drunkenness, excitement
ivrogne, *m.,* drunkard

J

jadis, *adv.,* formerly
jaillir, to spring, to come forth
jaloux(-use), *adj.,* jealous
jamais, *adv.,* ever, never; **ne . . . —,** never; **à —,** forever
jambe, *f.,* leg
janvier, *m.,* January
jaquette, *f.,* jacket, coat
jardin, *m.,* garden; **— d'enfants,** kindergarten

jardinage, *m.*, gardening
jaune, *adj.*, yellow
jetée, *f.*, wharf, dock
jeter, to throw, to utter, to cast, to
   scatter, to throw out
jeton, *m.*, counter, "slug"
jeu(x), *m.*, game(s), gambling
jeudi, *m.*, Thursday
jeune, *adj.*, young
jeunesse, *f.*, youth
joie, *f.*, joy
joindre, *v. ir.*, to join
joint, *p. p. of* joindre
joli, *adj.*, pretty
jonc, *m.*, reed
jouer, to play, to gamble, to risk;
   — un tour, to play a trick
jouet, *m.*, toy
jouir (de), to enjoy
jouissance, *f.*, joy
joujou, *m.*, plaything, toy
jour, *m.*, day; lever du —, daybreak; huit —s, a week; quinze
   —s, two weeks, fortnight; donner ses huit —s, to give notice
journal(-aux), *m.*, newspaper,
   periodical
journée, *f.*, day, day's work
joyeux(-use), *adj.*, joyous
judicieux(-use), *adj.*, judicious,
   wise
juillet, *m.*, July
juin, *m.*, June
jurer, to swear
jusqu'à, *prep.*, up to, until
jusque, *prep.*, even
juste, *adj.*, just, right, true; au —,
   really
justement, *adv.*, precisely, right
   then
justice, *f.*, justice; rendre — à, to
   recognize

K

kilo, *m.*, kilogram

L

l' = le, la, *def. art.*, *pro.*, the, it,
   him, her
la, *def. art. pro.*, the, it, her
là, *adv.*, there; çà et —, here and
   there
là-bas, *adv.*, yonder, over there
labeur, *m.*, work, labor, task
laboratoire, *m.*, laboratory
laborieux, *adj.*, hard-working, la-
   borious
labour, *m.*, ploughing
laboureur, *m.*, ploughman
lac, *m.*, lake
laconisme, *m.*, excessive brevity,
   calm
lactée, voie —, *f.*, milky way
lad, *m.*, stable-boy
là-dessous, *adv.*, underneath
là-dessus, *adv.*, on that matter
là-haut, *adv.*, up there
laideur, *f.*, ugliness
laine, *f.*, wool
laisser, to let, to leave; — tranquille, to leave alone
lait, *m.*, milk; dent à —, baby
   tooth
laiteux, *adj.*, milky
lampion, *m.*, Chinese lantern
lancer, to launch, to throw, to
   hurl, to utter, to rush, to direct,
   to send
langage, *m.*, language
langue, *f.*, language, tongue
laquelle, *pro.*, which, that
large, *adj.*, broad, wide; de long

en —, up and down; **de** —, wide

largesse, *f.,* generosity, bounty, largesse

largeur, *f.,* width

larme, *f.,* tear

lasser, to tire

lassitude, *f.,* fatigue

laver, to wash

le, *def. art., pro.,* the, him, it

lecteur, *m.,* reader

lecture, *f.,* reading

léger, *adj.,* light

légitime, *adj.,* legitimate

lendemain, *m.,* following day, next day, morrow

lent, *adj.,* slow

lequel, laquelle, lesquel(le)s, *pro.,* which, which (ones), who, whom

lettre, *f.,* letter; **belles- —s,** literature

leur, *adj., and pro.,* their, theirs, to them, them

lever, to raise; **— du jour,** daybreak; **se —,** to get up, to rise; **— du soleil,** sunrise; **— les bras au ciel,** to throw up one's arms

lèvre, *f.,* lip

lévrier, *m.,* greyhound

libre, *adj.,* free; **coudée —,** elbow room

licence, *f., university degree, roughly the M.A.*

lien, *m.,* bond

lier, to bind, to tie

lieu, *m.,* place; **avoir —,** to take place; **au — de,** instead of

lieue, *f.,* league (*usually about three miles*)

lièvre, *f.,* hare

ligne, *f.,* line

ligue, *f.,* league

limitrophe, *adj.,* bordering

linge, *m.,* cloth

lire, *v. ir.,* to read

lis–, *ir. stem of* **lire**

lit, *m.,* bed

livre, *f.,* pound; *m.,* book

livrer, to deliver, to give, to hand over, to give over; **se —,** to undertake

local (-aux), *m.,* site, place

logement, *m.,* dwelling

loger, to live, to be quartered, to place

logis, *m.,* home

loi, *f.,* law

loin, *m.,* distance; *adv.,* far, far away, afar

lointain (e), *n. m. and f.,* distance; *adj.,* distant

loisir, *m.,* leisure

Londres, *m.,* London

long (-gue), *adj.,* long; *m.,* length; **le — de,** alongside, the length of; **de — long; de — en large,** up and down

longtemps, *adv.,* a long time

longueur, *f.,* length

lorgnon, *m.,* eyeglasses, pince-nez

lors, *adv.,* then; **pour —,** at that point, **— de,** at the time of

lorsque, *conj.,* when

lot, *m.,* lot

louer, to rent

loup, *m.,* wolf

lourd, *adj.,* heavy, careless

lu– ** *p. p. and ir. stem of* **lire

lueur, *f.,* gleam, light

lugubre, *adj.,* lugubrious

lui, *pro.,* he, him, to him, to her, from him, from her

luire, *v. ir.,* to gleam, to shine

lumière, *f.,* light
lumineux, *adj.,* luminous
lundi, Monday
lune, *f.,* moon
lunette (s), *f.,* eyeglasses
lustre, *m.,* chandelier
lustré, *adj.,* shiny
lutte, *f.,* struggle
lutter, to struggle
luxe, *m.,* luxury
lycée, *m.,* *lycée,* school
lyonnais, *adj. and m.,* of Lyons, Lyonese

M

ma, *adj.,* my
machinal, *adj.,* mechanical
mâchoire, *f.,* jaw
magasin, *m.,* store, storeroom
magnifique, *adj.,* magnificent
maigre, *adj.,* thin
maigreur, *f.,* thinness
maigrir, to grow thin
main, *f.,* hand; **battre des —s,** to clap hands; **poignée de —,** handshake; **frapper dans les —s,** to clap hands; **d'en venir aux —s,** to come to blows
maint, *adj.,* many (a)
maintenant, *adv.,* now
maintenir, *v. ir.,* to maintain, to keep, to hold
maintenu, *p. p.,* of **maintenir**
maintien, *m.,* deportment, conduct
mais, *conj.,* but; **— oui, — si,** why, of course; **— non,** of course not
maison, *f.,* house
maître, *m.,* master, teacher
maîtresse, *f.,* mistress

maîtrise, *f.,* mastery
maîtriser, *f.,* to master
majestueux (-use), *adj.,* majestic
major, tambour- —, *m.,* drum major
mal, *m.,* difficulty, harm, sickness, evil, trouble; **— de tête,** headache; **pas — de,** many, quite a few; **bon an, — an,** year in, year out; **faire — à,** to hurt; *adv.,* badly
malade, *n. m. and f.,* patient, sick one; *adj.,* sick
maladie, *f.,* sickness
malaise, *m.,* malaise, anxiety, feeling ill-at-ease
malandrin, *m.,* robber
malentendu, *m.,* misunderstanding
malfaiteur, *m.,* malefactor, criminal
malgré, *prep.,* despite, in spite of
malheur, *m.,* misfortune, unhappiness
malheureux (-use), *adj., and n.,* unhappy (one), unfortunate (one), wretched (one)
malhonnête, *adj.,* dishonest
malin, *adj.,* clever, sly
malsain, *adj.,* unhealthy
manche, *f.,* channel; **outre- —,** across the (English) Channel; **—s de chemise,** shirtsleeves
manchette, *f.,* cuff
manchot, *m.,* one-armed
manger, to eat; **salle à —,** dining room
manière, *f.,* manner; **faire des —s,** to put on airs
manoir, *m.,* manor, home
manoeuvre, *f.,* maneuver
manque, *m.,* lack
manquement, *m.,* lapse

manquer, to lack, to fail, to be missing

manteau, *m.,* coat, cloak,' mantle

manuscrit, *m.,* manuscript

mappemonde, *f.,* atlas

marais, *m.,* marsh, swamp

marbre, *m.,* marble

marchand (e), *n. m. and f.,* merchant

marche, *f.,* march, progress, step

marché *m.,* market; **à meilleur —,** cheaper

marcher, to walk, to go

mardi, *m.,* Tuesday

marécage, *m.,* swamp

marge, *f.,* margin

mari, *m.,* husband

marié (e), *n. m. and f.,* bride, groom

marier, to marry off; **se — à,** to get married

marin, *m.,* sailor

marine, *f.,* navy; **de —,** sea

marinier, *m.,* sailor

marmot, *m.,* youngster, kid, brat; **— paria,** outcast youngster

marque, *f.,* stamp, mark, distinction, brand

marquer, to mark, to stamp, to indicate, to show

marron, *m.,* chestnut

mars, *m.,* March

martyrologie, *m.,* martyrology

mas, *m.,* small farm (*in southern France*)

massif, *m.,* (clump of) shrubbery

matelot, *m.,* sailor

matériel, *m.,* equipment; **— de départ,** necessary starting equipment

matière, *f.,* matter, subject matter

matin, *m.,* morning

matinal (-aux), *adj.,* morning

matinée, *f.,* morning

matou, *m.,* tomcat

maudire, *v. ir.,* to curse, to damn

maudit, *p. p. of* **maudire**

maussade, *adj.,* sulky

mauvais, *adj.,* bad; **faire sa —e tête,** to act up

maux, *m. pl. of* **mal,** afflictions

me, *pro.,* me, to me

mécanicien, *m.,* mechanic

méchant, *adj.,* wicked, bad, cruel

mèche, *f.,* lock of hair

mécontent, *adj.,* dissatisfied

médecin, *m.,* doctor

méfiant, *adj.,* distrustful

méfier, se — de, to distrust, to be wary of

meilleur, *adj.,* better, best; **à — marché,** cheaper

mélange, *m.,* mixture

mêler, to mingle, to mix; **se —,** to participate; **se — de,** to meddle with, to interfere

même, *adv.,* even; *adj.,* (*before noun*) same; (*after noun*) very; **de —,** likewise; **quand —,** just the same; **tout de —,** just the same

mémento, *m.,* guidebook

mémoire, *f.,* memory

menacer, to threaten

ménage, *m.,* household

mendiant, *m.,* beggar

mendier, to beg

mener, to lead

mensonge, *m.,* lie

menthe, *f.,* mint

mentir, to lie

menton, *m.,* chin

menu, *adj.,* trifling, minute, small, insignificant

mépris, *m.*, scorn

mépriser, to scorn

mer, *f.*, sea, water, body of water; en pleine —, well away from shore

mercerie, *f.*, haberdashery, notions (*store*)

merci, *f.*, mercy; *m.*, thanks; grand —, many thanks

mère, *f.*, mother

méridional, *adj.*, southern

merveille, *f.*, marvel; à —, marvelously, wonderfully

merveilleux (-use), *adj.*, marvelous

mes, *adj.*, my

mesquin, *adj.*, mean, petty

messieurs, *m.*, gentlemen

mesure, *f.*, measure; en — de, in a position to

mesurer, to measure

métamorphoser, to change

métatarse, *m.*, metatarsus

métier, *m.*, trade, job, profession

métro, *m.*, subway

mets, *m.*, dish, food

mettre, *v. ir.*, to put; — en gage, to pawn; — au courant, to inform; — en cause, to concern; — en batterie, to set up ready to fire; — les petits plats dans les grands, to serve up quite a feast; — sur pied, to establish; se — à, to begin, to take part; se — en branle, to start

meuble, *m.*, piece of furniture

meur-, *ir. stem of* mourir

Mexique, *m.*, Mexico

mi–, *ir. stem of* mettre

midi, *m.*, noon

mien (s) (le, les), mienne (s) (la, les), *pro.*, mine

mieux, *adv.*, better, best; tant —,

so much the better; aimer —, to prefer; valoir —, to be worth, to be better

mignon, *adj.*, darling; péché —, besetting sin

migraine, *f.*, headache, migraine

milieu, *m.*, middle

mille, *adj.*, thousand

milliard, *m.*, billion

millionième, *m.*, millionth part

mince, *adj.*, thin

mine, *f.*, face, mien, countenance

minerai, *m.*, ore

minéral (-aux), *adj.*, mineral

minime, *adj.*, very small

ministre, *m.*, minister

minuit, *m.*, midnight

minutieux, (-use), *adj.*, minute

mir–, *ir. stem of* mettre

miroir, *m.*, mirror

miroiter, to reflect

mis-, *p. p. and ir. stem of* mettre

mise, *f.*, placing; — au point, clarification

misérable, *n. m. and f.*, wretch; *adj.*, miserable

misère, *f.*, wretchedness, dire poverty, grief

mm. = messieurs

mode, *f.*, style

modestement, *adv.*, slightly, modestly

modifier, to modify, to change

moeurs, *f.*, customs, mores, manners

moi, *pro.*, I, me, to me

moindre, *adj.*, slightest, least, smallest

moine, *m.*, monk

moins, *adv.*, less, least; en —, less; au —, du —, at least ; à — de, unless

mois, *m.*, month

moisir, to grow mouldy

moitié, *f.,* half; à —, half

momentanément, *adv.,* momentarily

momie, *f.,* mummy

mondain, *adj.,* social, worldly

monde, *m.,* people, society, world; tout le —, every one; **beau** —, elegant company, "upper crust"

monnaie, *f.,* change, money

monotone, *adj.,* monotonous

monsieur, *m.,* Mr., sir, gentleman

montagne, *f.,* mountain

monter, to climb, to ride, to go up, to assemble; — **une expérience,** to set up an experiment; **se** —, to get angry

montrer, to show; **se** —, to point out to each other

monture, *f.,* mount (*animal*)

moquer, se —, to jest; **se** — **de,** to make fun of, to laugh at, to be scornful of, not to care a rap about

morale, *f.,* morality

morceau(x), *m.,* piece(s)

mordre, to bite

mort, *f.,* death

mort, *p. p. of* **mourir**

morte, *f.,* dead woman

mortel, *adj.,* mortal, fatal

mortier, *m.,* mortar

mot, *m.,* word; **bon** —, clever saying; — **-clef,** key word

mouche, *f.,* fly

mouiller, to wet

moulage, *m.,* molding

mourant, *adj.,* dying

mourir, *v. ir.,* to die

mourr–, *fut. and cond. stem of* **mourir**

mouru–, *ir. stem of* **mourir**

mousse, *f.,* foam

mousseline, *f.,* muslin

mouton, *m.,* sheep, dust ball

mouvement, *m.,* movement, feeling, impulse

moyen, *m.,* means; —(**ne**), *adj.,* middle, average

moyenne, *f.,* average

muet(te), *adj.,* silent

mulet, *m.,* mule

munir, to provide, to arm

mur, *m.,* wall

mûr, *adj.,* mature, ripe

muraille, *f.,* wall

murer, to wall up, to enclose

muscade, *f.,* small ball

musée, *m.,* museum

musique, *f.,* music, piece of music

mutiler, to mutilate

N

nager, to swim

naïf(-ïve), *adj.,* simple, wondering

naiss–, *ir. stem of* **naître**

naît, *third. pers. sing. pres. indic. of* **naître**

naître, *v. ir.,* to be born

naïvement, *adv.,* naively, innocently

nappe, *f.,* table cloth

naquit, *third. pers. sing. p. def. of* **naître**

narine, *f.,* nostril

navire, *m.,* ship

navré, *adj.,* upset, heartbroken

n' = ne, *adv., combines with the following:* **pas,** not; **point,** not at all, in no way; **rien,** nothing, not anything; **jamais,** never; **que,** only; **nulle part,** nowhere; **aucun(e),** no, none; **guère,** scarcely, hardly; **plus,** no more, no longer; **rien que,** only, merely; **personne,** no one, nobody; **nullement,** not at all; **pas du tout,** not at all; **ni . . . ni,** neither . . . nor

né, *p. p. of* **naître**

néanmoins, *adv.,* nevertheless

néant, *m.,* nullity, nothing, nothingness

négociant, *m.,* merchant

nègre, *m.,* negro

neige, *f.,* snow

nerf, *m.,* nerve

nerveux(-use), *adj.,* nervous, wiry, vigorous

n'est-ce pas? *Translates any question after a statement*

nettoyage, *m.,* cleaning

nettoyer, to clean, to wash

neuf, *adj.,* nine

neuf(-uve), *adj.,* new

neveu, *m.,* nephew

nez, *m.,* nose

ni, *adv., combines with* **ne,** neither, nor

niais, *m.,* fool

nid, *m.,* nest

nier, to deny

nigaud, *m.,* blockhead, simpleton

noblesse, *f.,* nobility

noce, *f.,* wedding, gay party; **faire la —,** to live wildly

nocif(-ive), *adj.,* harmful

nocturne, *adj.,* nocturnal, nightly

noir, *adj.,* black

noirâtre, *adj.,* blackish

nom, *m.,* name

nombreux(-use), *adj.,* numerous, many

nominal, *adj.,* nominal, by name

nommer, to name

non, *adv.,* no; **— plus,** either,

neither, no more; **mais —,** of course not

nonchalance, *f.,* carefreeness

nord, *m.,* north; **faire perdre le — à,** to confuse

note, *f.,* grade, note; **prendre en —,** to jot down

noter, to note

notre, *adj.,* our

nôtre(s), le, la, (les), *pro.,* ours

nourricier, *adj.,* life-giving

nourrir, to feed, to rear (a child)

nourriture, *f.,* food

nous, *pro.,* we, us, to us

nouveau(-el, -elle), *adj.,* new; **de nouveau, à nouveau,** again; **nouveau venu,** newcomer

nouvelle, *f.,* news

Nouvelle-Zélande, *f.,* New Zealand

noyer, to drown

nu, *adj.,* naked, bare; **à —,** bare

nuage, *m.,* cloud

nuance, *f.,* shade, shade of difference

nuit, *f.,* night

nulle, *adj.,* **ne . . . — part,** nowhere; **— part ailleurs,** nowhere else

nullement, *adv.,* **ne . . . —,** not at all

nuque, *f.,* nape of the neck; **redresser la —,** to hold one's head straight

O

ô, *interj.,* oh!

obéir, to obey

objet, *m.,* object

obligatoire, *adj.*, obligatory, necessary

obliger, to oblige

observateur, *m.*, observer; *adj.*, observing

obstiner, s'—, to persist

obtenir, *v. ir.*, to obtain

obtenu, *p. p. of* obtenir

obtien–, *ir. stem of* obtenir

occuper, s'— de, to be concerned with

oeil, *m.*, eye; coup d'—, glance

oeuf, *m.*, egg; — en gelée, jellied egg; —s bacon, bacon and eggs

oeuvre, f., work; chef-d'—, *m.*, masterpiece; hors d'—, hors d'oeuvre

offenser, to offend

offert, *p. p. of* offrir

offrir, *v. ir.*, to offer

oiseau(x), *m.*, bird(s); — de passage, migratory bird

oisif(-ive), *adj.*, idle

oisiveté, f., idleness

ombrageux(-use), *adj.*, suspicious, touchy

ombre, f., shadow

omoplate, f., shoulder blade

on, *pro.*, one, people, *etc.*

once, f., ounce

ondé, *adj.*, wavy

ongle, *m.*, (finger) nail

*onze, *adj.*, eleven

opérer, to make, to operate

opiniâtre, *adj.*, stubborn

or, *m.*, gold; rouler sur l' —, to roll in money

or, *conj.*, now

orage, *m.*, storm

orchestrion, *m.*, recording device

ordinaire, *adj.*, ordinary; d'—, ordinarily

ordonner, to command, to order

oreille, f., ear; dormir sur les deux —s, to sleep soundly

oreiller, *m.*, pillow

oreillette, f., handle, projection

orgueil, *m.*, pride

orgueilleux(-use), *adj.*, proud, prideful

ornement, *m.*, ornament

orner, to decorate

os, *m.*, bone

oser, to dare

ôter, to remove

ou, *conj.*, or; — bien, or else; — . . . —, either . . . or

où, *adv.*, where, on which, in which, when

ouais! *interj.*, what!

ouaté, *adj.*, padded

oubli, *m.*, forgetfulness, oblivion

oublier, to forget

oui, *adv.*, yes; mais —, why yes, of course; eh! bien —, yes indeed

ouï-dire, *m.*, rumor

ours, *m.*, bear

outre, *prep.*, — -Manche, across the (English) Channel

ouvert, *p. p. of* ouvrir

ouverture, f., opening, beginning

ouvrage, *m.*, work

ouvrier, *adj.*, working

ouvrir, *v. ir.*, to open

ouvroir, *m.*, workroom, social service center

P

paille, f., straw

pain, *m.*, bread

paisible, *adj.*, peaceful, calm

paix, *f.*, peace

palier, *m.*, landing, "plateau" (of learning process)

pâlir, to turn pale, to grow light

pallier, to paliate, to lessen

palmé: pied —, webfoot

palpable, *adj.*, palpable, real

palpiter, to palpitate

paludien(ne), *adj.*, swamp

panier, *m.*, basket

panne, *f.*, breakdown; **rester en —,** to lie to, to make no progress

pantalon, *m.*, trousers

pantoufle, *f.*, house slipper

papier, *m.*, paper

papillon, *m.*, butterfly

paquet, *m.*, package

par, *prep.*, by through, per; **— exemple,** for example, upon my word, *etc.*; **— contre,** on the other hand; **— extraordinaire,** completely out of the ordinary

parabole, *f.*, parabola

parais–, *ir. stem of* **paraître**

paraître, *v. ir.*, to appear

parangon, *m.*, paragon, model

parapluie, *m.*, umbrella

paravent, *m.*, screen

parce que, *conj.*, because

parcourir, *v. ir.*, to cross, to go through, to go, to thumb through

parcouru–, *p. p. and ir. stem of* **parcourir**

par-dessus, *prep. and adv.*, over

pareil(le), *adj.*, similar

parent, *m.*, parent, relative

parer, to ornament, to parry, to ward off

paresseux(-use), *adj.*, lazy

parfait, *adj.*, perfect, complete

parfois, *adv.*, at times, sometimes

parfum, *m.*, perfume

parfumer, to perfume

paria, *m.*, pariah, outcast; **marmot —,** outcast youngster

parier, to bet

parler, to speak

parleur, *m.*, speaker; **haut —,** loud-speaker

parmi, *prep.*, among

paroi, *f.*, wall

parole, *f.*, word, speech; **prendre la —,** to begin to speak; **retrouver la —,** to regain one's speech; **retirer la —,** to declare out of order; **demander la —,** to ask for the floor

paroxysme, *m.*, paroxysm, peak of frenzy

parquet, *m.*, floor

part, *f.*, part; **à —,** aside, apart from; **d'autre —,** on the other hand; **de la — de,** in the name of; **de toutes —s,** from all sides; **quelque —,** somewhere; **nulle —,** nowhere; **nulle — ailleurs,** nowhere else

partager, to share, to divide

parti, *m.*, party, decision; **prendre ton — de,** to make up your mind to

participe, *m.*, participle

particulier(-ière), *adj.*, particular, private; *m.*, individual

partie, *f.*, part

partir, to leave, to start; **à — de,** beginning with

partout, *adv.*, everywhere

paru-, *p. p. and ir. stem of* **paraître**

parure, *f.*, adornment

parvenir, *v. ir.*, to succeed, to reach, to arrive

parvien–, *ir. stem of* **parvenir**

parviendr–, *fut. and cond. stem of* **parvenir**

parvin–, *p. def. stem of* **parvenir**

pas, *adv.*, not; **ne ... — du tout**, not at all

passage, *m.*, passing, passage; **de —**, passing through; **oiseau de —**, migratory bird

passager(-gère), *adj.*, passing, transient; *m.*, passenger

passant(e), *n. m. and f.*, passerby

passé, *m.*, past

passer, to pass, to spend, to put on, to carry, to transfer; **se —**, to occur, to happen

passionnant, *adj.*, exciting

passionné, *adj.*, enthusiastic, deep

pâte, *f.*, dough, material

Pater (Latin), Lord's Prayer

patiemment, *adv.*, patiently

patrie, *f.*, country, fatherland

patron *m.*, boss, skipper

patte, *f.*, paw, leg, foot; **à quatre —s**, on all fours

paupière, *f.*, eyelid

pauvre, *adj.*, poor

pauvreté, *f.*, poverty

payer, to pay

pays, *m.*, country, home town, region

paysage, *m.*, landscape

paysan, *m.*, peasant, farmer; *adj.*, rustic

peau, *f.*, skin

pechblende, *f.*, pitchblend

péché, *m.*, sin; **— mignon**, besetting sin

pécheresse, *f.*, sinner

pêcheur, *m.*, fisherman

pédant(e), *n. m. and f.*, pedant; *adj.*, pedantic

peignoir, *m.*, dressing gown

peindre, *v. ir.*, to paint

peine, *f.*, difficulty, trouble, grief, labor; **à —**, scarcely, hardly, just barely

peintre, *m.*, painter

peinture, *f.*, painting

pèlerinage, *m.*, pilgrimage

pellicule, *f.*, particle

pelotonner, to curl up

pencher, to lean

pendant, *prep.*, during; **— que**, while; *adj.*, hanging

pendre, to hang

pénétrer, to penetrate

pénible, *adj.*, painful

pensée, *f.*, thought

penser, to think

pensum, *m.*, task

percer, to pierce, to cut (a tooth)

perche, *f.*, pole

père, *m.*, father

perfectionnement, *m.*, perfecting

perfectionner, to perfect

perilleux, *adj.*, risky, perilous

périr, to perish

permettre, *v. ir.*, to permit

permi–, *ir. stem of* **permettre**

pérorer, to perorate, to orate

perroquet, *m.*, parrot

personnage, *m.*, person

personne, ne ... —, *pro.*, nobody

perte, *f.*, loss; **à — de vue**, as far as the eye can see

perturber, to disturb

pesant, *adj.*, heavy

peser, to weigh (down), to push down

peste, *f.*, pestilence, plague

petit, *adj.*, little; **— déjeuner**, breakfast

petitesse, *f.*, smallness, pettiness

peu, *adv.*, little, few; **à — près**, almost, nearly

peu–, peuv–, *ir. stems of* **pouvoir**

peuple, *m.*, people, throng, mass
peupler, to people
peur, *f.*, fear; **faire — à,** to frighten; **avoir —,** to be afraid
peut-être, *adv.*, perhaps
phalange, *f.*, finger (-joint)
philanthrope, *m.*, philanthropist; *adj.*, philanthropic
philosophe, *m.*, philosopher
phoque, *m.*, seal
photographie, *f.*, photography
phrase, *f.*, sentence
physicien(ne), *m.*, *f.*, physicist
physionomie, *f.*, face
pièce, *f.*, room, piece, play, coin
pied, *m.*, foot; **— palmé,** web foot; **doigt du —,** toe; **à —,** on foot; **mettre sur —,** to establish; **coup de —,** kick; **couvre- —,** small blanket
piège, *m.*, trap
pierre, *f.*, stone
piété, *f.*, piety
piler, to crush
piloter, to pilot, to escort
pince-nez, *m.*, pince nez, eyeglasses
pionnier, *m.*, pioneer
piquer, to put, to stick; **se — de,** to pride oneself on
piqûre, *f.*, injection
pire, *adj.*, worse, worst
pis, *adv.*, worse; **tant —,** too bad, so much the worse, it doesn't matter
piste, *f.*, track; **tenir la —,** to be on the track
pitié, *f.*, pity
place, *f.*, place, seat, room, public square; **sur —,** on the ground, on the spot
placer, to place
plafond, *m.*, ceiling

plage, *f.*, beach
plaider, to plead (*at law*)
plaindre, *v. ir.*, to pity; **se — de,** to complain
plainte, *f.*, lament
plaire, *v. ir.*, to please
plais–, *ir. stem of* **plaire**
plaisanter, to joke
plaisanterie, *f.*, joke
plaisir, *m.*, pleasure
plaît, (*third pers. sing. pres. indic. of* **plaire**), pleases; **s'il vous (te) —,** please
plan, *m.*, plane, plan, level
plancher, *m.*, floor
planer, to soar, to hover over
plante, *f.*, plant, sole
planter, to set up
plaque, *f.*, sheet, plate, plaque, patch
plat, *m.*, dish (*of food*); **mettre les petits —s dans les grands,** to serve up quite a feast; *adj.*, flat
plâtre, *m.*, plaster; **battre dru comme —,** to beat black and blue
plein, *adj.*, full, open; **en —e figure,** right across the face; **en —e mer,** well away from shore
pleu–, *ir. stem of* **pleuvoir**
pleur, *m.*, tear
pleurer, to weep, to wail
pleuvoir, *v. ir.*, to rain
plier, to bend, to fold
plonger, to dive, to plunge
plongeur, *m.*, diver
pluie, *f.*, rain
plume, *f.*, feather, pen; **gibier à —,** game bird
plupart, *f.*, majority
plus, *adv.*, more, **ne . . . —,** no more, no longer; **ne . . . — que,**

only; **de** —, more, again, in addition, additional, furthermore, extra; **non** —, either, neither, no more; **d'autant** — **que,** all the more since

plusieurs, *adj.,* several

plutôt, *adv.,* rather

poche, *f.,* pocket

pocher, to black (some one's eye)

poésie, *f.,* poetry, poem

poids, *m.,* weight

poignée, *f.,* — **de main,** handshake

poignet, *m.,* wrist

poil, *m.,* hair

poing, *m.,* fist

point, *m.,* point; **quatre** —**s cardinaux,** four points of the compass; **mise au** —, clarification; — **d'exclamation,** exclamation mark; **ne . . .** —, in no way, not at all

pointu, *adj.,* pointed

pois, *m.,* pea; — **de senteur,** sweet pea

poisson, *m.,* fish

poitrine, *f.,* breast, chest

poivre, m., pepper

policier, *m.,* police; **roman** —, detective story

poliment, *adv.,* politely

polir, to polish

politesse, *f.,* politeness

politique, f., politics

Pologne, *f.,* Poland

polonais, *adj.,* Polish

pommade, *f.,* pomade, ointment

pommier, *m.,* apple tree

pomper, to pump

portail, *m.,* portal

portant, *adj.,* **bien** —, healthy

porte, *f.,* door, gate

portée, *f.,* reach

portefeuille, *m.,* billfold

porter, to wear, to carry, to lead, to bear; — **à,** to lead to; **se** — **bien,** to be healthy, to keep healthy

posé, *adj.,* calm, sedate

poser, to put, to ask

posséder, to possess

poste, *m.,* **timbre-** —, postage stamp

pot, *m.,* pot, jar; **fortune du** —, pot luck

potage, *m.,* vegetable soup

potion, *f.,* potion, medicine

pouce, *m.,* inch

poudre, *f.,* powder

poudrer, to powder

poudreux(-use), *adj.,* dusty

poulain, *m.,* colt

poule, *f.,* chicken, feathered game

poulet, *m.,* young chicken

pouls, *m.,* pulse

poumon, *m.,* lung

pour, *prep.,* for, in order to; — **que,** so that; — **cent,** per cent

pourquoi, *conj.,* why

pourr–, *fut. and cond. stem of* **pouvoir**

poursuivre, *v. ir.,* to pursue, to continue

pourtant, *adv.,* however

pourvu–, *p. p. and ir. stem of* **pourvoir,** to provide; — **que,** provided that

pousse, *f.,* shoot

pousser, to push, to grow, to project, to utter, to drive, to urge

poussière, *f.,* dust; — **d'eau,** mist

pouvoir, *v. ir.,* to be able, can, could; *m.,* power

prairie, *f.,* field

pré, *m.,* meadow

préalable, *adj.,* previous, preliminary

précedemment, *adv.,* previously

précepteur, *m.,* tutor

prêcher, to preach

précipitamment, *adv.,* hastily, hurriedly

précipité, *adj.,* hasty

précipiter, to rush, to throw, to hurl

précis, *adj.,* exact, precise

précisément, *adv.,* precisely

préciser, to specify, to state precisely

préférer, to prefer

préfet, *m.,* prefect; **sous- —,** deputy prefect

premier(-ière), *adj.,* first

pren-, *ir. stem of* **prendre**

prendre, *v. ir.,* to take, to get; **— garde (à),** to be careful, to pay attention to; **— la parole,** to begin to speak; **— un verre,** to have a drink; **— au sérieux,** to take seriously; **— fait et cause pour,** to support; **— ton parti de,** to make up your mind to; **— en note,** to jot down

préparatif, *m.,* preparation

préparer, to prepare

près (de), *prep.,* near; **à peu —,** almost, nearly; **de —,** closely

prescience, *f.,* foresight, foreboding

présent, *adj.,* **à —,** at present, now

présidence, *f.,* presidency, direction

présider, to preside over

presque, *adv.,* almost

presqu'île, *f.,* peninsula

pressé, *adj.,* urgent

pressentiment, *m.,* presentment, foreboding

presser, to crowd, to press, to press on, to be in a hurry

prestance, *f.,* bearing, comportment

prêt, *adj.,* ready

prétendre, to claim, to pretend

prétention, *f.,* claim

prêteur, *m.,* lender

preuve, *f.,* proof

prévenir, *v. ir.,* to warn

prévin-, *ir. stem of* **prévenir**

prévision, *f.,* anticipation, forecast

prévoir, *v. ir.,* to foresee, to look ahead

prévôt, *m.,* prevost, chief

prévu, *p. p. of* **prévoir**

pri-, *ir. stem of* **prendre**

prier, to beg, to pray, to ask; **Je vous (t') en prie,** please

prière, *f.,* prayer

primaire, *adj.,* primary

princier(-ière), *adj.,* princely

principe, *m.,* principle

printanier(-ière), *adj.,* spring

printemps, *m.,* spring

priver, to deprive

prix, *m.,* value, prize, price; **au — de,** at the cost of

procédé, *m.,* procedure

procès, *m.,* lawsuit, trial

prochain(e), *n. m. and f.,* neighbor; *adj.,* immediate, next

proche, *adj.,* near, close

prodigalité, *f.,* extravagance

prodige, *m.,* wonder, marvel

prodigue, *adj.,* prodigal, bountiful

produire, *v. ir.,* to produce; **se —,** to occur

produis-, *ir. stem of* **produire**

produit, *p. p. of* **produire;** *m.,* product

profane, *m.,* layman

profiter, to profit; — **de,** to take advantage of

profond, *adj.,* deep, profound

progéniture, *f.,* offspring

proie, *f.,* prey; **en** — **à,** a prey to, in the grip of

projet, *m.,* project, plan

projeter, to project, to put

prolonger, to prolong, to extend

promener, se —, to walk

promettre, *v. ir.,* to promise

propos, *m.,* discourse, conversation, idea; **à** — **de,** concerning, in connection with

propre, *adj.,* suitable, clean; (*preceding noun*) own

propreté, *f.,* cleanliness

propriétaire, *m.,* landowner

propriété, *f.,* property

prospection, *f.,* investigation

protecteur(-trice), *n. m. and f.,* protector; *adj.,* protective

protéger, to protect

provenir, *v. ir.,* to come

provoquer, to cause, to bring about, to provoke, to incite

psychiatre, *m.,* psychiatrist

pu–, *p. p. and ir. stem of* **pouvoir**

publicitaire, *adj.,* **inscription** —, advertisement

publier, to publish

puis, *adv.,* then

puis, *first pers. sing. pres. indic. of* **pouvoir**

puiser (**dans**), to dip into, to draw from

puisque, *conj.,* since

puiss–, *ir. stem of* **pouvoir**

puissamment, *adv.,* powerfully

puissance, *f.,* power, might; **toute** —, omnipotence

puissant, *adj.,* powerful

punir, to punish

pupitre, *m.,* desk

pur, *adj.,* pure

pur–, *ir. stem of* **pouvoir**

pureté, *f.,* purity

Q

qu' = **que**

quai, *m.,* dock, platform

quand, *conj.,* when; — **même,** just the same; **n'importe** —, any old time

quant à, *prep.,* as for

quarante, *adj.,* forty

quart, *m.,* quarter

quartier, *m.,* quarter

quatorze, *adj.,* fourteen

quatre, *adj.,* four; **à** — **pattes,** on all fours

quatre-vingts, *adj.,* eighty

quatuor, *m.,* quartet

que, *pro., conj.,* what, that, as, how; **qu'est-ce que,** what? what is?; — **de,** how many

quel(le), *adj.,* what

quelconque, *adj.,* whatever, whatsoever

quelque, *adj.,* some; —**s,** a few; — **part,** somewhere; — **chose,** something

quelquefois, *adv.,* sometimes

quelqu'un, *pro.,* someone

querelle, *f.,* quarrel

quereller, se —, to quarrel

querelleur(-use), *adj.,* quarrelsome

qu'est-ce que, what is

quête, *f.,* quest

queue, *f.,* tail

qui, *pro.,* who, which, whom

quiétude, *f.,* calm

quinze, *adj.,* fifteen; — **jours,** two weeks

quitter, to leave, to take off

quoi, *pro.,* what, which; — **que,** whatever; — **que ce soit,** anything at all; — **qu'il en soit,** however that may be

quoique, *conj.,* although

quotidien, *adj.,* daily

R

raccrocher, to hang up again

racheter, to redeem, to pass, to rescue

raconter, to relate, to tell

rade, *f.,* roadstead, harbor entrance

radieux, *adj.,* radiant

rafale, *f.,* gust of wind(rain), squall

rafraîchir, to refresh

raillerie, *f.,* raillery, "kidding"

raison, *f.,* reason; **avoir —,** to be right

raisonnement, *m.,* reasoning

raisonner, to reason

raisonneur, *m.,* reasoner, rationalist

rajuster, to readjust

ralentir, to slow (down)

rallumer, to relight, to rekindle

rame, *f.,* oar

ramener, to bring back

ramer, to row

rameur, *m.,* rower

✓**ramoner,** to sweep

rang, *m.,* rank, row

rangée, *f.,* row

rapide, *m.,* express train

rappeler, to recall

rapport, *m.,* connection, relationship

rapporter, to bring back, to report

rapproché, *adj.,* near

rapprocher (de), to approach, to bring close together

rassemblement, *m.,* assembly

rassembler, to reassemble, to gather

rasseoir, se —, to sit down again

rassit, *p. def. of* **rasseoir**

rate, *f.,* spleen

rattacher, to retie, to reattach

ratrapper, to catch again

ravir, to delight, to rob

ravissant, *adj.,* delightful

rayer, to erase

rayon, *m.,* ray

rayonnement, *m.,* radiance, radiation

rayonner, to beam

réapparaître, *v. ir.,* to reappear

rebarbatif, *adj.,* repelling

recalé, *m.,* failure

recéler, to conceal, to contain

récemment, *adv.,* recently

récepteur, *m.,* receiver; **tableau —,** recording device

recette, *f.,* recipe

recevoir, *v. ir.,* to receive

réchauffer, to warm over

recherche, *f.,* research, search

rechercher, to seek again, to find out

rechute, *f.,* renewed attack

récipient, *m.,* receptacle

récit, *m.,* story, tale

réclamer, to ask for, to put in a claim

reçoi–, *ir. stem of* **recevoir**

récolte, *f.,* harvest

récompense, *f.,* reward

récompenser, to reward

reconduire, *v. ir.,* to take back, to escort

reconduis–, *ir. stem of* **reconduire**

reconnais–, *ir. stem of* reconnaître

reconnaître, *v. ir.*, to recognize, to admit

recouvrir, *v., ir.*, to cover again

récrier, se —, to protest

rectiligne, *adj.*, rectilinear

reçu–, *p. p. and ir. stem of* recevoir

recueil, *m.*, collection

reculer, to draw back

redescendre, to go (come) down again

rédiger, to draw up (a note), to write

redingote, *f.*, frock coat

redire, *v. ir.*, to criticize

redoutable, *adj.*, fearful

redouter, to fear

redresser, to straighten; — la nuque, to hold one's head straight

réduire, *v. ir.*, to reduce

réduit, *m.*, hole, hovel

réduit, *p. p. of* réduire

refaire, *v., ir.*, to remake

refermer, to close again

réfléchir, to reflect, to think

reflet, *m.*, reflection

refoulement, *m.*, repression, inhibition, frustration

réfugier, se —, to take refuge

regagner, to return to

regard, *m.*, look, glance; en — de, opposite

regarder, to watch, to look (at), to concern

régicide, *m.*, regicide, (*killer or executioner of a king*)

régime *m.*, diet

régir, to govern

règle, *f.*, rule; en —, proper

régler, to regulate, to set, to direct

régner, to reign

regretter, to regret, to feel sorry for

régulier(-ière), *adj.*, regular

reine, *f.*, queen

rejeter, to reject, to throw back

rejoindre, *v. ir.*, to rejoin, to overtake

réjouir, se —, to rejoice

reléguer, to relegate

relevé, *m.*, observation, survey

relever, to notice; se —, to get up, to rise again

religieux(-use), *adj.*, religious

relique, *f.*, relic

relire, *v. ir.*, to reread

remarquer, to remark, to notice

remède, *m.*, remedy

remercier, to thank

remettre, *v. ir.*, to recover, to restore, to put (on) again

remi–, *ir. stem of* remettre

remise, *f.*, presentation

remonter, to climb again

rémora, *m.*, sucking fish

remords, *m.*, remorse

remplaçant, *m.*, substitute

remplacement, *m.*, substitution

remplacer, to replace

remplir, to fill

remporter, to win

remuer, to stir (up), to move

renard, *m.*, fox

rencontre, f., meeting

rencontrer, to meet

rendement, *m.*, return, output

rendez-vous, *m.*, appointment, date

rendre, to give (back), to return, to make; se —, to go, to surrender; — compte, to recount; se — compte, to realize; compte

rendu, *m.*, report; — **justice à**, to recognize

renfermer, to contain, to shut up

renier, to disown, to deny

renommé, *adj.*, renowned

renoncer, to renounce, to give up

renouveler, to renew

renseignement(s), *m.*, information

renseigner, to inform

rente, *f.*, income

rentrer, to return (home)

renverser, to knock over, to turn over

renvoyer, *v. ir.*, to dismiss, to send away

répandre, to spread (out), to fall, to spill, to shed

repartir, to leave again, to set out, to move on

répartition, *f.*, division

repas, *m.*, meal; **grand** —, banquet

repasser, to iron, to pass by again; **fer à** —, iron

repérer, to spot, to notice

répéter, to repeat

replier, to bend inward

réplique, *f.*, reply

répliquer, to reply

replonger, to plunge again

répondre, to respond, to answer

reporter, to put off

reposer, to put back, to rest

repousser, to push back, to repulse

repren–, *ir. stem of* **reprendre**

reprendre, *v. ir.*, to reply, to resume, to take again, to pick up, to resume

représentant, *m.*, representative

repri–, *ir. stem of* **reprendre**

reproche, *m.*, reproach

reprocher, to reproach

reproduire, *v. ir.*, to reproduce, to occur again

répugner, to be repugnant

réseau, *m.*, network

résolu, *adj.*, resolute, determined

résolu–, *ir. stem of* **résoudre**

résoudre, *v. ir.*, to resolve, to decide

respectueux(-use), *adj.*, respectful

respirer, to breath, to smell

resplendir, to shine

ressembler (**à**), to resemble

ressentir, *v. ir.*, to feel, **se — de**, to show the effects of

resserré, *adj.*, squeezed

resserrer, to tighten

ressort, *m.*, spring

reste, *m.*, remainder; **du** —, furthermore

rester, to remain, to be left; — **en panne**, to make no progress

restreign–, *ir. stem of* **restreindre**, to restrict

résultat, *m.*, result

rétablir, to reestablish

retard, *m.*, delay; **en** —, late

retenir, *v. ir.*, to hold (back), to reserve, to detain, to restrain, to hold onto

retentir, to resound

retenu, *p. p. of* **retenir**

retien–, *ir. stem of* **retenir**

retin–, *ir. stem of* **retenir**

retirer, to retire, to draw, to take out, to withdraw; **se** —, to withdraw; — **la parole**, to declare out of order

retomber, to fall back

retour, *m.*, return, retrospection

retourner, to return, to upset, to

turn again; **se —**, to turn around

retrouver, to find again; **— la parole,** to regain one's speech

réunir, to unite, to put together, to gather

réussi, *adj.*, successful

réussir, to succeed

réussite, *f.*, success

rêve, *m.*, dream, dreaming

revêche, *adj.*, surly

réveil, *m.*, awakening

réveiller, to awaken

révéler, to reveal

revendiquer, to claim, to lay claim to

revenir, *v. ir.*, to come back, to return, to be due

revenu, *p. p. of* **revenir**

rêver, to dream, to day dream

réverbère, *m.*, street light

revêtir, *v. ir.*, to wear

revêtu, *p. p. of* **revêtir,** endowed

revien–, *ir. stem of* **revenir**

reviendr–, *fut. and cond. stem of* **revenir**

revin–, *ir. stem of* **revenir**

revivre, *v. ir.*, to live again

revoir, *v. ir.*, to see again

revu, *p. p. of* **revoir**

rez-de-chaussée, *m.*, ground floor

rhume, *m.*, cold

ri–, *p. p. and ir. stem of* **rire**

richesse, *f.*, wealth, riches

rider, to wrinkle

ridicule, *adj.*, ridiculous

rien, *pro.*, anything, nothing; **ne . . . —,** nothing, not anything; **ne . . . — que,** merely, only

rigueur, *f.*, rigor, accuracy, severity

riposter, to reply

rire, *v. ir.*, to laugh; *m.*, laughter, laugh; **éclater de —,** to burst into laughter

risquer, to risk

rissolé, *adj.*, browned

rite, *m.*, rite, ceremony

rivage, *m.*, bank, shore

rivalité, *f.*, rivalry

river, to rivet

rivière, *f.*, river

riz, *m.*, rice

robe, *f.*, dress; **— de chambre,** dressing gown

robinet, *m.*, tap, faucet

roc, *m.*, rock

rocher, *m.*, rock

rôdeur, *m.*, prowler

roi, *m.*, king

romaine, *f.*, romaine (*variety of lettuce*)

roman, *m.*, novel; **— policier,** detective story

romanesque, *adj.*, fantastic, fictional, romantic, romanesque; *m.*, romanticism

rompre, to break

rond, *adj.*, round

ronflement, *m.*, whirring

ronger, to gnaw

rose, *adj.*, pink

roseau, *m.*, reed

rotin, *m.*, rattan, cane

rôtir, to roast

rouge, *adj.*, red

rougir, to blush

roulement, *m.*, rolling; **— à billes,** ball bearing mounting (*mechanism*)

rouler, to roll, to move; **— sur l'or,** to roll in money

rousseur, *f.*, red, redness

route, *f.,* road; **grand'—,** highway; **en —,** on the way; **compagnon de —,** traveling companion
roux, *adj.,* red-haired, red
royaume, *m.,* kingdom
ruban, *m.,* ribbon
rude, *adj.,* rough, deep
rudesse, *f.,* rudeness, roughness
rue, *f.,* street
ruer, se —, to rush
rumeur, *f.,* noise, rustling
ruminant, *m.,* ruminant
ruminer, to ruminate, to chew one's cud, to ponder
ruse, *f.,* trickery, craftiness, ruse
russe, *adj. and n.,* Russian

S

s' = se *or* **si** (*which see*)
sable, *m.,* sand
sablé, *adj.,* sanded
sabot, *m.,* hoof
sac, *m.,* sack
sach–, *ir. stem of* **savoir**
sacré, *adj.,* sacred
sage, *adj.,* good, well-behaved, wise (man)
sagesse, *f.,* wisdom, wise thing
sai–, *ir. pres. indic. stem of* **savoir**
saignant, *adj.,* rare
saigner, to bleed
sain, *adj.,* healthy, sane
saint, *adj.,* holy, saint
saisir, to seize, to take hold of, to grasp, to grip
sale, *adj.,* dirty
salé, *adj.,* salty
salir, to soil, to dirty
salle, *f.,* hall, room, main room; **— à manger,** dining room

salon, *m.,* living room, salon, social circle
saluer, to greet, to bow
salut, *m.,* salvation, greeting
samedi, *m.,* Saturday
sang, *m.,* blood
sangfroid, *m.,* composure
sanglant, *adj.,* bloody
sanglier, *m.,* wild boar
sangloter, to sob
sans, *prep.,* without; **— que,** without
sans-gêne, *m.,* informality, care-freeness
santé, *f.,* health
sarcelle, *f.,* teal
sarigue, *f.,* opossum
satisfaire, *v. ir.,* to satisfy
satisfait, *p. p. of* **satisfaire**
saucisse, *f.,* sausage
sauf, *prep.,* except
saur–, *fut. and cond. stem of* **savoir**
saut, *m.,* leap, jump, somersault
sauter, to jump, to leap, to blow up
sauvage, *adj., m.,* savage, wild
sauver, to save; **se —,** to run away
sauveur, *m.,* savior
savamment, *adv.,* cleverly
savant (e), *n. m. and f.,* scholar, scientist; *adj.,* clever, learned
savoir, *v. ir.,* to know
scène, *f.,* scene, stage
science, *f.,* science, knowledge, learning
scintiller, to sparkle
se, *pro.,* (to, for) himself (herself, each other)
séance, *f.,* session
séant, *adj.,* sitting
seau, *m.,* pail

sec, sèche, *adj.*, dry

sécher, to dry

secouer, to shake, to jostle

secours, *m.*, help; au —, help!

secousse, *f.*, shock, start

séculaire, *adj.*, age-old

sédentaire, *adj.*, still, fixed, sluggish

seigneur, *m.*, lord, master

seigneurial(-ux), *adj.*, lordly

sein, *m.*, midst

seize, *adj.*, sixteen

séjour, *m.*, residence, stay

sel, *m.*, salt

selon, *prep.*, according to

semaine, *f.*, week

semblable, *adj.*, similar, like, alike

semblant, *f.*, faire — de, to pretend

sembler, to seem

semer, to scatter

s'en aller, *v. ir.*, to go away

sens, *pres. indic. of* sentir

sens, *m.*, meaning, sense

sensible, *adj.*, sensitive, feeling, deeply felt

senteur, *f.*, pois de —, sweet pea

sentier, *m.*, path

sentiment, *m.*, feeling, sentiment, sensation

sentir, to feel, to realize, to sense

séparer, to separate

sept, *adj.*, seven

septième, *adj.*, seventh

ser–, *fut. and cond. stem of* être

série, *f.*, series; production en —, mass production; grande —, mass production

sérieux, *m.*, seriousness

sérieux(-use), *adj.*, serious

serment, *m.*, oath, pledge

serrer, to grip, to clutch, to hold tight, to crowd, to clench; — la main (les mains), to shake hands

serrure, *f.*, lock; trou de la —, keyhole

sers, sert, *forms of the pres. indic. of* servir

servir, to serve; se — de, to use

serviteur, *m.*, servant

ses, *adj.*, his, her, its

seuil, *m.*, threshold

seul, *adj.*, alone, only, single

sexagénaire, *m.*, sexagenarian

si, *adv.*, so, if, yes (*after a negative*)

siècle, *m.*, century

siège, *m.*, siege

sien(s), (le, les), sienne(s), (la, les), *pro.*, his, hers, its

sifflement, *m.*, whistling

siffler, to hiss (at)

signaler, to indicate

signaux, *m.*, signals, signs

significatif (-ive), *adj.*, significant

signifier, to mean

silencieux (-use), *adj.*, silent

silhouette, *f.*, soigner sa —, to take care of his posture (profile)

sillon, *m.*, furrow

sillonner, to furrow

simple, *adj.*, mere, simple

singe, *m.*, monkey

singerie, *f.*, nonsense

singulier, singulière, *adj.*, strange, singular

sinon, *conj.*, if not

sitôt, *adv.*, so soon

situer, to situate

sixième, *adj.*, sixth

soeur, *f.*, sister

soi-, *ir. stem of* être

soie, *f.,* silk

soif, *f.,* thirst; **avoir —,** to be thirsty

soigner, to care for, to take care of; **— sa silhouette,** to take care of his posture (profile)

soigneusement, *adv.,* carefully

soigneux, *adj.,* careful, considerate

soin, *m.,* care, attention

soir, *m.,* evening; **du —,** p. m.

soirée, *f.,* evening

soit, that is; **— . . . —,** either . . . or; **— que,** whether; **quoi que ce —,** anything at all; **quoi qu'il en —,** however that may be

soixante, *adj.,* sixty

sol, *m.,* ground, floor, soil, sou

soldat, *m.,* soldier

soleil, *m.,* sun; **lever du —,** sunrise; **— couchant,** sunset

solennel, *adj.,* solemn

sombre, *adj.,* dark; **faire —,** to be dark

sombrer, to sink

somme, *m.,* nap; *f.,* sum; **— toute,** when all is said and done

sommeil, *m.,* sleep

sommes, *first pers. pl. pres. indic. of* être

sommet, *m.,* top, summit

son, *m.,* sound

son, *adj.,* his, her, its

songer, to reflect, to consider, to think

sonner, to ring, to sound

sonnerie, *f.,* ringing, bell

sonore, *adj.,* sonorous

sont, *third pers. pl. pres. indic. of* être

sorte, *f.,* sort; **de —que,** so that

sortir, to leave, to come (go) out, to get out, to take out, to come out from

sot, *n. m.,* fool; *adj.,* stupid

sottise, *f.,* nonsense, stupidity

souci, *m.,* care, concern

soucoupe, *f.,* saucer

soudain, *adj., adv.,* sudden, suddenly

souffert, *p. p. of* souffrir

souffle, *m.,* breath, wind, breeze

souffler, to blow, to whisper, to pant

souffrance, *f.,* suffering

souffrant, *adj.,* ill, sick

souffrir, *v. ir.,* to suffer, to endure

soufre, *m.,* sulphur

souhaiter, to wish

soulagement, *m.,* relief

soulager, to relieve

soulever, to arouse, to lift, to raise

soulier, *m.,* shoe

souligner, to stress, to underline

soumettre, *v. ir.,* to submit

soumi-, *ir. stem of* soumettre

soupçonner, to suspect

soupçonneux, *adj.,* suspicious

soupir, *m.,* sigh

soupirer, to sigh

sourcil, *m.,* eyebrow; **froncer les —s,** to frown

sourd, *adj.,* dull, deaf, muffled

souriant, *adj.,* promising

sourire, *v. ir.,* to smile; *m.,* smile

sournois, *adj.,* sly, stealthy

sous, *prep.,* under

sous-entendre, to suggest, to imply

sous-préfet, *m.,* deputy prefect

sous-tendre, to subtend, to run under

soutenir, *v. ir.,* to support; **se —,** to keep up, to carry on

soutien-, *ir. stem of* soutenir

soutin–, *ir. stem of* soutenir

souvenir, *v. ir.,* se — de, to remember; *m.,* memory, reminder

souverain, *m.,* sovereign; *adj.,* supreme

souvien–, *ir. stem of* souvenir

souvin–, *ir. stem of* souvenir

soy–, *ir. stem of* être

spirituel(le), *adj.,* witty

spontané, *adj.,* spontaneous

stade, *m.,* stadium

stratagème, *m.,* stratagem, scheming, scheme

stupéfait, *adj.,* dumbfounded, amazed

stupéfier, to amaze

stupeur, *f.,* helplessness, amazement

stylo, *m.,* fountain pen

su–, *p. p. and ir. stem of* savoir, learned, found, known

suave, *adj.,* sweet, suave

subir, to undergo

subit, *adj.,* sudden

subtil, *adj.,* subtle, thin

sucre, *m.,* sugar

sud, *m.,* south

suédois, *adj., n.,* Swedish

suer, to sweat

suffire, *v. ir.,* to suffice

suffi–, *ir. stem of* suffire

suffisant, *adj.,* sufficient

suggérer, to suggest

suinter, to ooze, to drip

suis, *first pers. sing. pres. indic. of* être

suit, *third pers. sing. pres. indic. of* suivre

suite, *f.,* consequence; à la — de, after; tout de —, immediately

suivi, *p. p. of* suivre

suivre, *v. ir.,* to follow

sujet, *n.,* subject

sujet(te), *adj.,* subject

supplice, *m.,* torture

supplier, to beg

supporter, to support, to endure, to stand

sûr, *adj.,* sure, certain

sur, *prep.,* on, out of, over

suraigu, *adj.,* very shrill

sûreté, *f.,* certainly, sureness

surgir, to arise

surhumain, *adj.,* superhuman

surmener, to overwork

surmonter, to surmount

surnaturel(le), *adj.,* supernatural

surpren–, *ir. stem of* surprendre

surprendre, *v. ir.,* to surprise, to take (catch) by surprise

surpri–, *ir. stem of* surprendre

surpris, *p. p. of* surprendre

sursaut, *m.,* start

surtout, *adv.,* especially, above all

surveillance, *f.,* supervision

surveillant(e), *n. m. and f.,* supervisor

surveiller, to watch, to watch over

survien–, *ir. stem of* survenir, to arrive unexpectedly, to come up

survin–, *ir. stem of* survenir

survivre, *v. ir.,* to survive

suspendre, to hang, to suspend

T

ta, *adj.,* your

tableau, *m.,* picture; — d'affichage, score board; — récepteur, recording device

tablette, *f.,* tablet, notebook

tablier, *m.,* apron

tabouret, *m.,* stool
tache, *f.,* spot, patch
tâche, *f.,* task
tâcher, to try
tâcheté, *adj.,* mottled
taille, *f.,* build, size
tailler, to cut, to sharpen
tailleur, *m.,* tailored suit
taire, *v. ir.,* to keep silent, to be silent; **se —,** to fall silent, to be silent
tais–, *ir. stem of* **taire**
tambour, *m.,* drum; **— -major,** drum major
tamis, *m.,* sieve
tandis que, *conj.,* whereas, while
tant, *adv.,* so much; **— que,** as much as; **— pis,** too bad, it doesn't matter; **— mieux,** so much the better
tante, *f.,* aunt
tantôt, *adv.,* **— ... —,** now ... then
tapage, *m.,* racket
tapis, *m.,* rug carpet
tapisser, to cover
taquin, *m.,* tease
tard, *adv.,* late; **tôt ou —,** sooner or later
tarder, to delay, to take long
targuer, se —, to boast
tarif, *m.,* rate
tarir, to dry up
tas, *m.,* heap, pile
tasse, *f.,* cup
te, *pro.* you, to you
teint, *m.,* complexion; *adj.,* tinted, dyed
teinte, *f.,* complexion
tel(le), *adj.,* such, a certain
tellement, *adv.,* so
témoignage, *m.,* testimony

témoigner (de), to testify, to show
témoin, *m.,* witness; **prendre à —,** to call to witness
tempérer, to temper, to moderate
tempête, *f.,* storm, tempest
temps, *m.,* time, weather; **de — en —, de — à autre,** from time to time; **à —,** in time
tendance, *f.,* tendency
tendre, to extend, to tend, to hold out, to stretch (out)
tendresse, *f.,* tenderness
ténèbres, *f.,* darkness, shadows
tenez, *interj.,* see here!
tenir, *v. ir.,* to hold, to keep, to take; **— à,** to be fond of, to insist on, to be anxious to, to cling to; **— à coeur,** to be close to one's heart; **— compte de,** to pay attention to; **se —,** to be, to remain; **— la piste,** to be on the track; **— de,** to partake of, to be related to
tentative, *f.,* attempt
tenter, to tempt, to attempt
tenu, *p. p. of* **tenir**
ténu, *adj.,* tenuous, uncertain
tenue, *f.,* clothes
terme, *m.,* term
terminer, to end
terne, *adj.,* dull, colorless
terrain, *m.,* ground
terrasser, to knock down, to bring down
terre, *f.,* land, earth, clay; **à —, par —,** on the ground
terrestre, *adj.,* earthly, terrestrial
terrier, *m.,* burrow
terrifier, to terrify
terrifiant, *adj.,* terrifying
tête, *f.,* head; **mal de —,** head-

ache; **faire sa mauvaise —,** to
act up; **donner de la —,** which
way to turn; **en — à —,** alone
textuellement, *adv.,* literally
thé, *m.,* tea
théâtre, *m.,* theater; **coup de —,**
(sensational) surprise
théière, *f.,* tea pot
thèse, *f.,* thesis
tien(ne), le (la), *pro.,* yours
tien–, *ir. stem of* **tenir**
tiendr–, *fut. and cond. stem of*
tenir
tiens! *interj.,* well! why!
timbre, *m.,* bell; **— -poste,** postage stamp
timbré, *adj.,* stamped
tir, *m.,* firing
tirer, to draw, to shoot, to pull, to
take out; **se — d'affaire,** to get
along, to get out of difficulty
tiroir, *m.,* drawer
titre, *m.,* title
toi, *pro.,* you, to you
toile, *f.,* cloth, material
toilette, *f.,* dress, costume, dressing
toit, *m.,* roof
tomber, to fall
ton, *m.,* tone
tonnerre, *m.,* thunder
tort, *m.,* wrong, mistake; **avoir —,**
to be wrong
tôt, *adv.,* soon, early; **au plus —,**
as soon as possible; **— ou tard,**
sooner or later
toucher, to touch
toujours, *adv.,* always, still
toupie, *f.,* top
tour, *f.,* tower; *m.,* trick; **jouer
un —,** to play a trick; **de —,**
around

tourbillonner, to whirl
tourner, to turn, to turn out, to
form; **— un compliment,** to pay
a compliment
tout(e, -us, -utes) *adj. and pro.,*
all, every; *m.,* everything; *adv.,*
very, quite; **— à coup,** suddenly; **— à fait,** completely; **—
d'abord,** right at first, at the
outset; **— de suite,** immediately; **— à l'heure,** presently,
a while ago; **— de même,** just
the same
toutefois, *adv.,* however
toux, *f.,* cough
traduire, *v. ir.,* to translate
trahir, to betray
train, *m.,* train; **en — de,** in the
act of
traîner, to drag, to lie around, to
cling to, to spin out, to stay
around
trait, *m.,* feature, characteristic
expression, character; **avaler
d'un —,** to swallow (empty) at
one gulp
traité, *m.,* treatise
traiter, to treat; **— de,** to call
trajet, *m.,* trip, distance, course
tranquille, *adj.,* calm, peaceful
sure; **laisser —,** to leave alone
transiger, to compromise
translation, *f.,* forward movement
transmettre, *v. ir.,* to transmit
transmis–, *p. p. and ir. stem of*
transmettre
transpirer, to perspire
travail(-aux), *m.,* work, research,
tasks
travailler, to work
travailleur(-use), *n. m. and f.,*
worker

travers, *m.,* **à —,** across, through;
de —, crooked, wrong
traverser, to cross, to pierce
treize, *adj.,* thirteen
tremper, to soak, to dilute; **acier
trempé,** tempered steel
trente, *adj.,* thirty
très, *adv.,* very
trésor, *m.,* treasure
tressaillir, *v. ir.,* to tremble
tribu, *f.,* flock, tribe
tribunal, *m.,* court, platform
tricot, *m.,* knitting
triste, *adj.,* sad, miserable
tristesse, *f.,* sadness
trois, *adj.,* three
tromper, se — (de), to be wrong
(mistaken) (about)
trône, *m.,* throne
trôner, to reign
trop, *adv.,* too, too much, too
many, too well; **de —,** too
much
trottoir, *m.,* sidewalk
trou, *m.,* hole; **— de la serrure,**
keyhole
troublant, *adj.,* upsetting
troubler, to disturb
trouée, *f.,* hole, gap, opening
troupeau, *m.,* flock
trouvaille, *f.,* find, discovery
trouver, to find; **se —,** to happen,
to be, to be located; **— juste
son compte,** to make everything
perfect
tu, *pro.,* thou, you
tuer, to kill
turban, *m.,* turban
tus, tut, turent, *p. def. of* **taire**
tuteur, *m.,* guardian
tyran, *m.,* tyrant

U

ultérieur, *adj.,* later

un (e), *indef. art.,* a, an, one
unanime, *adj.,* unanimous
unanimement, *adv.,* unanimously
unifier, to unify
unique, *adj.,* single, only, sole,
unique
unir, to unite
urane, *m.,* uranium
uranyle, *m.,* uranyl (*uranium de-
rivative*)
usage, *m.,* custom, use
user, to wear out; **— de,** to use
usine, *f.,* factory
utile, *adj.,* useful

V

va, *third pers. sing. pres. indic. of*
aller, goes; **— pour,** I'll take
vacances, *f.,* vacation
vague, *adj., f.,* vague, wave
vaincre, *v. ir.,* to conquer
vainq–, *ir. stem of* **vaincre**
vais, *first pers. sing. pres. indic. of*
aller
valeur, *f.,* value
vallée, *f.,* valley
valoir, *v. ir.,* to be worth; **—
mieux,** to be better
valu, *p. p. of* **valoir**
vaniteux, *m.,* vain (person)
vanter, se —, to boast
vapeur, *f.,* vapor, mist, steam
varier, to vary
variole, *f.,* smallpox
Varsovie, *f.,* Warsaw
vas, *second pers. sing. pres. indic.
of* **aller**
va-t'en, off you go, go away
vau–, *ir. stem of* **valoir**
veau, *m.,* calf
vécu–, *p. p. and ir. stem of* **vivre,**
to live
veille, *f.,* day (evening) before,
waking hours

veiller, to watch (over), to take care of, to see to it

veiné, *adj.,* veined

vélo, *m.,* bicycle

velours, *m.,* velvet, corduroy

vendre, to sell

vendredi, *m.,* Friday

vendeur, *m.,* salesman

venger, to avenge

venir, *v. ir., to come;* — **de** *plus infinitive,* to have just; **s'en** —, to come; — **à,** to happen; **d'en** — **aux mains,** to come to blows

vent, *m.,* wind; **coup de** —, gust of wind

vente, *f.,* sale

ventre, *m.,* belly, stomach

venu, *p. p. of* **venir; nouveau** —, newcomer; **dernier** —, late comer

ver, *m.,* worm

verifier, to verify, to check

véritable, *adj.,* real

vérité, *f.,* truth; **en** —, in truth

verr–, *fut. and cond. stem of* **voir**

verre, *m.,* glass; **prendre un** —, to take a drink

vers, *m.,* line of verse

vers, *prep.,* toward

verser, to pour, to shed

vert, *adj.,* green

vertige, *m.,* dizziness

vertigineux(-se), *adj.,* dizzying

vertu, *f.,* virtue, power; **en** — **de,** by virtue of

verve, *f.,* verve, enthusiasm

veston, *m.,* suit coat

vêtement, *m.,* garment, clothing

vêtu, *p. p. of* **vêtir,** to dress

veu–, veul–, veuill–, *ir. stems of* **vouloir**

veuillez, please, be kind enough to

veuve, *f.,* widow

vexant, *adj.,* vexing, vexatious

vexé, *adj.,* vexed

vi–, *ir. stem of* **vivre,** to live, *and* **voir,** to see

viande, *f.,* meat

vibrer, to vibrate

victoire, *f.,* victory

vide, *adj., n. m.,* empty, void

vider, to empty; — **d'un trait,** to empty (swallow) at one gulp

vie, *f.,* life, living; **en** —, living, alive

vieillard, *m.,* old man

vieille, *f., adj.,* old, old woman

vieillesse, *f.,* old age

vieillir, to grow old, to age

viens(t, -nent), *forms of the pres. indic. of* **venir,** to come

viendr–, *fut. and cond. stem of* **venir**

vierge, *f.,* virgin, new

vieux, *adj., m.,* old, old fellow

vif(-ive), *adj.,* lively, keen, sharp, deep

vigne, *f.,* vineyard

vilain, *adj.,* naughty

villageois, *adj.,* village

ville, *f.,* city, town

vin, *m.,* wine

vin–, *ir. stem of* **venir**

vingt, *adj.,* twenty; **quatre-** —**s,** eighty

vingtaine, *f.,* score, about twenty

violemment, *adv.,* violently

virer, to turn

vis, *f.,* screw

visage, *m.,* face

viser, to aim

visite, *f.,* visit, inspection; — **douanière,** customs inspection

visser, to screw

vite, *adv.,* quickly

vitesse, *f.,* speed; — **de translation,** forward speed

vitré, *adj.,* glassed (in)

vivant, *adj.,* living

vive, *adj., fem. of* **vif**

vivement, *adv.,* keenly, deeply, quickly, tenaciously

vivre, *v. ir.,* to live; —**s,** *m.,* food-stuff(s), provisions

voici, *prep.,* here is (are); — **que,** suddenly

voie, *f.,* way, track; — **lactée,** milky way

voilà, *prep.,* there (here) is (are), that is

voile, *m.,* veil

voiler, to veil, to hide

voir, *v. ir.,* to see

voire, *adv.,* in truth

voisin(e), *n. m. and f.,* neighbor; *adj.,* neighboring, close to

voiture, *f.,* carriage, car

voix, *f.,* voice; **à — couverte,** in a low tone; **à — haute,** aloud, in a loud voice

vol, *m.,* flight, theft; **au —,** on the wing

volaille, *f.,* poultry

volcan, *m.,* volcano

volée, *f.,* **à la —,** wildly

voler, to fly, to rob

volet, *m.,* shutter

voleur, *m.,* thief, robber

volontaire, *adj.,* willing, voluntary

volonté, *f.,* will, desire, wish

volontiers, *adv.,* freely, enthusiastically, gladly

voltiger, to hover, to flutter

vont, *third pers. pl. pres. indic. of* **aller**

votre, *adj.,* your

vôtre(s), le, la (les), *pro.,* yours

voudr–, *fut. and cond. stem of* **vouloir**

vouer, to dedicate

vouloir, *v. ir.,* to wish, to want; — **bien,** to be willing; — **dire,** to mean; **en — à,** to hold (have) it against (someone for); *m.,* desire, will

voulu–, *p. p. and ir. stem of* **vouloir**

voy–, *ir. stem of* **voir,** to see

voyage, *m.,* trip; **en —,** when traveling

voyager, to travel

voyageur(-use), *n. m. and f.,* traveler

voyons, *interj.,* see here! of course, all right, come now

vrai, *adj.,* true; **à — dire,** to tell the truth; **dire —,** to tell the truth

vraiment, *adv.,* truly, really

vu–, *p. p. and ir. stem of* **voir,** to see

vue, *f.,* view, sight; **à perte de —,** as far as the eye can see

W

wagon, *m.,* carriage

Y

y, *adv.,* there; **il — a,** there is (are); (*with expressions of time*) ago; **il — avait,** there was (were); **il — avait eu,** there had been; — **avoir,** to be

yeux, *m. pl. of* **oeil,** eyes

Z

zouave, *m.,* zouave (*French colonial soldier*)

zénith, *m.,* zenith

zut! *interj.,* good Lord!